MEHR! SO GEHT DAS!

MEHR!
SO GEHT DAS!

DAS ULTIMATIVE ANLEITUNGSBUCH

NOCHMAL 500 DINGE UND WIE MAN SIE MACHT

MOEWIG

So geht das…

coole Moves

wilde Stunts

tolle Tricks

magische Illusionen

freche Mogeleien

dumme Streiche

imponieren

tricksen

kreativ sein

stylen

Kunstprojekte

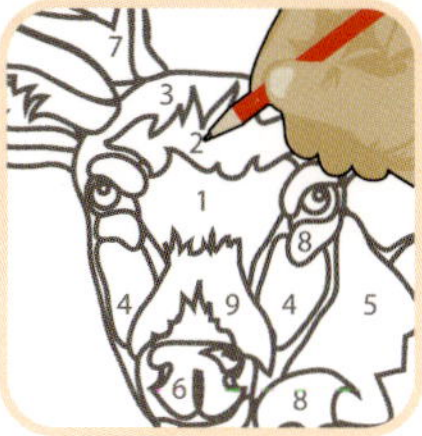

schräge Sachen

Straßenmusik

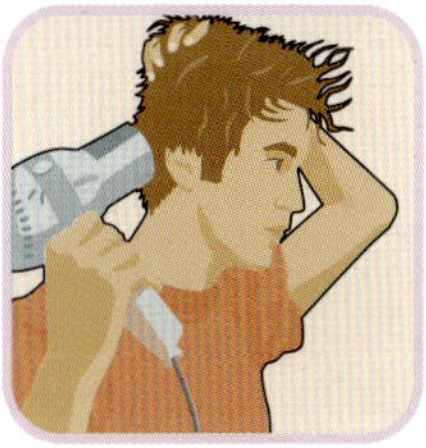

Haarpflege

Modetipps

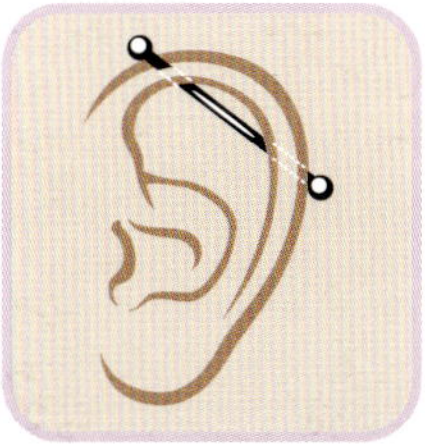

heiße Trends

Make-up-Tipps

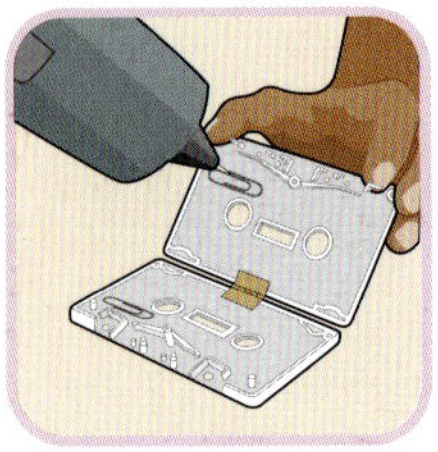

Selbstgemachtes

Romantisches

Dating-Tipps

Tipps für den großen Tag

Möbelreparatur

lieben

wohnen

wachsen

Reparaturen im Haushalt

Kreatives Dekorieren

Rund um den Garten

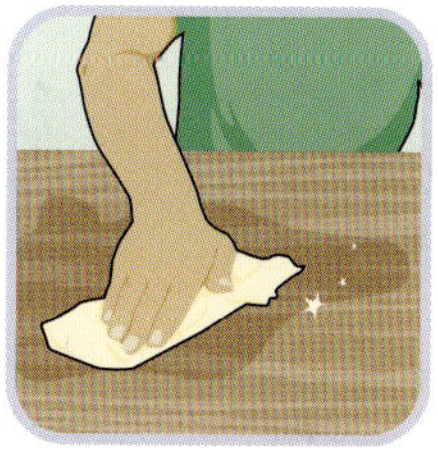

Kindererziehung

Tipps für die Kleinen

Vierbeiner

Überleben in der Wildnis

Erste Hilfe

Vorsorge

Fremde Kulturen

Reisen einmal anders

erfinderischer Transport

helfen

reisen

feiern

Familien-feiern

Feiertage

Tänze

genießen

einfache Snacks

verführerische Desserts

Küchen-tricks

frische Rezepte

raffinierte Drinks

einfache Übungen

Extrem-sport

eindrucks-volle Manöver

klassische Bewe-gungen

bewegen

Ein Wort von Derek und Lauren

189 Tapeten-Silhouetten ausschneiden

89 Auf der Glasharfe spielen

Willkommen zu **Mehr! So geht das!** Wir freuen uns, dass Sie uns auf unseren weiteren Abenteuern begleiten. Sie gehören zu den Hunderttausenden Menschen weltweit, dank deren Neugier und Wissbegierde diese Reihe zu einem immer erfolgreicheren internationalen Phänomen wurde. Auf den folgenden Seiten finden Sie in bewährter Manier eine ausgewogene Auswahl an praktischen und erstaunlichen Tipps. „Wo kommen all diese Ideen her?", fragen Sie sich vielleicht. Nun ja, eine Menge Inspirationen bekommen wir zu Hause (#189 Tapeten-Silhouetten ausschneiden), doch haben wir auch rund um den Globus nach eindrucksvollen Fertigkeiten und Tätigkeiten verschiedener Kulturen (# 324 Papel Picado ausschneiden und #294 Attaya zubereiten) gesucht. Dabei sind wir auf weitere Fertigkeiten gestoßen, die jeder unbedingt beherrschen sollte (#205 Ein Heimbüro einrichten), sowie auf unglaubliche Ideen, von denen Sie noch nie gehört haben (#89 Auf der Glasharfe spielen).

In diesem Buch finden Sie Tipps, die Ihre Lebensqualität verbessern (#337 Nahrung nach Saison wählen), und Tricks, mit denen Sie ganz schön Eindruck schinden können (#6 Drei Gläser gleichzeitig füllen). Wir haben aufregende Fertigkeiten für Kinder, Erwachsene, Feinschmecker, Künstler und Abenteuerlustige entdeckt. Natürlich dürfen auch ein paar Tricks nicht fehlen, die Sie zwar hoffentlich nie anwenden müssen (#270 Eine Anakonda besiegen) – aber man weiß ja nie. Wir hoffen, dass die folgenden Seiten für Sie nicht nur Know-how, sondern auch Inspiration und Unterhaltung bieten. Vor allem aber wünschen wir uns, dass dieses Buch Ihnen einen Anreiz gibt, all die spannenden und schönen Dinge zu erkunden, die uns das Leben so bietet.

270 Eine Anakonda besiegen

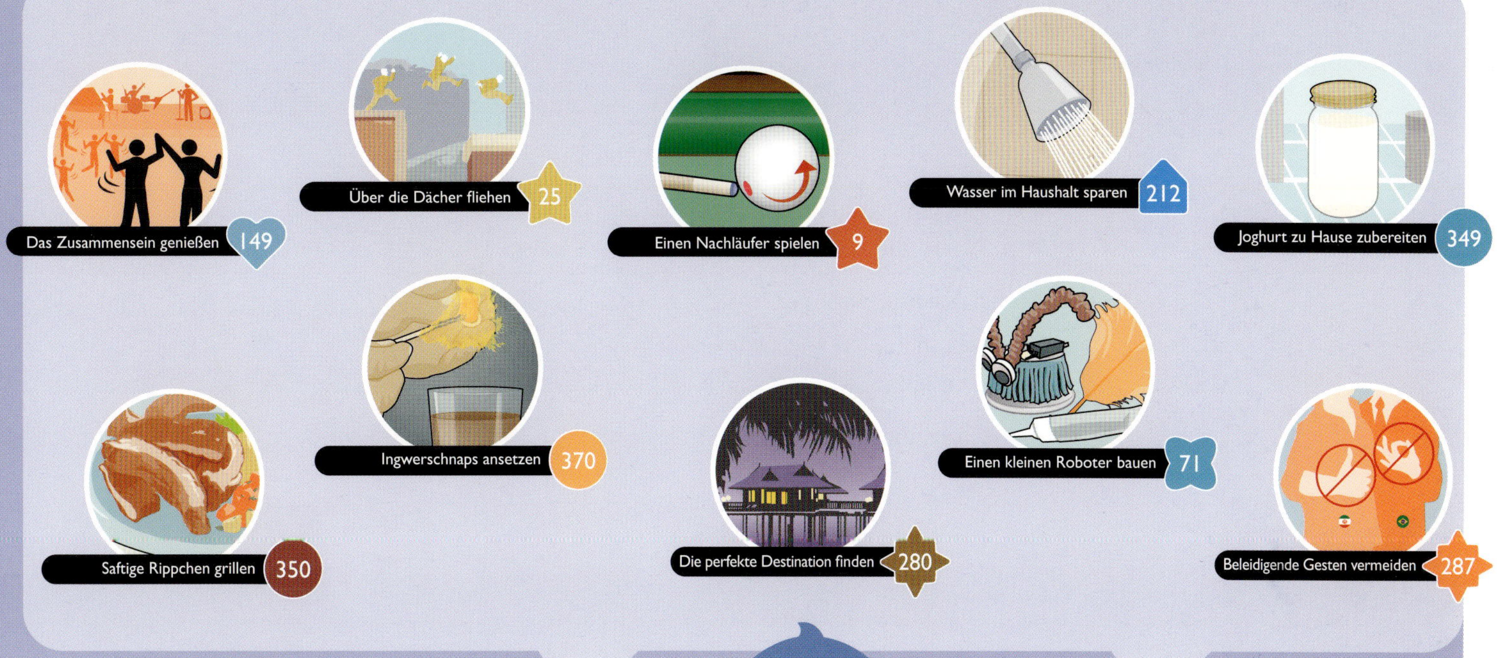

Seit sie sich vor fünfzehn Jahren am College über den Weg liefen (#149), teilen **Derek** und **Lauren** eine unersättliche Neugier nach ...nun ja... fast allem! Die Arbeit an diesem Buch hat sie in ihrer Überzeugung bestärkt, dass Wissbegierde stets von Nutzen ist, egal wie praktisch (#212) oder lächerlich (#25) das Thema sein mag.

In diesem Buch lassen die beiden uns an ihren Interessen teilhaben – von Laurens selbstgemachtem Joghurt (#349) bis zu Dereks Billardkünsten (#9) – und erkunden auch neue Tricks. Dank ihrer frisch entfachten Begeisterung fürs Grillen (#350) und die Herstellung von Hochprozentigem (#369) sind sie gern gesehene Partygäste. Mit den von ihnen gebauten Minirobotern (#71) wiederum haben sie die Herzen der Kids im Nu erobert. Dieses Jahr möchten sie sich ihren lang ersehnten Wunsch nach einer Weltreise (#280) erfüllen – selbstverständlich, ohne dabei in Schwierigkeiten zu geraten (#287).

Zu diesem Buch

Auf den folgenden Seiten sind nahezu alle wichtigen Informationen grafisch dargestellt. In den meisten Fällen sind die Bilder selbsterklärend. Ab und zu gibt es zum besseren Verständnis zusätzliche Informationen.

MATHEMATIK Exakte Mengen- und Maßangaben finden Sie direkt im betreffenden Bildrahmen. „Winkel"-Angaben helfen Ihnen, eine Aktivtät richtig durchzuführen!

1 Knoblauchzehe   15 cm   135°

WERKZEUG Die Werkzeugleiste zeigt alles, was Sie für die abgebildete Aktivität brauchen. Falls Sie eine Zeichnung nicht erkennen, sehen Sie im praktischen Glossar am Ende des Buches nach.

ZOOMS Vergrößerte Ausschnitte neben oder in einem Bildrahmen enthalten wichtige Informationen – oder Warnungen.

ZUSATZINFORMATION Wenn es eine Zusatzinfo zu einer Aktivität gibt, finden Sie sie in dem mit einem * markierten Text.

QUERVERWEISE Manchmal führt eins zum anderen. Folgen Sie den Verweisen auf verwandte, hilfreiche oder sonsrige interessante Informationen.

Ein Lager im Schnee aufschlagen 300

ICON-ERKLÄRUNG Eine Vielzahl von Icons weist auf wichtige Aspekte einer Aktivität wie Zeit, Temperatur oder Sicherheit hin. Hier sind die Icons, die Sie immer wieder finden werden.

!	Gefahr! Überlassen Sie das besser Experten. (Es sei denn, Sie möchten unbedingt Ärger kriegen!)	2–3 min	Die Stoppuhr zeigt Ihnen, wie lange eine Aktivität dauern soll.
	Rufen Sie die Notrufnummer, wenn Sie sich in einer solchen Situation befinden.		Der Kalender zeigt, wie viele Tage, Wochen oder Monate die betreffende Aktivität erfordert.
×2	Wiederholen Sie die abgebildete Handlung der Zahl entsprechend.		Am Thermometer können Sie die erforderliche Temperatur für eine Aktivtität ablesen.
3:1	Dieses Symbol zeigt Ihnen, in welchem Verhältnis Sie einzelne Zutaten miteinander vermischen sollen.		Wie heiß? Bei geringer, mittlerer oder hoher Hitze kochen.
Kopieren!	Diese Seite dient als Muster. Kopieren oder scannen Sie sie ein und vergrößeren Sie sie je nach Bedarf. Folgen Sie dann der Anleitung.		Igitt – das stinkt! Öffnen Sie ein Fenster, bevor Sie loslegen.

ANMERKUNG Die Beschreibungen in **Mehr! So geht das!** sollen nur der Unterhaltung dienen. Bitte beachten Sie Folgendes, wenn Sie eine Aktivität ausprobieren:

- **RISKANTE AKTIVITÄTEN** Einige Aktivitäten in diesem Buch sind nicht nur riskant, sondern geradezu verrückt. Schätzen Sie also Ihre eigenen Grenzen realistisch ein, und recherchieren Sie alle relevanten Risiken, bevor Sie irgendeine Aktivität zum ersten Mal ausprobieren. (Hände weg von #21!)
- **PROFESSIONELLE BERATUNG** Auch wenn wir jede Aktivität sorgfältig recherchiert haben, sind die Beschreibungen in **Mehr! So geht das!** kein Ersatz für Beratung oder Schulung durch einen Fachmann auf dem betreffenden Gebiet.
- **KÖRPERLICHE AKTIVITÄTEN** Fragen Sie einen Arzt, bevor Sie eine Aktivität ausprobieren, die körperliche Anstrengung erfordert, besonders wenn Sie an einer Erkrankung leiden, die Sie dabei einschränken oder behindern könnte. Oder wenn Sie sich nicht lächerlich machen wollen (#380).
- **ALTERSFREIGABE** Die Aktivitäten in diesem Buch sind nur für Erwachsene gedacht. Einige Aktivitäten sollten auch Erwachsene lieber bleiben lassen (siehe #268).
- **VERSTOSS GEGEN DAS GESETZ** Die Informationen in diesem Buch sollten nicht genutzt werden, um relevante Gesetze zu brechen. Mit anderen Worten: Denken Sie nicht einmal daran, #393 in New York City zu probieren.

imponieren

2 Ungeheure Kraft demonstrieren

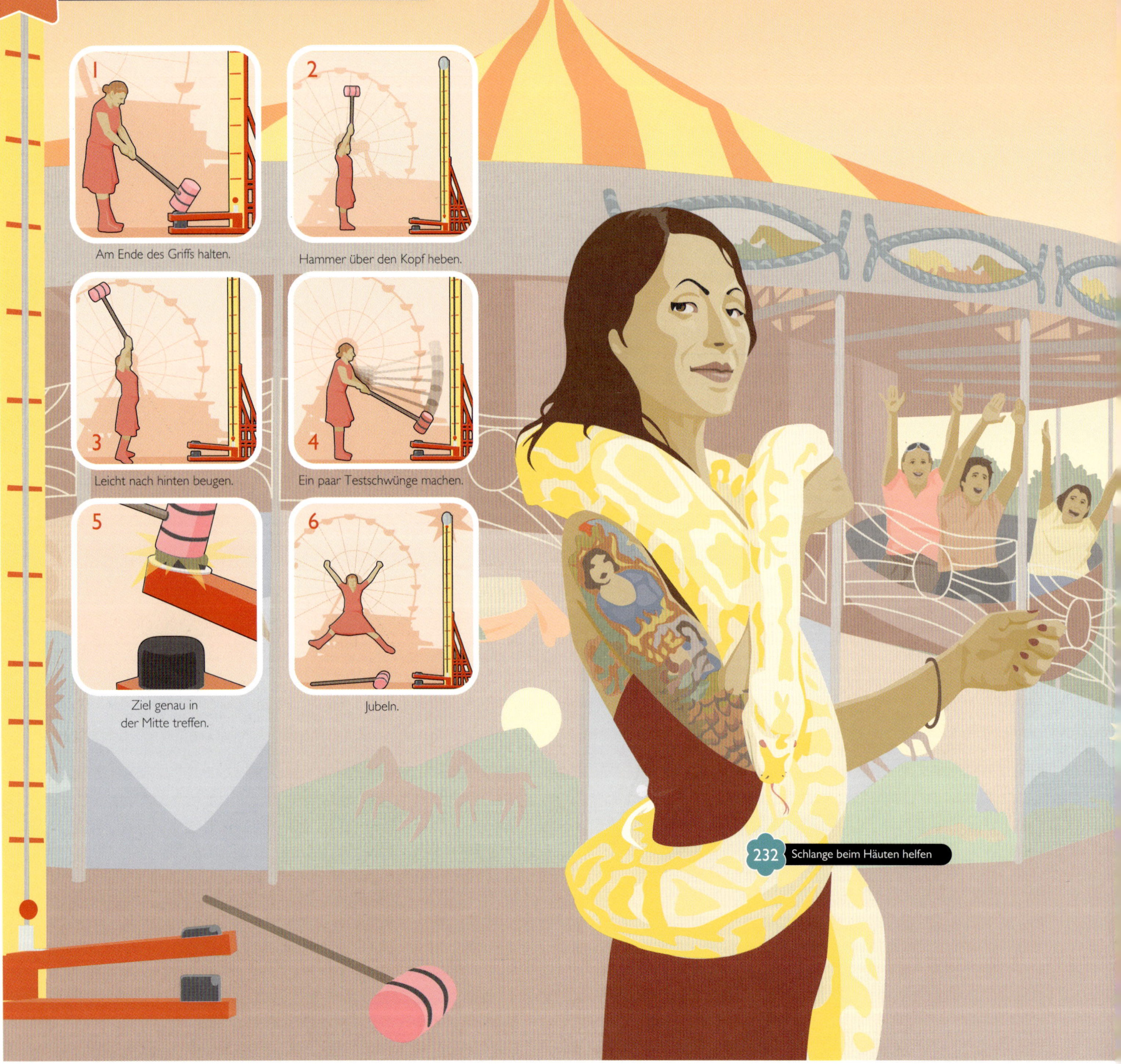

232 Schlange beim Häuten helfen

Beim Münzenwerfen gewinnen 3

1. Münze heimlich ablecken.
2. Möglichst weit nach vorn lehnen.
3. In hohem Bogen werfen.

* Schausteller versehen die Teller mit einer glatten Beschichtung. Machen Sie Ihnen einen Strich durch die Rechnung, indem Sie die Münze befeuchten und klebriger machen.

Dartpfeile auf Luftallons werfen 4

1. Auf einen der äußeren Luftballons zielen.
2. Dartpfeil in hohem Bogen werfen.
3. Diese Luftballons sind extradick; mehrmals auf denselben zielen.

5 Einen mechanischen Bullen reiten

Rechtes Bein über den Bullen schwingen.

Bei niedrigster Stufe beginnen.

Schenkel zusammenpressen; Oberkörper entspannen.

Freien Arm schwingen.

Bein hinüberschwingen; herabgleiten.

6 Drei Gläser gleichzeitig füllen

Drei Gläser aufstellen.

Drei Shaker zur Hälfte mit Eis füllen.

In jeden einen Schuss geben.

Shaker stapeln.

Einen leeren Shaker darauf platzieren.

Beide Enden halten; Bogen formen.

Zum Ausschenken neigen.

Bogen senken und alle drei Gläser füllen.

7 Dosenstechen

Dose kippen, damit eine Luftblase entsteht.

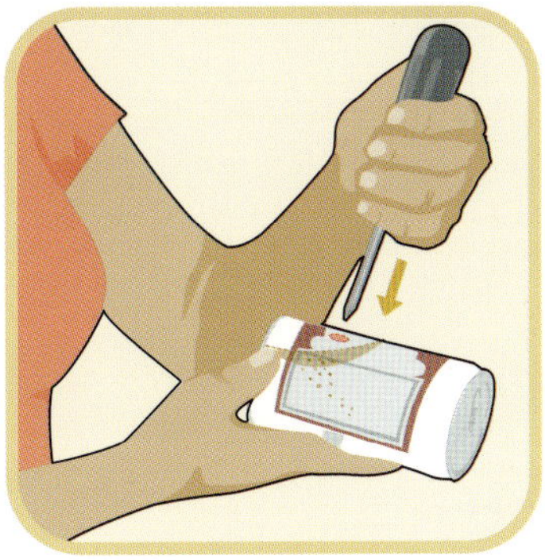
Loch in Luftblase stechen.

Vorbeugen; Mund über das Loch halten.

Kopf heben, Dosenring öffnen.
In einem Zug austrinken.

8 Ein Dartspiel beherrschen

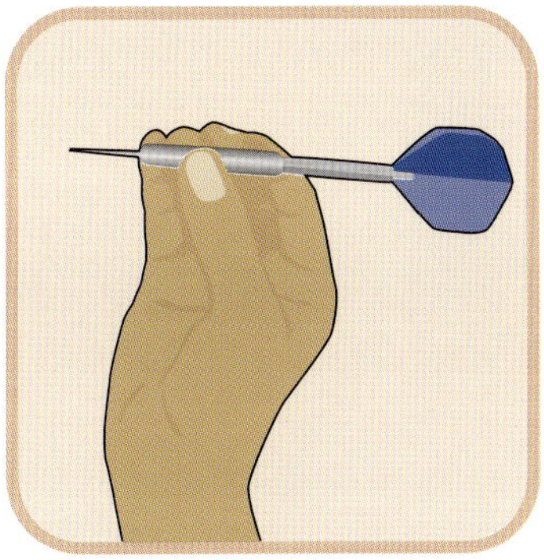
Mit zwei oder mehreren Fingern halten.

Zehen auf die Linien stellen; gerade stehen.

Dartpfeil auf einer Linie mit der Zielscheibe halten.

Unterarm zurückziehen.

Schulter beim Werfen ruhig halten.

Pfeil mit leicht angehobener Spitze loslassen.

Den Schwung mit dem Arm
ganz durchziehen.

Volltreffer!

9 Einen Nachläufer spielen

10 Einen Stoppstoß spielen

11 Einen Rückläufer spielen

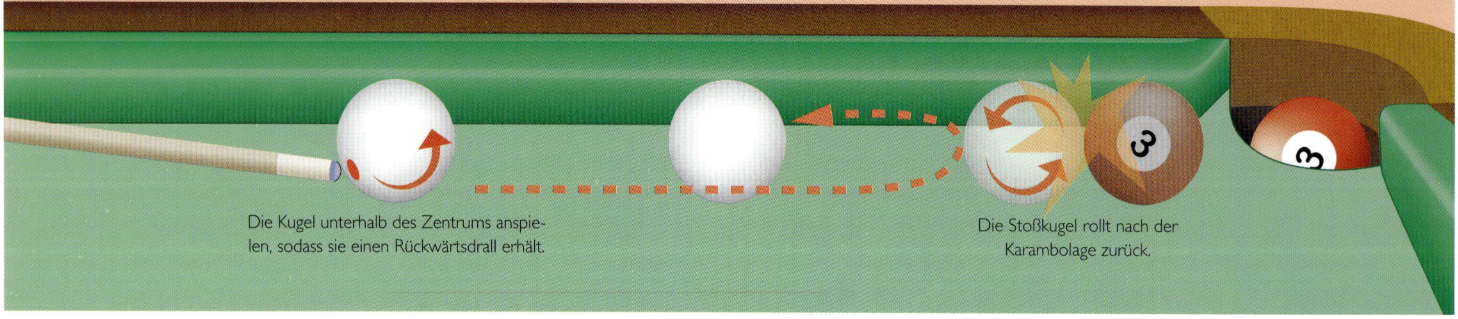

Sneaky Pete

Top Gun

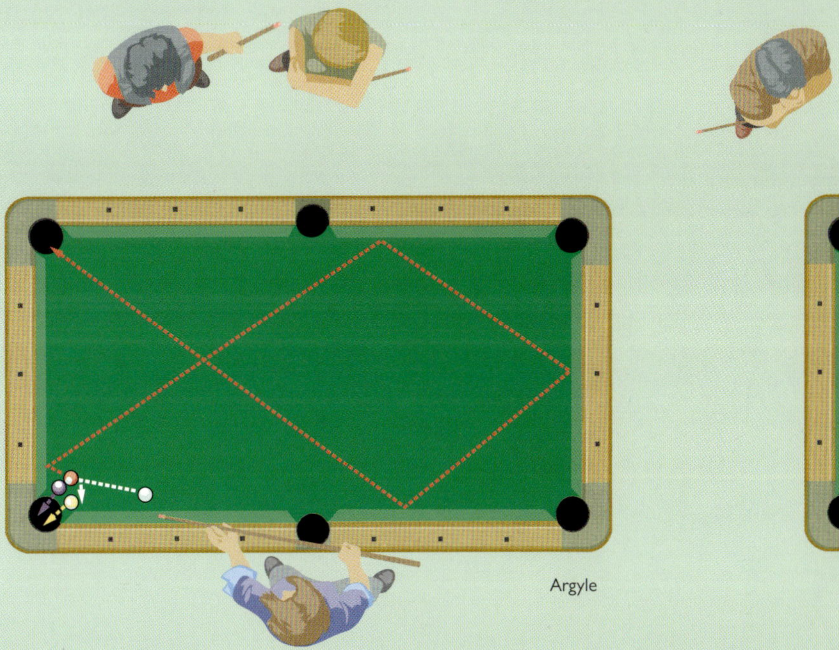

Argyle

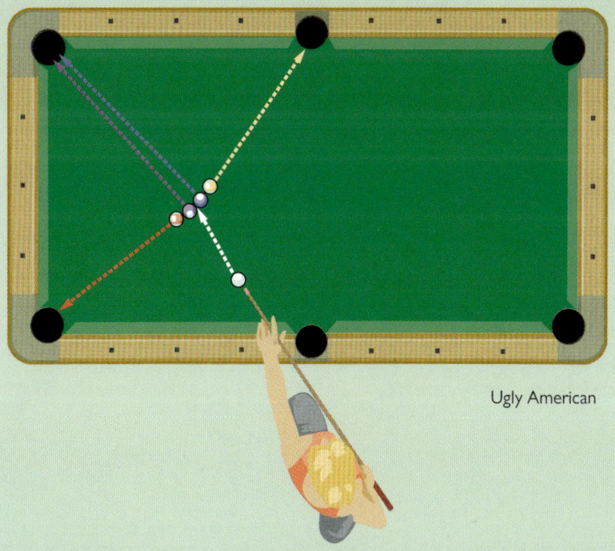

Ugly American

13 Eine Gitarre umherschwingen

Gurt befestigen, an der Taille halten.

Über das Kabel steigen.

Gitarre nach oben und um den Körper schwingen.

Hüfte nach vorn schwingen.

Den Gitarrenhals ergreifen und weiterrocken.

14 Heavy-Metal-Make-up

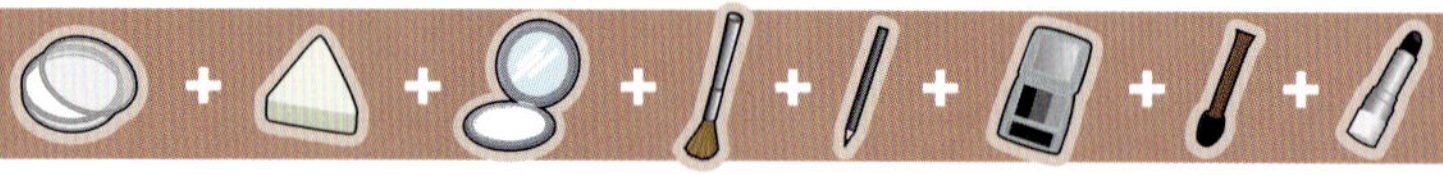

Gesicht und Hals grundieren.

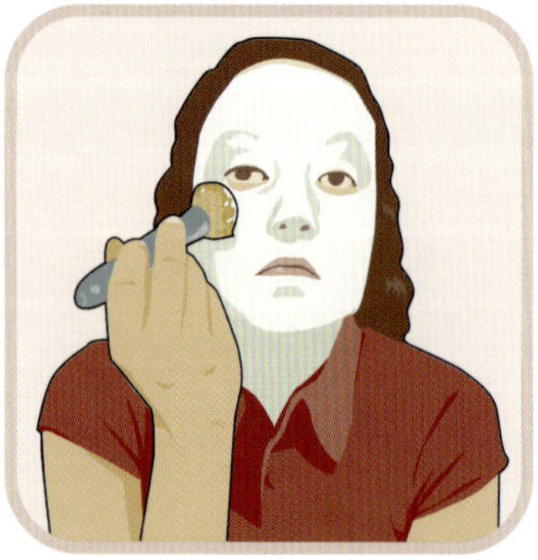

Mit Puder fixieren.

Fledermausformen aufmalen.

97 Theatralische Augen aufmalen

Augenlider umrahmen.

Mit dunklem Lidschatten ausfüllen.

Lippen schwarz umranden.

Mit dunklem Lippenstift ausmalen.

Brutal.

15 Aus dem Spagat aufstehen

Hüften nach rechts drehen und in die Höhe springen.

Nach unten in den Spagat gleiten.

Im Spagat landen.

Mit der Hand nach oben drücken; Bein beugen.

Absatz über den Boden ziehen und aufstehen.

16 Eine Bühnendrehung hinlegen

Fuß hinters Knie geben.

Fußballen auf den Boden stellen.

Mit der Drehung beginnen.

Eine Pirouette drehen 413

In der Drehung aufrichten.

Mit dem Gesicht nach vorn beenden.

Auf die Knie fallen und weitersingen.

17 Mit Pfeil und Bogen schießen

18

Mit einem Adler jagen

Dem Adler eine Kappe überstülpen.

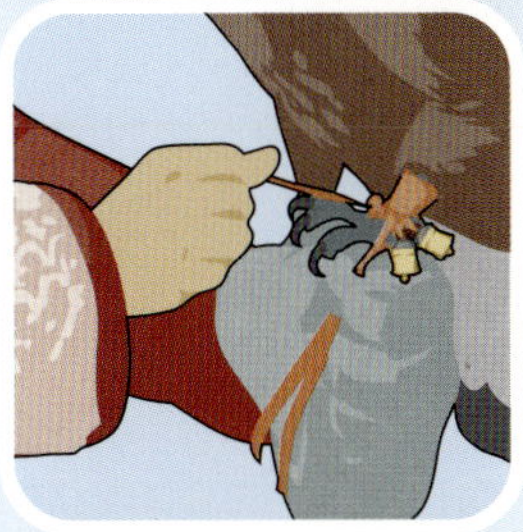
An den Klauen Fessseln anbringen.

Ins Jagdrevier reiten.

Kappe abnehmen; Fesseln lösen.

Jagdwild zu Pferd aufscheuchen.

Erwischt!

Vogel mit einer Belohung weglocken.

Fesseln nehmen; Kappe aufsetzen.

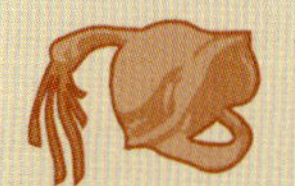
Durch die Kappe bleibt der Vogel ruhig.

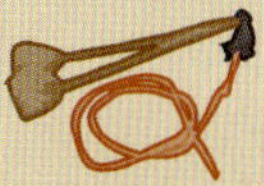
Der Vogel ist an Langfesseln angeleint.

Mit Glocken lässt sich der Vogel ausfindig machen.

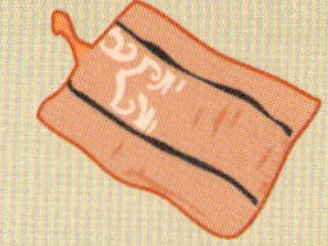
In der Falknertasche werden Leckerbissen für den Adler aufbewahrt.

Jagdmesser zum Schneiden des Fleisches

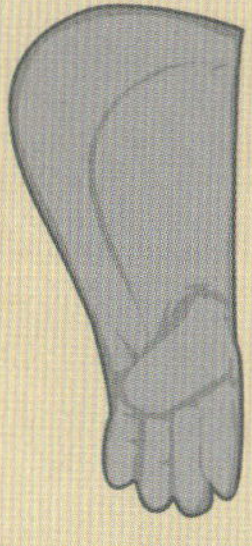
Falknerhandschuh zum Schutz

19 Ein Luftkissen-Board basteln

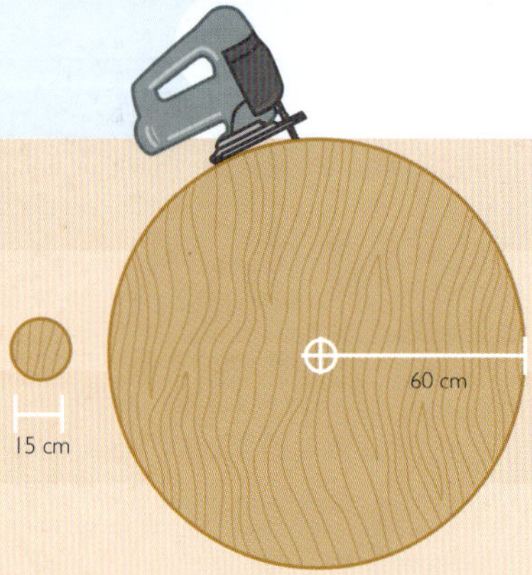

1 Zwei Scheiben aus Sperrholz zuschneiden.

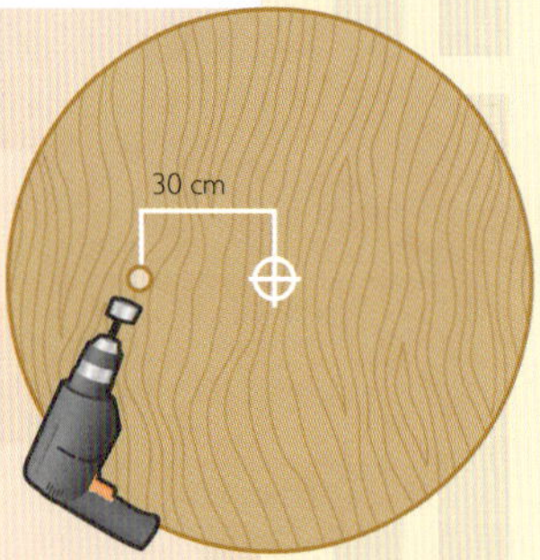

2 Loch von der Größe einer Laubgebläsedüse ausschneiden.

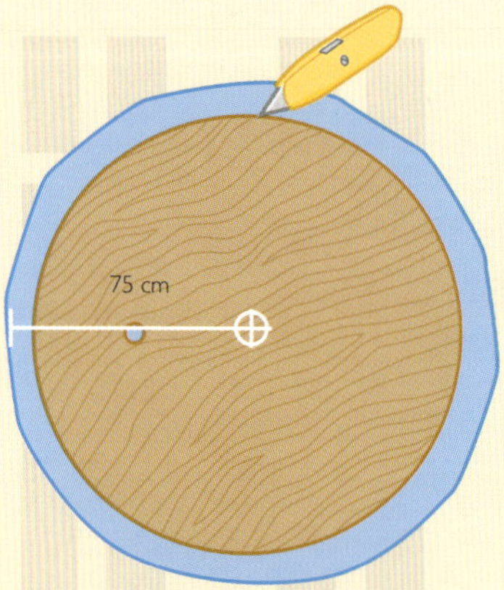

3 Kreis aus einer Plastikplane schneiden.

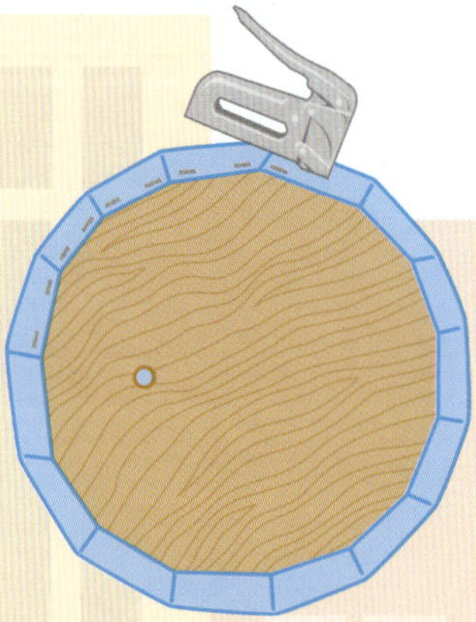

4 Holzscheibe über Plane legen; überhängende Plane einfalten, festklammern.

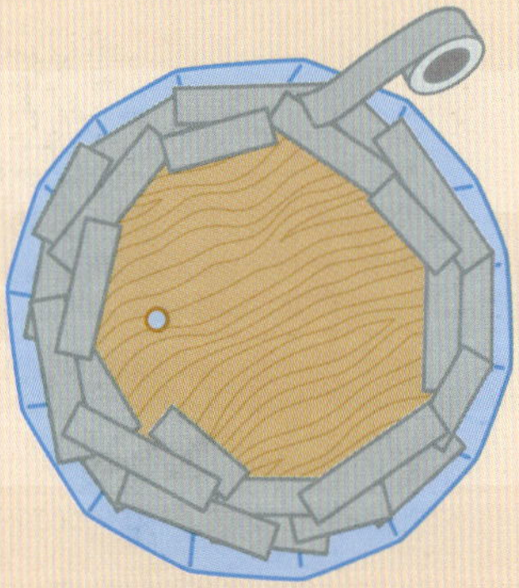

5 Ränder mit Isolierband abkleben.

6 Umdrehen; kleine Scheibe in der Mitte festschrauben.

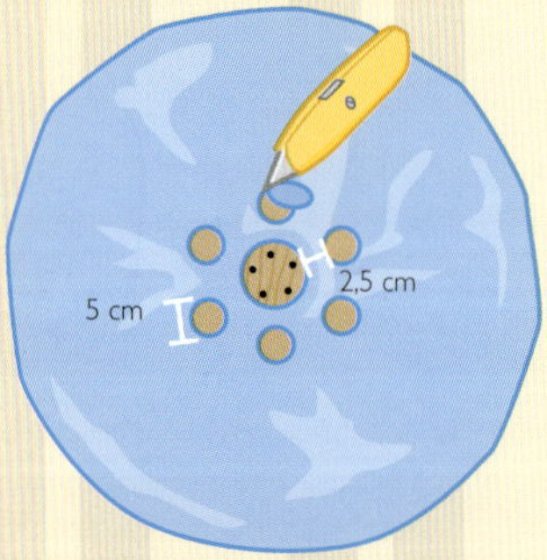

7 Öffnungen in die Plane schneiden.

8 Gebläse mit Isolierband über dem Loch befestigen – und los geht's!

20 Mit einem Raketenrucksack reisen

Sicher festschnallen.

Zum Abheben Gashebel anziehen.

Lenkstange nach vorn drücken, um vorwärts zu fliegen.

Mit der linken Hand steuern.

Gashebel zum Landen nach unten drücken.

21 Im Gartenstuhl davonschweben

Luftballons mit Helium aufblasen.

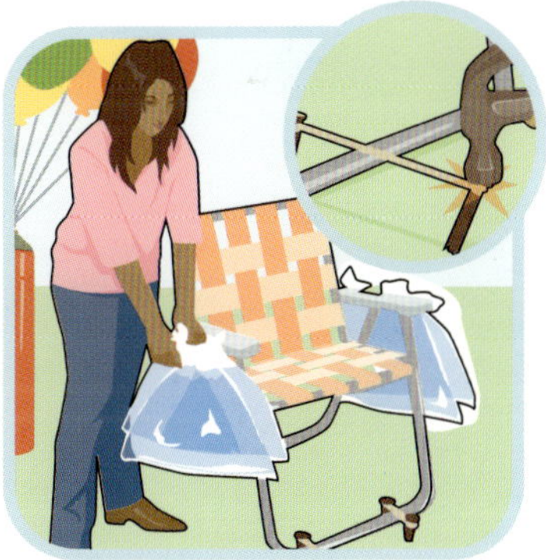
Gartenstuhl befestigen, mit Säcken beschweren.

Luftballons an Lehnen und Rückseite festbinden.

Mit Leine und Luftgewehr hinsetzen.

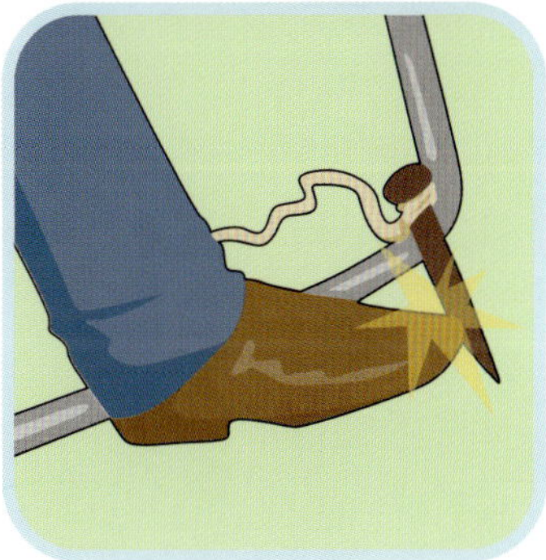
Stuhl losmachen.

Zum Aufzusteigen Säcke einstechen.

Zu Höhenflügen starten 156

Zum Absteigen Ballons abschießen.

Leine zur einfacheren Landung herablassen.

22 Eine Rauchwand erzeugen

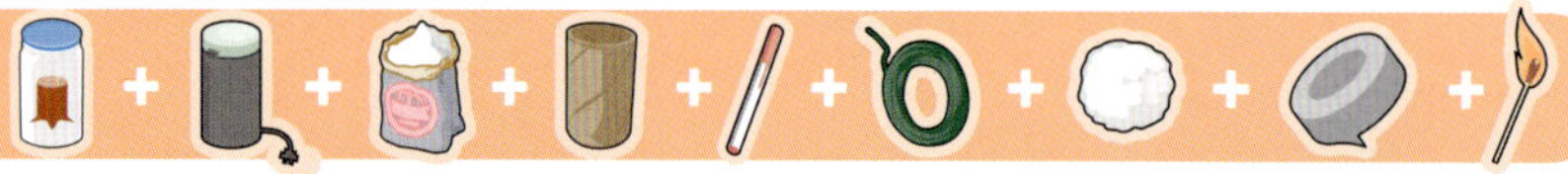

Zu feinem Pulver zermahlen.

Pulver mit Zucker in einer Pfanne vermengen.

Zu einer braunen Paste verkochen.

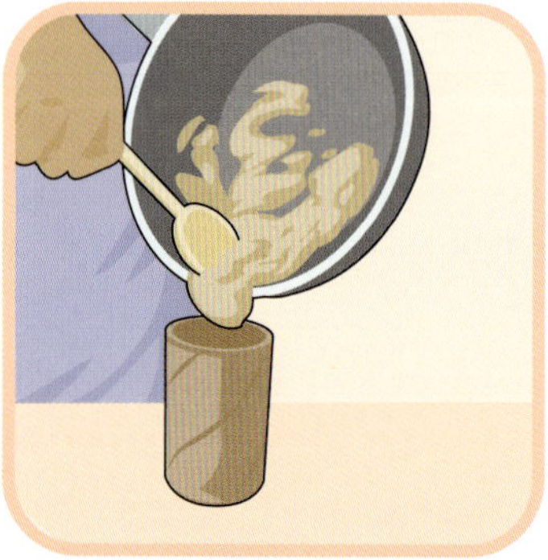

In eine Papprolle geben.

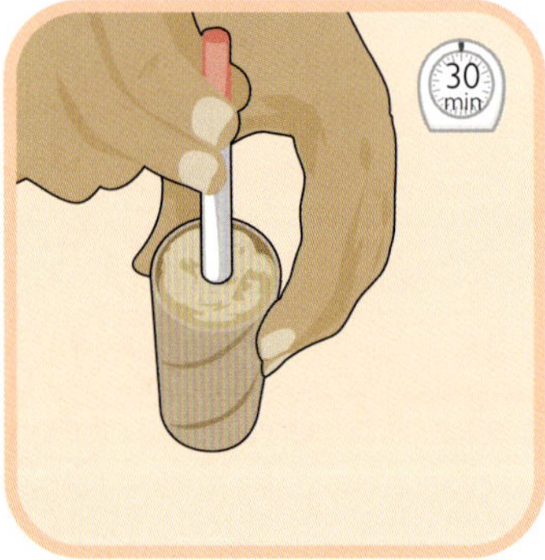

Kugelschreiber hineinstecken; trocknen lassen.

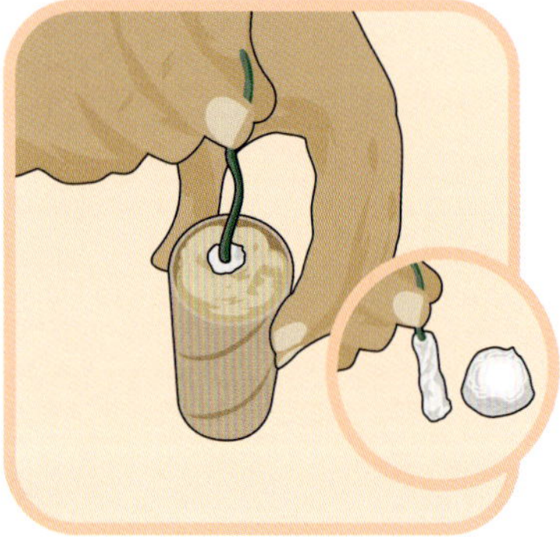

Kugelschreiber entfernen; in Baumwolle gewickelte Zündschnur hineinstecken.

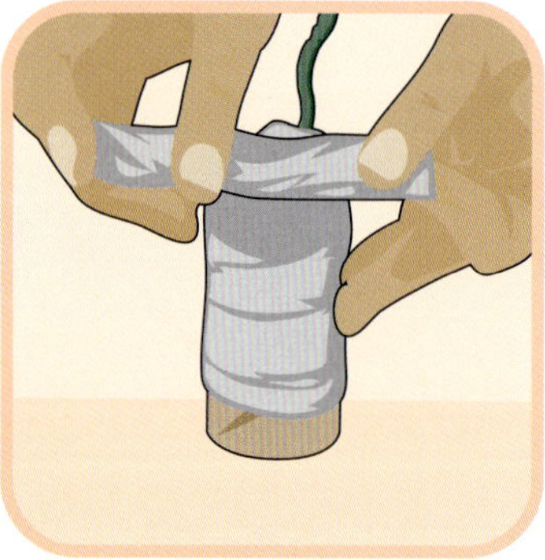

Rolle zur Gänze mit Isolierband abkleben.

Außer Reichweite von Tieren und Menschen anzünden.

* Der aktive Bestandteil dieser Rauchbombe ist das Kaliumnitrat im Stumpfentferner (Mittel zur Entfernung von Baumstümpfen), das auch unter der Bezeichnung Salpeter, Kalisalpeter oder E 252 erhältlich ist.

23 Einen Raucheffekt erzeugen

Vier Tischtennisbälle zerschneiden.

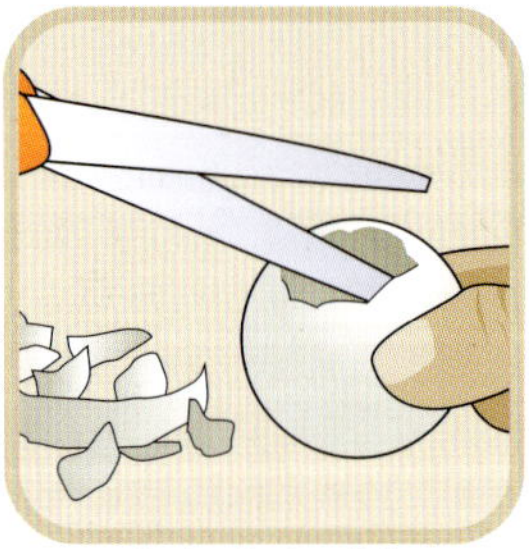

In den fünften Ball ein Loch schneiden.

Mit den anderen Teilen füllen.

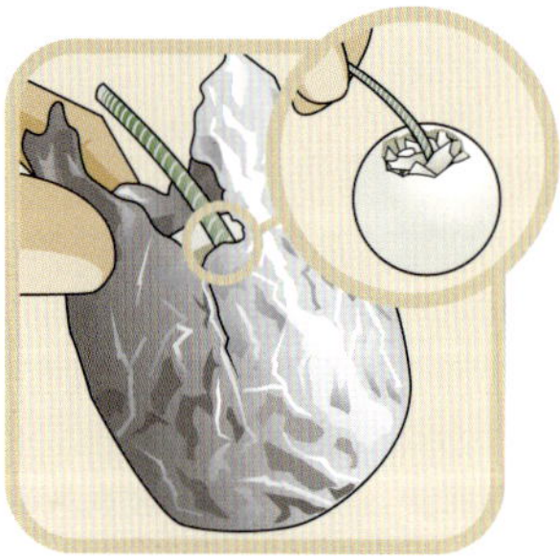

Zündschnur hineinstecken; mit Folie umwickeln.

Außer Reichweite von Mensch und Tier anzünden.

Eine Sprühfontäne erzeugen

24

1 Diätcola in der Sonne erwärmen. Kappe nicht entfernen.

2 Kappe entfernen. Loch hineinbohren.

3 Loch vergrößern, damit das Bonbon heineinpasst.

4 Plastikrohr mit Klebeband an der Kappe befestigen.

5 Loch in die Endkappe bohren.

6 In der Nähe des Klebebandes ein Loch durch das Rohr bohren.

7 Büroklammer zu einem Haken biegen. An langer Schnur befestigen.

8 Büroklammer durch das Rohr stecken.

9 Kappe auf die Flasche drehen. Mentos™ hineingeben.

10 Endkappe aufsetzen.

11 Abstand halten und an Schnur ziehen.

Eiscreme-Soda zubereiten 368

25 Über die Dächer fliehen

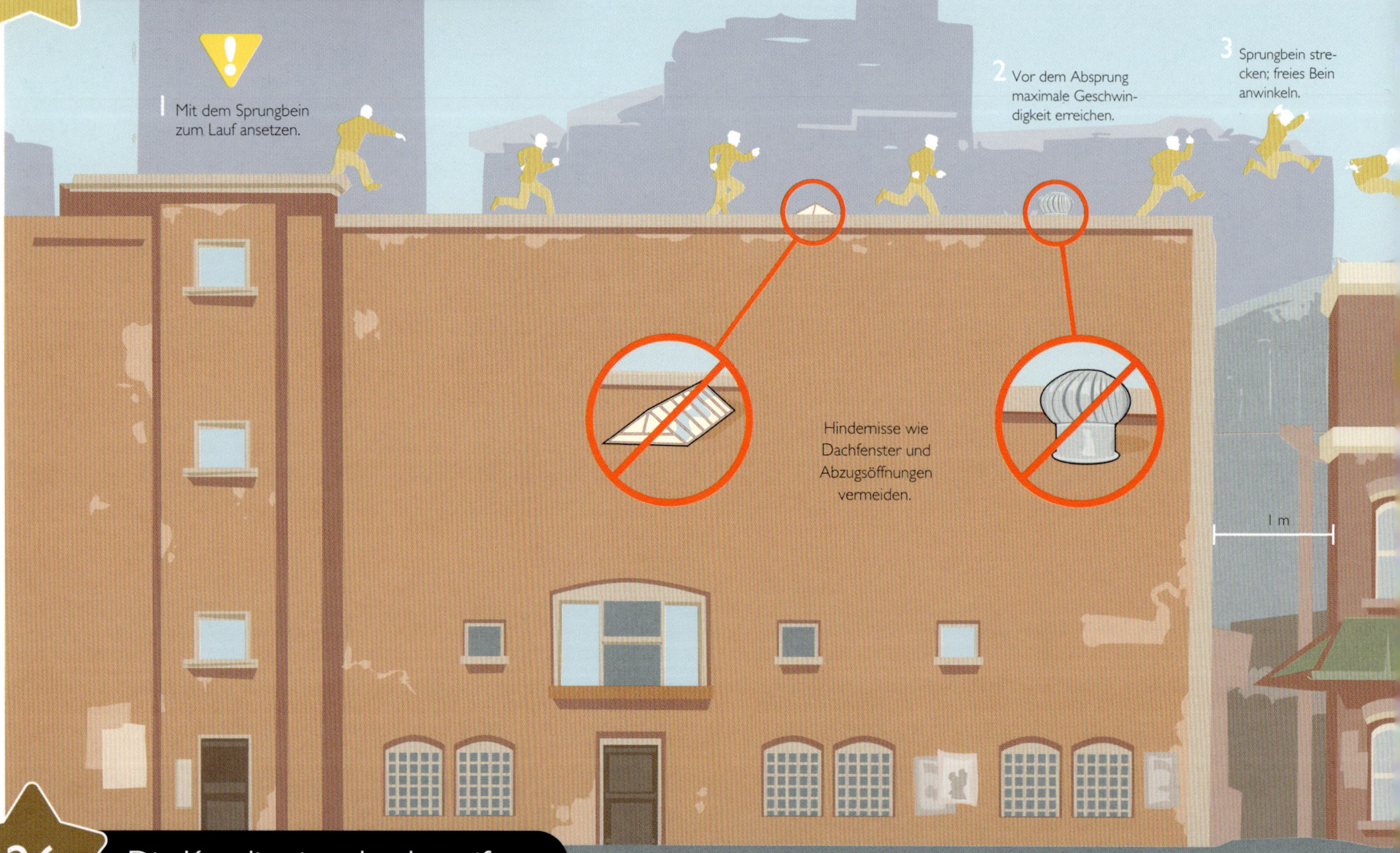

26 Die Kanalisation durchstreifen

Stromaufwärts gehen.

Kopf über den Dämpfen halten.

Schädlingen …

… ins Trockene folgen.

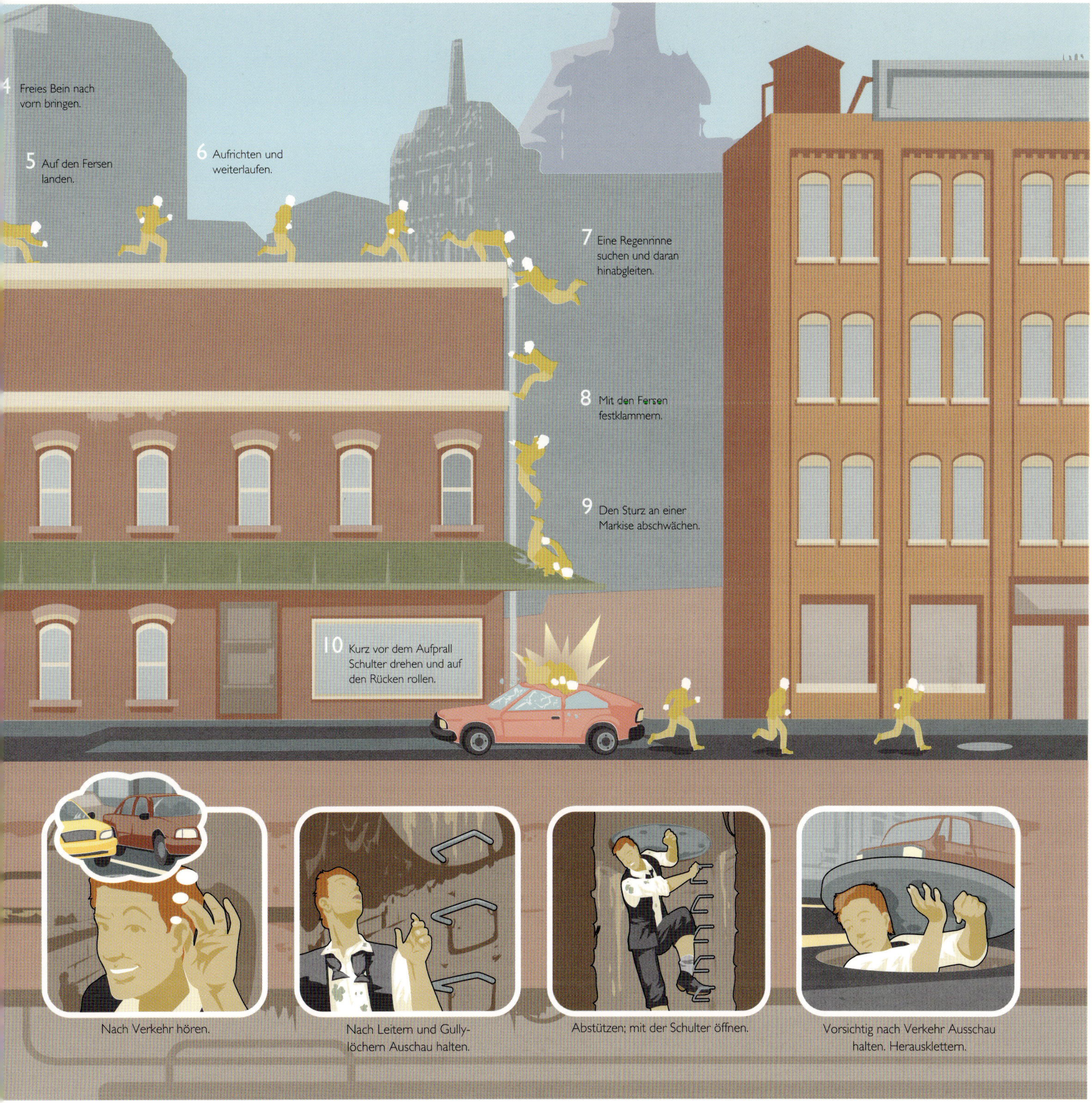

4 Freies Bein nach vorn bringen.
5 Auf den Fersen landen.
6 Aufrichten und weiterlaufen.
7 Eine Regenrinne suchen und daran hinabgleiten.
8 Mit den Fersen festklammern.
9 Den Sturz an einer Markise abschwächen.
10 Kurz vor dem Aufprall Schulter drehen und auf den Rücken rollen.
Nach Verkehr hören.
Nach Leitern und Gullylöchern Auschau halten.
Abstützen; mit der Schulter öffnen.
Vorsichtig nach Verkehr Ausschau halten. Herausklettern.

tricksen

27 Einen Schweinestreich spielen

Drei Schweine einfetten.

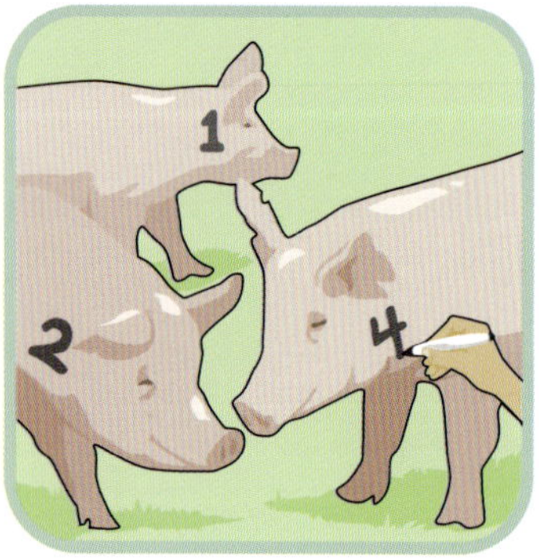

Mit „1“, „2“ und „4“ markieren.

An einem öffentlichen Ort freilassen.

Zuschauen, wie alle Schwein Nummer 3 suchen.

28 Nashornspuren fälschen

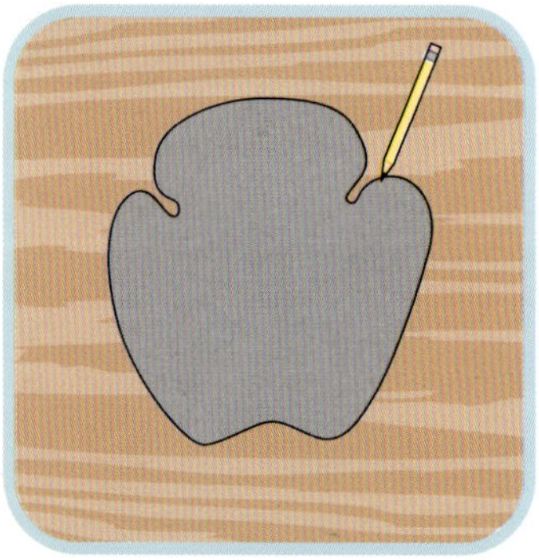

Fußabdruck auf Sperrholzplatte zeichnen.

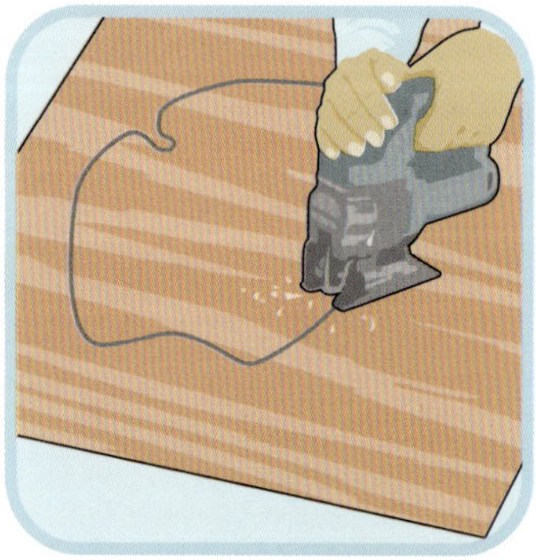

Ausschneiden.

Am Boden einer Mülltonne befestigen.

Tonne an einer sehr langen Stange festbinden.

Tonne mit Sandsäcken beschweren.

Spuren im Schnee machen . . .

. . . bis zu einem zugefrorenen See.

Die Kinder dürfen sich eine Geschichte zusammenreimen.

Lebende Strohhalmumwicklung 29

Eine Anakonda besiegen 270

Umwicklung vom Strohhalm schieben.

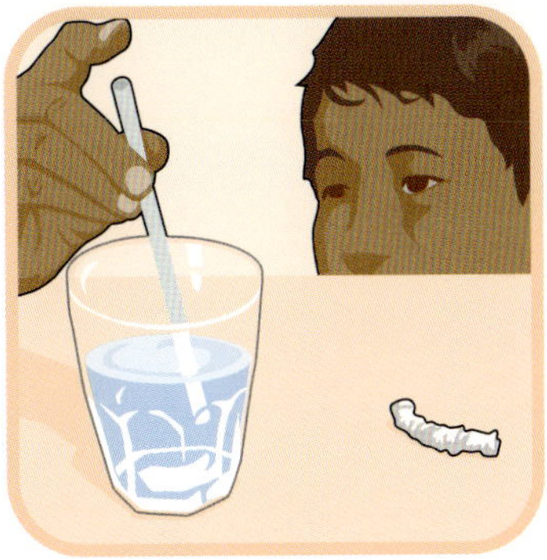

Strohhalm mit Wasser füllen.

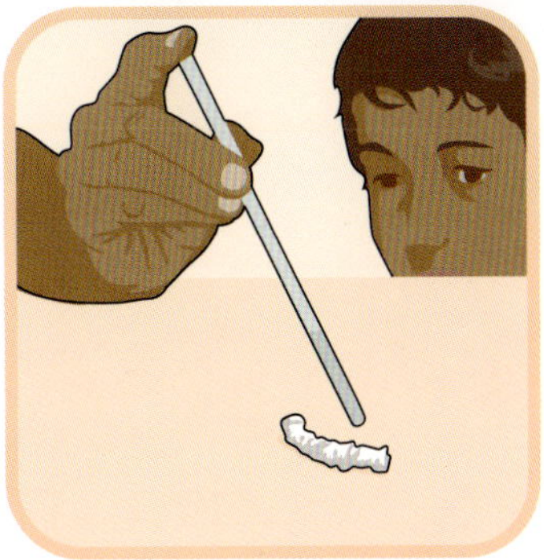

Ein paar Tropfen auf die „Schlange" geben.

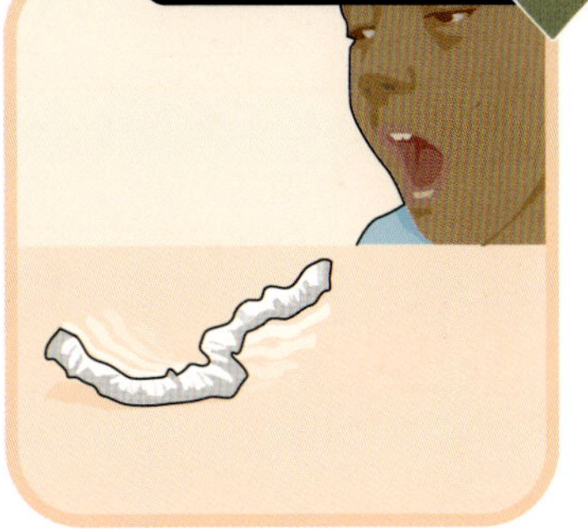

Die lebt ja!

Stift durchs Gehirn schieben 30

Stift mit flachen Fingern halten.

Ins Ohr stecken; mit der Hand verdecken.

Versteckten Stift zum Mund führen.

Stift anbeißen; Hand wegziehen.

Stift präsentieren.

Kind an den Ohren hochheben 31

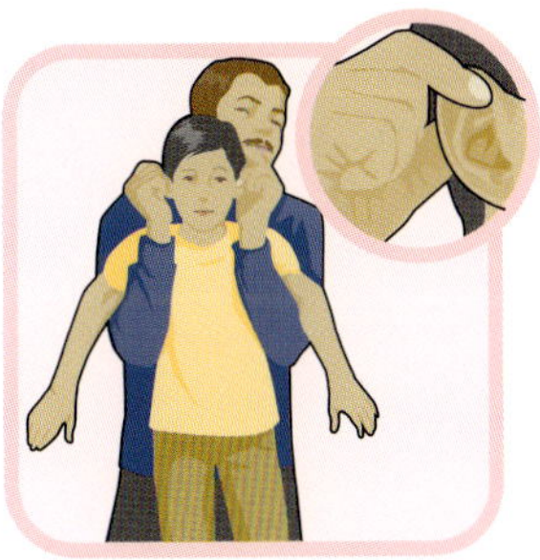

Unter die Arme durchgreifen; Ohren nehmen.

Kind unter den Armen hochheben.

Löffel von der Nase hängen lassen 32

Löffel anhauchen.

Von der Nasenspitze hängen lassen.

33 Streiche im Badezimmer

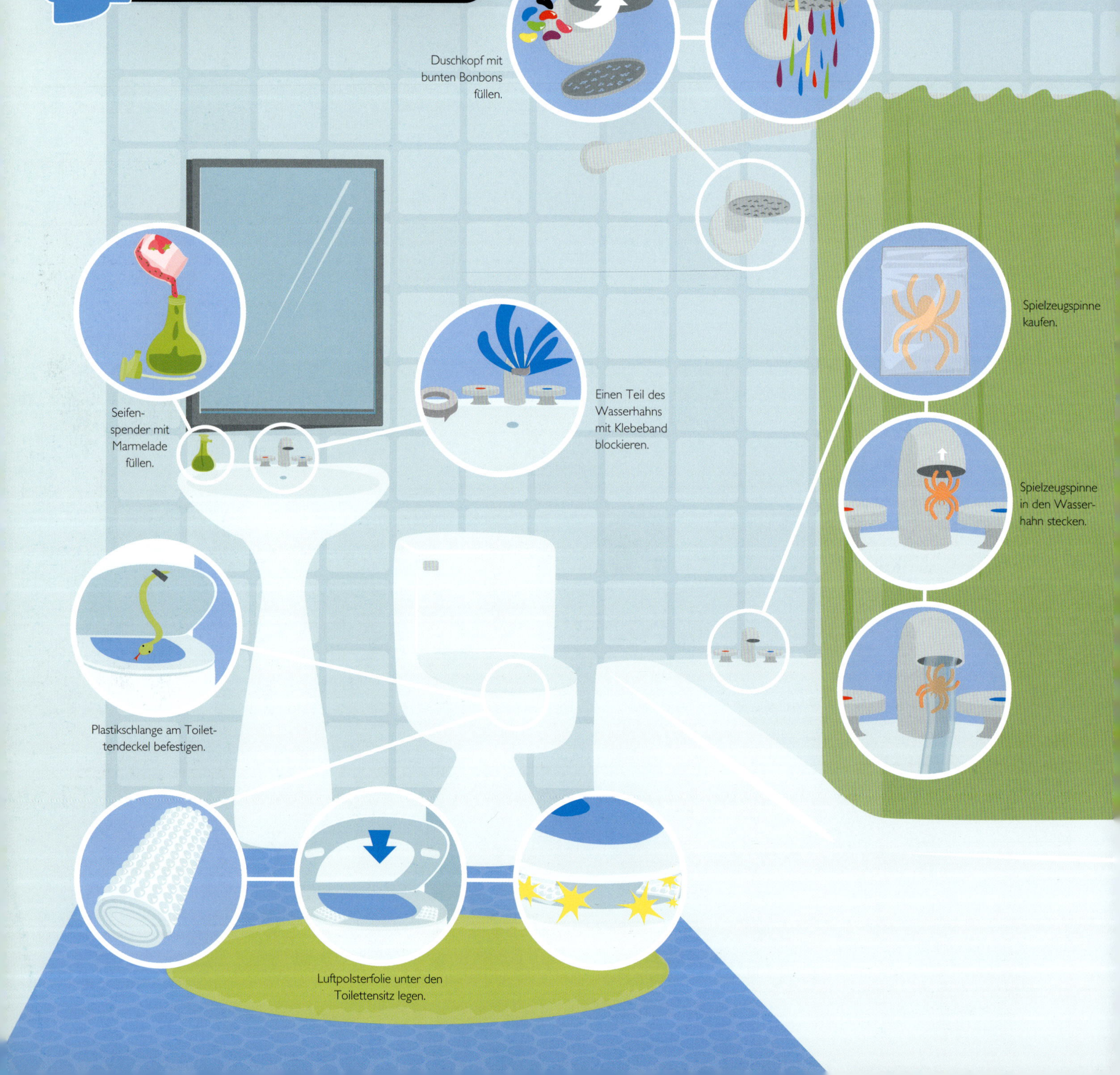

34 Streiche rund ums Auto

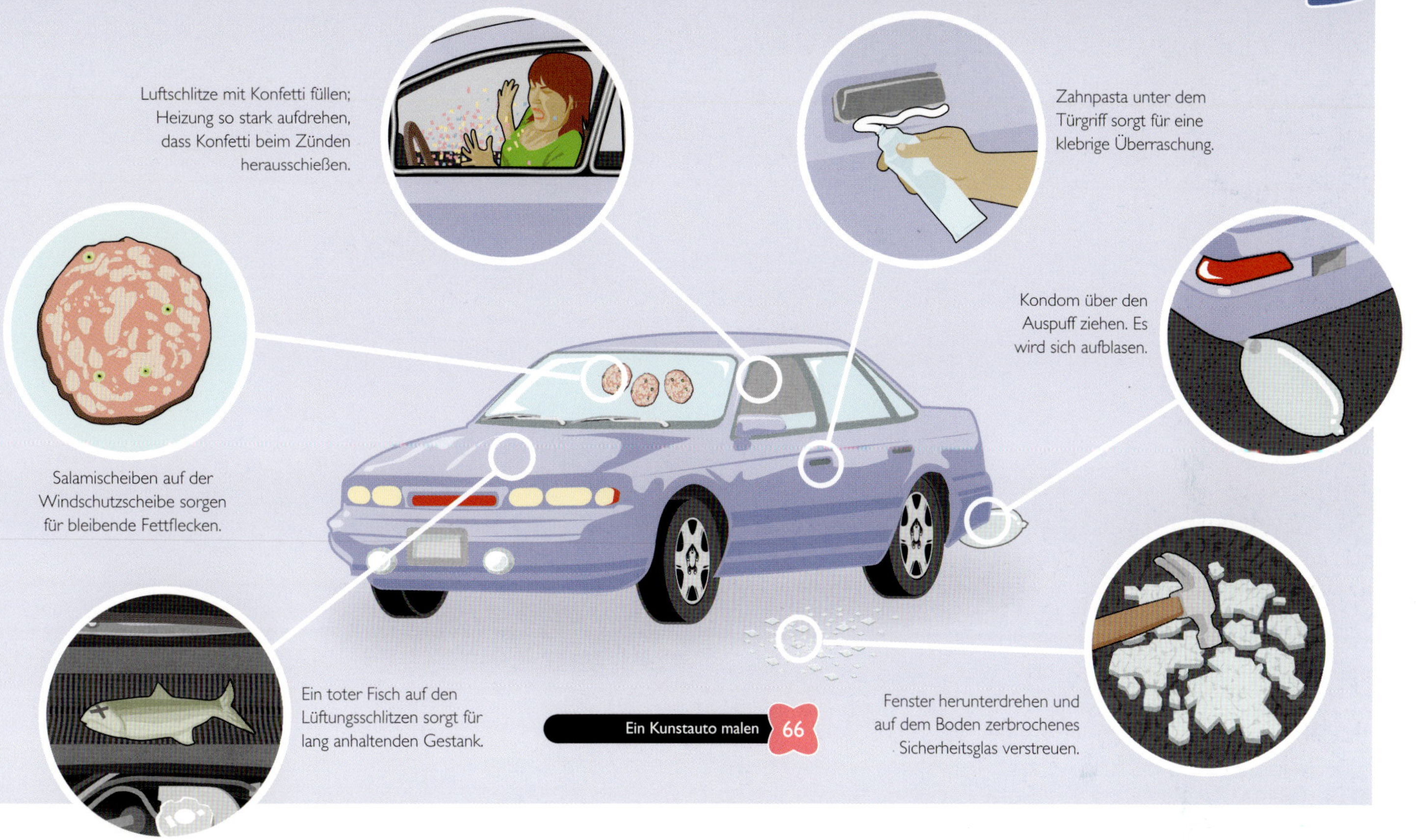

Ein Kunstauto malen 66

35 Den Morgenverkehr umleiten

Leitkegel sammeln.

Straßen bei Nacht umleiten.

Verkehr in eine Sackgasse leiten.

Über die Dächer fliehen 25

Chaos von oben beobachten.

36 Zigarette verschwinden lassen

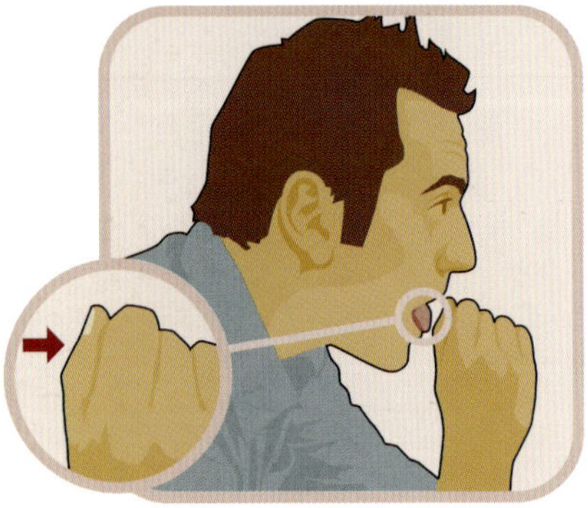

Heimlich Daumen oben ablecken.

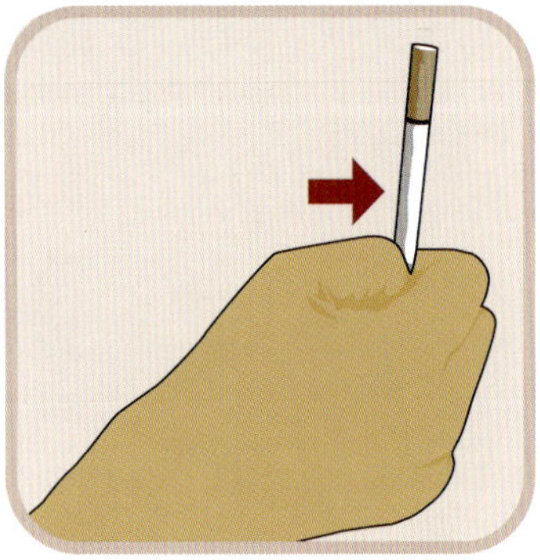

Daumen gegen Zigarette pressen.

Zigarette anbieten.

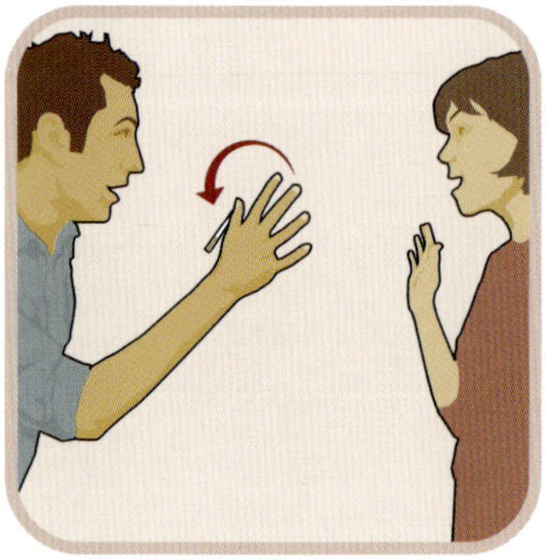

Hand mit der Innenfläche nach vorn öffnen.

37 Mit einem Kartentrick verblüffen

* Ist Ihre Karte am Ende des Stapels, ist die des anderen oben.

Unterste Karte des Stapels merken.

Eine Karte ziehen lassen. Wegblicken.

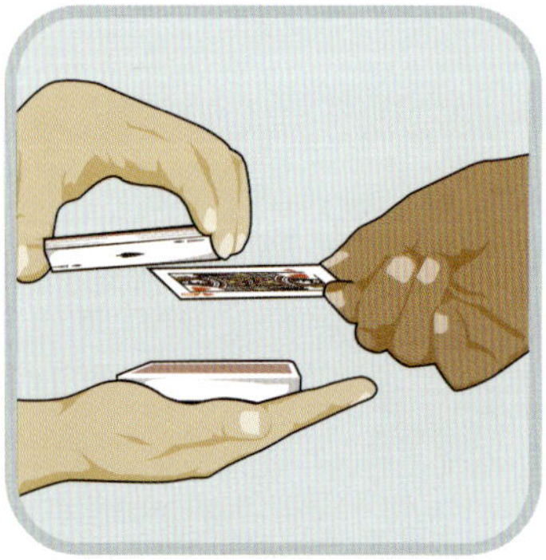

Abheben, Karte zurücklegen lassen.

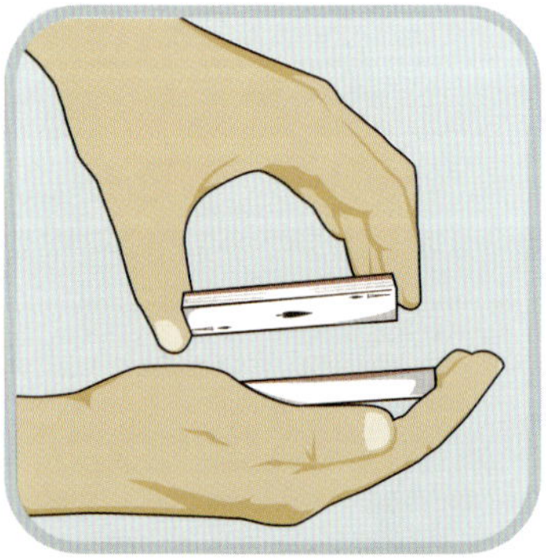

Untere Hälfte des Stapels wieder drauflegen.

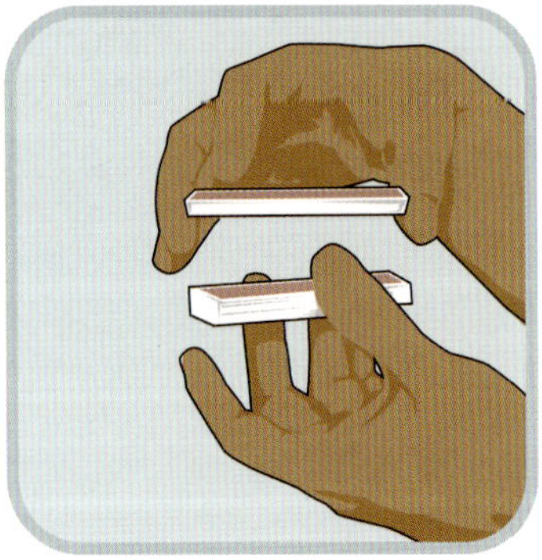

Den anderen abheben lassen.

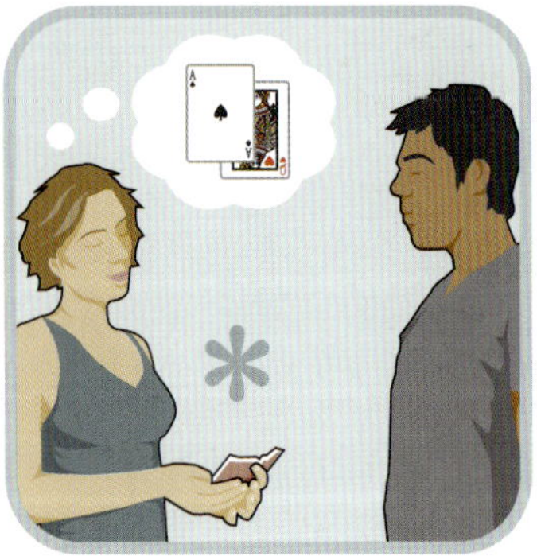

Eigene Karte finden; seine ist darunter.

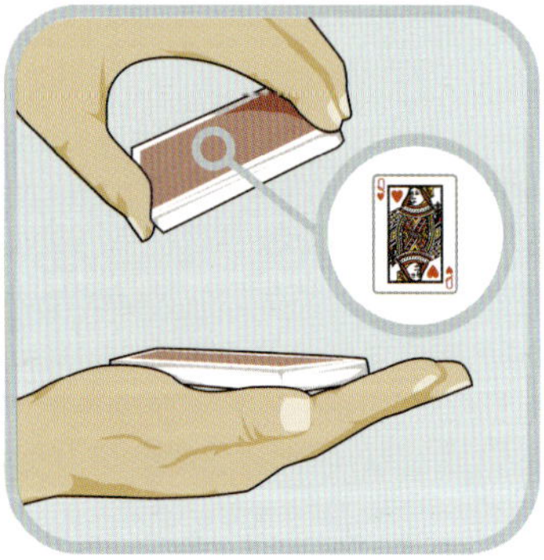

Karte des anderen oben auf den Stapel legen.

Den anderen die oberste Karte ziehen lassen.

Einen Löffel mühelos verbiegen 38

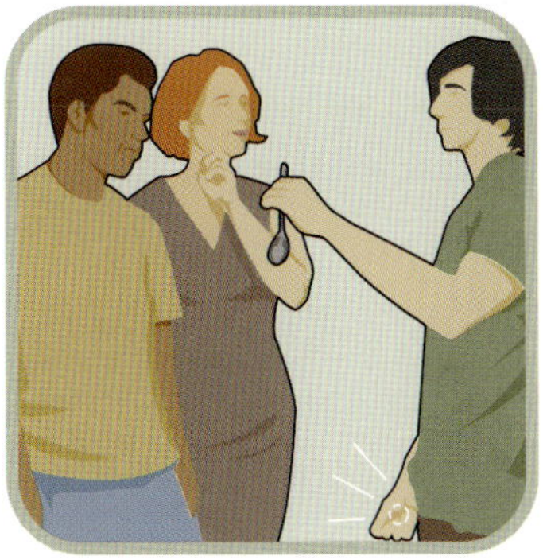

Münze verstecken; Löffel zeigen.

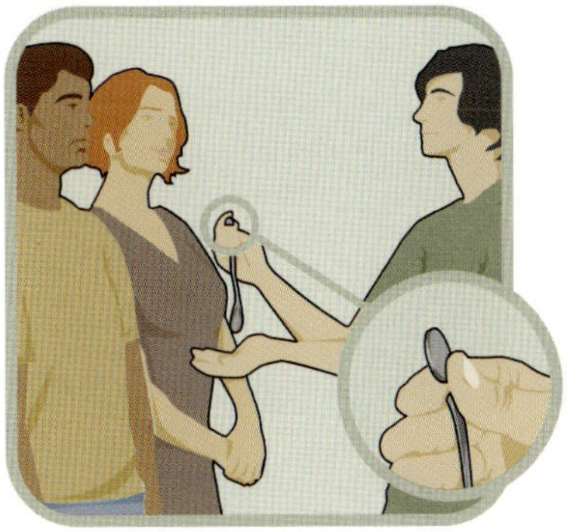

Münze einklemmen, sodass sie wie das Löffelende aussieht.

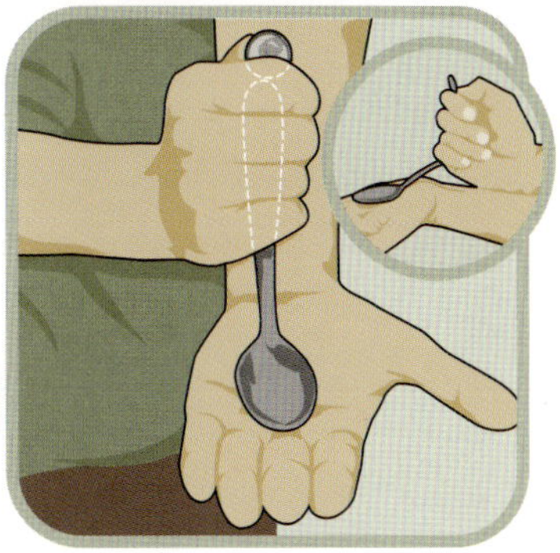

Löffel in der Faust halten, auf der Handfläche „verbiegen".

Münze vor dem Öffnen in der Hand verschwinden lassen.

Streichholz zum Leben erwecken 39

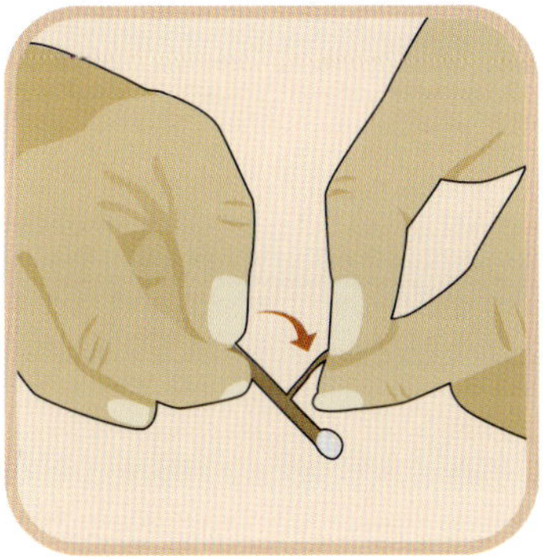

Eine Holzschicht nach vorn abziehen.

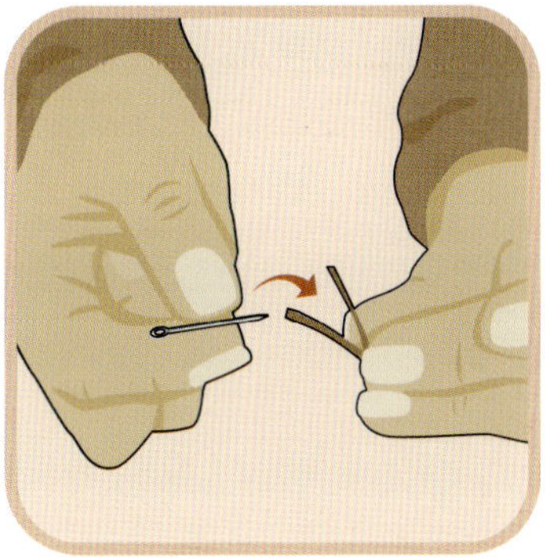

Magnetnadel einsetzen.

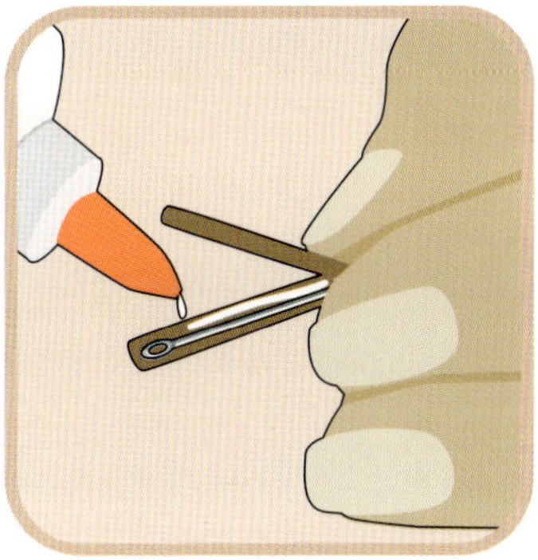

Nadel im Streichholz festkleben.

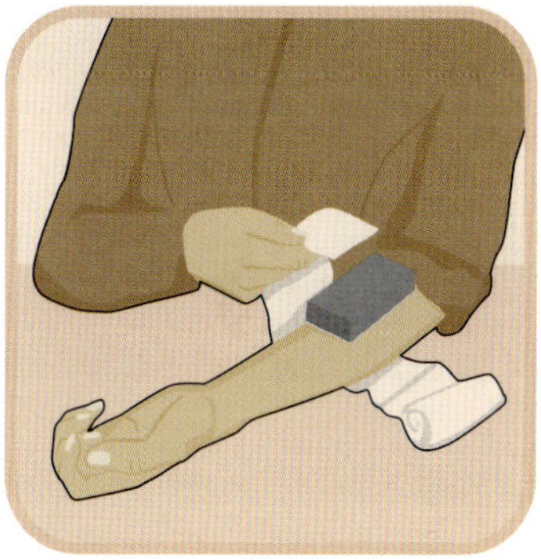

Magnet unter dem Ärmel verstecken.

Streichholz ist in der Handfläche verborgen, um ein Streichholz bitten.

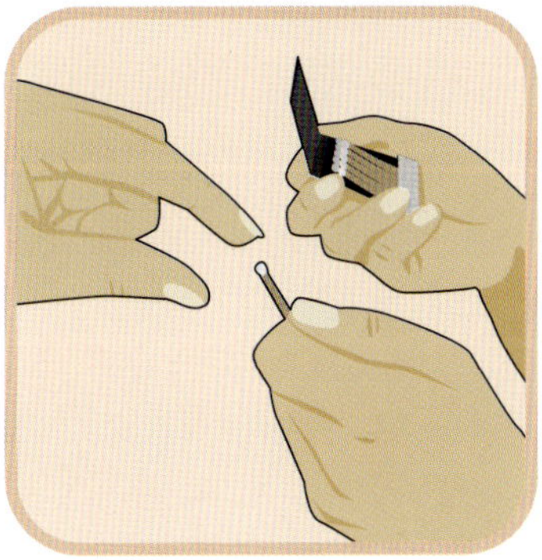

Streichholz nehmen.

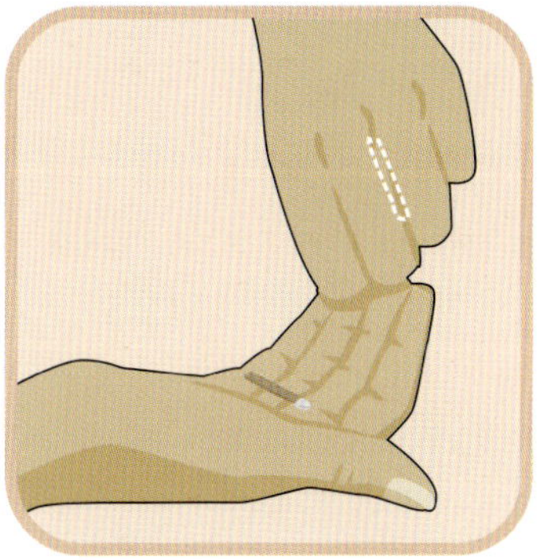

Streichhölzer austauschen.

Hand über verstecktem Magneten bewegen.

40 Teller drehen

Teller am Rand auf einem Stab aufhängen.

Stab rotieren, das untere Ende bleibt ruhig.

Wenn sich der Teller dreht, Stab still halten.

41 Eine Frau zersägen

Eine Assistentin in der Kiste verstecken; dem Publikum die „leere" Kiste zeigen.

Kiste schließen; der anderen Assistentin beim Hineinsteigen helfen. Die versteckte Assistentin zeigt ihre Füße.

Deckel schließen; Metallplatten in die Öffnungen schieben.

42 Fingiertes Messerwerfen

Vormachen, wie's geht.

Freiwilligen auswählen.

Das Messer herzeigen.

Assistenten an der Zielscheibe positionieren.

341 Schnitttechniken beherrschen

Messer dem Freiwilligen übergeben.

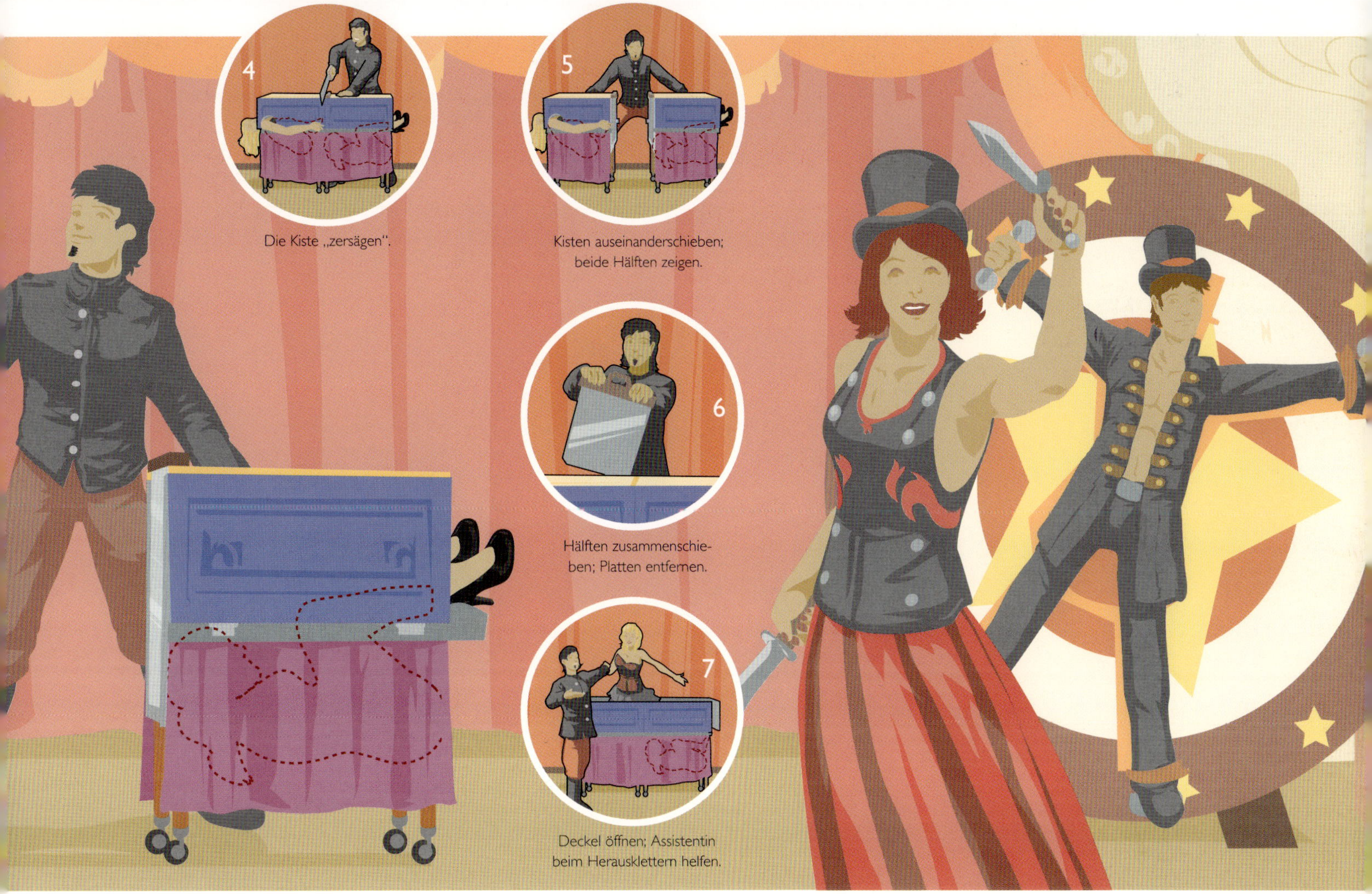

Die Kiste „zersägen“.

Kisten auseinanderschieben; beide Hälften zeigen.

Hälften zusammenschieben; Platten entfernen.

Deckel öffnen; Assistentin beim Herausklettern helfen.

Augen verbinden.

Durch manipuliertes Messer ersetzen.

Nach dem Wurf Messer einholen.

Der Assistent steckt das Messer in die Zielscheibe.

Zur Treffsicherheit beglückwünschen!

43 Lippen mit der Brust schminken

98 Lipgloss selbst herstellen

Lippenstift im Dekolleté platzieren.

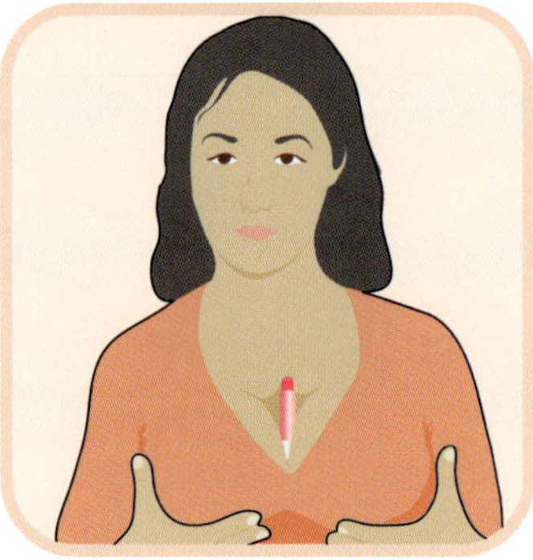
Brüste zusammendrücken, heben.

Lippenstift auf die Unterlippe auftragen.

Lippen aufeinanderpressen.

44 Einem miesen Date entkommen

Sich entschuldigen.

Mehrere Schichten überziehen.

Anderer Person Kleidung abkaufen.

Frisur verändern.

Make-up verändern.

Hut aufsetzen; Brille abnehmen.

Nicht anblicken.

Den eigenen Teil der Rechnung begleichen.

Heiratsantrag hinter Gittern 45

Aus dem Gefängnis anrufen.

Erklären, dass Sie ein Gefangener sind . . .

. . . ein Gefangener der Liebe.

Ring anstecken.

Eine fremde Hochzeit stürmen 46

Sich herausputzen.

Leere Geschenkschachtel mitnehmen.

In ein nobles Hotel gehen.

Nach einer Hochzeit Ausschau halten.

An der Bar bleiben; sich nicht unter die Leute mischen.

Während des Festmahls nach draußen gehen.

Der Braut und dem Bräutigam ausweichen.

Aus Gefälligkeit mit den älteren Gästen das Tanzbein schwingen.

47 Ein antikes Fundstück fälschen

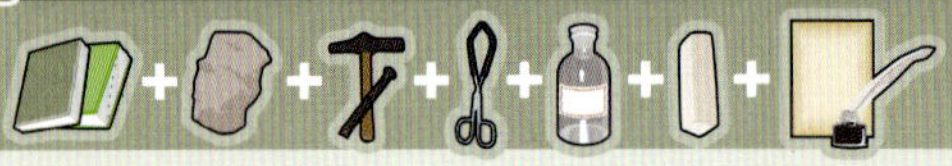

Kunstgeschichte studieren.

Stein von einer antiken Stätte besorgen.

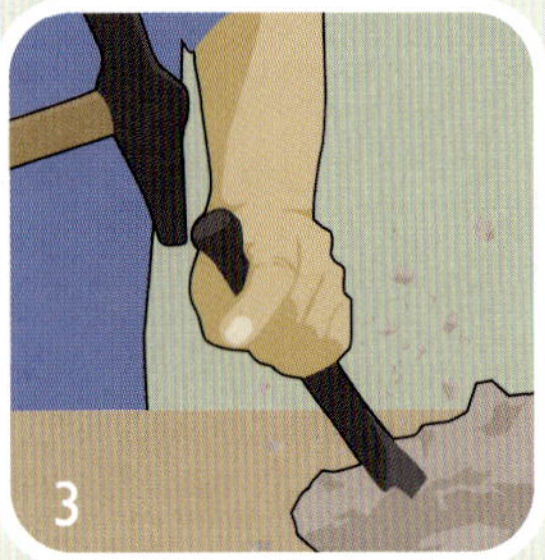

Skulptur meißeln.

In Salzsäure tauchen.

In einem Fluss lagern, damit sich Kalk ansetzt.

Ein Wachsüberzug verhindert den UV-Test.

Geschichte des Objekts dokumentieren.

Zum Museumsarchiv hinzufügen.

48 Eine Vernissage improvisieren

Kunst ist überall . . . warum also nicht die Schönheiten in der Umgebung mit einer frechen improvisierten Vernissage zelebrieren? Keine Galerie erforderlich!

Eigene Kunst im Museum aufhängen 49

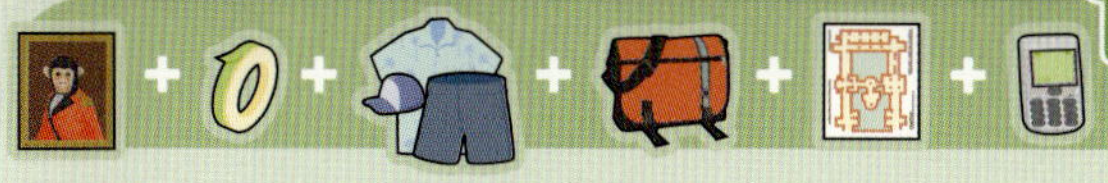

Platz für das Gemälde wählen.

Es mit doppelseitigem Klebeband versehen.

Kunstwerk einpacken; als Tourist verkleiden.

Werk unter einer Straßenkarte verbergen.

Folie vom Klebeband abziehen.

Karte hochhalten, Kunstwerk befestigen.

Das Ergebnis dokumentieren.

Malen nach Zahlen 83

Unauffällig das Gebäude verlassen.

50 Geheime Zeichen am Spieltisch

Wenn zwei Kartenspieler unter einer Decke stecken, geben sich sich manchmal mit subtilen Gesten Zeichen. Lernen Sie, die Signale zu deuten, und lassen sie den Schwindel auffliegen.

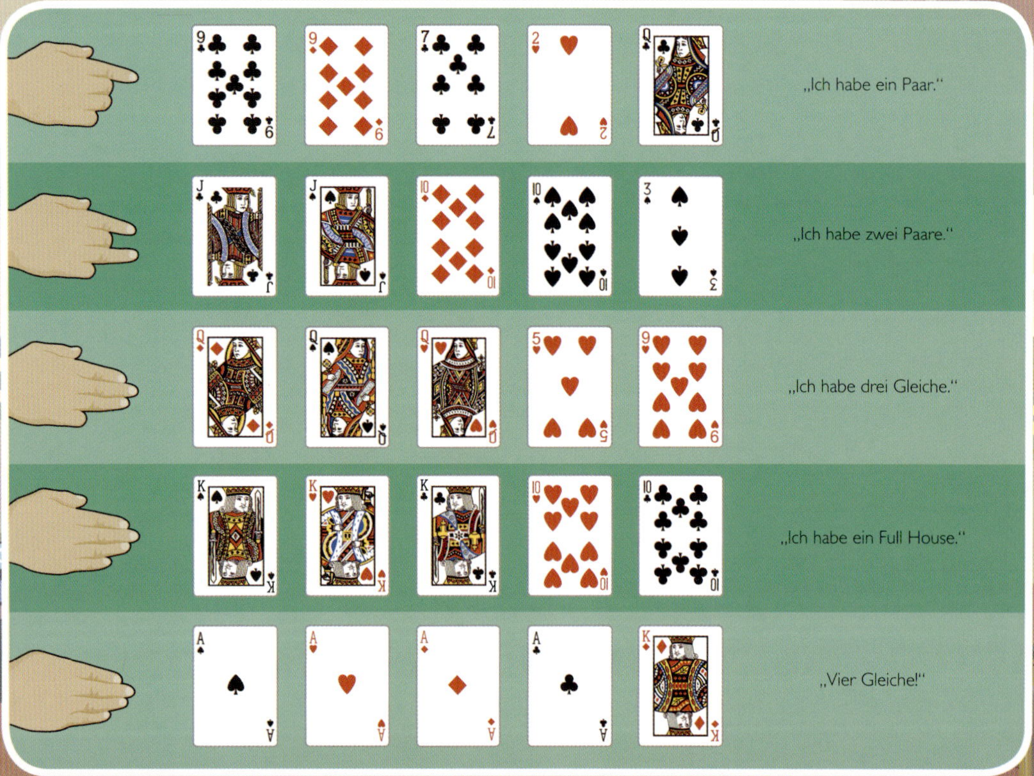

51 Würfel zinken

76 Würfeluntersetzer basteln

Ihre Lieblingszahl auswählen.

Würfel mit der Zahl nach oben in den Mikrowellenherd legen.

Die Würfel schmelzen ein wenig und werden an der Unterseite schwerer.

Auf Ihre Zahl setzen und würfeln.

Auffallend gesprächig
gutes Blatt
Pulsierende Ader auf der Stirn
gutes Blatt
Gekrümmte Haltung
schlechtes Blatt
Vermeidung von Augenkontakt
schlechtes Blatt

53 Sich auf eine Insel absetzen

1 Geld auf eine Insel mit laschen Bankbestimmungen transferieren.

2 Den Pilotenschein machen.

3 Einen Fallschirm zur Benutzung und einen zum Schein einpacken.

4 Flugzeug vor dem Absprung sabotieren, um die Ermittler hinters Licht zu führen.

Auf Autopilot stellen und über einem entlegenen Gebiet abstürzen lassen. Über der Insel abspringen.

5 In der neuen Heimat landen!

54 Von einem Kreuzfahrtschiff türmen

1 Geld auf eine Insel transferieren, wo Kreuzfahrtschiffe verkehren und lasche Bankbestimmungen herrschen.

2 Lange davor im Meer schwimmen und überleben lernen.

3 Schlüssel, Geldtasche und persönliches Eigentum in der Kabine lassen.

4 Spät in der Nacht von einem Balkon an der Schiffsseite springen.

In einem Koffer abhauen 55

Im Güterwaggon reisen 303

Tiefe Kerben in die Seiten zweier Koffer schneiden.

Löcher mit Aufklebern abdecken.

Aufsichtspersonal ablenken; ungesehen in den Zug schleichen.

So hinlegen, dass die Löcher aneinander anschließen.

Hinaufklettern und sich selbst einschließen.

Während der Fahrt ruhig verhalten.

* Setzen Sie diese Tricks ein, um Herzschlag und Blutdruck zu erhöhen. Dadurch sind Lügen weniger auffällig.

Einen Lügendetektor austricksen 56

Im Kopf komplizierte Rechenaufgaben lösen.

Auf einen Nagel steigen, der im Schuh versteckt ist.

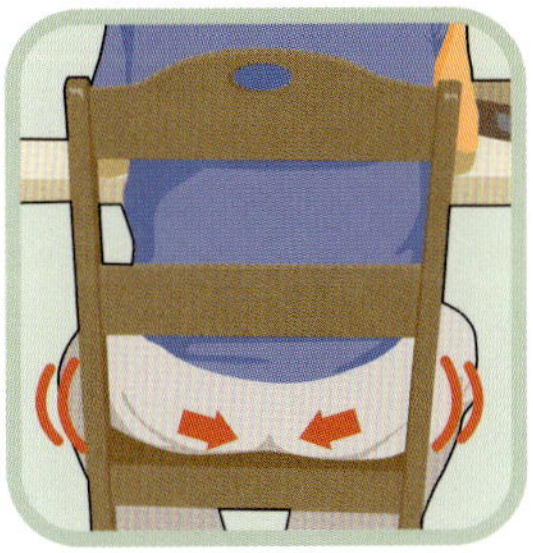

Den Hintern fest anspannen.

Anworten geben, die nur aus einem Wort bestehen.

Auf die Anwesenheit eines Rechtsanwalts bestehen.

kreativ sein

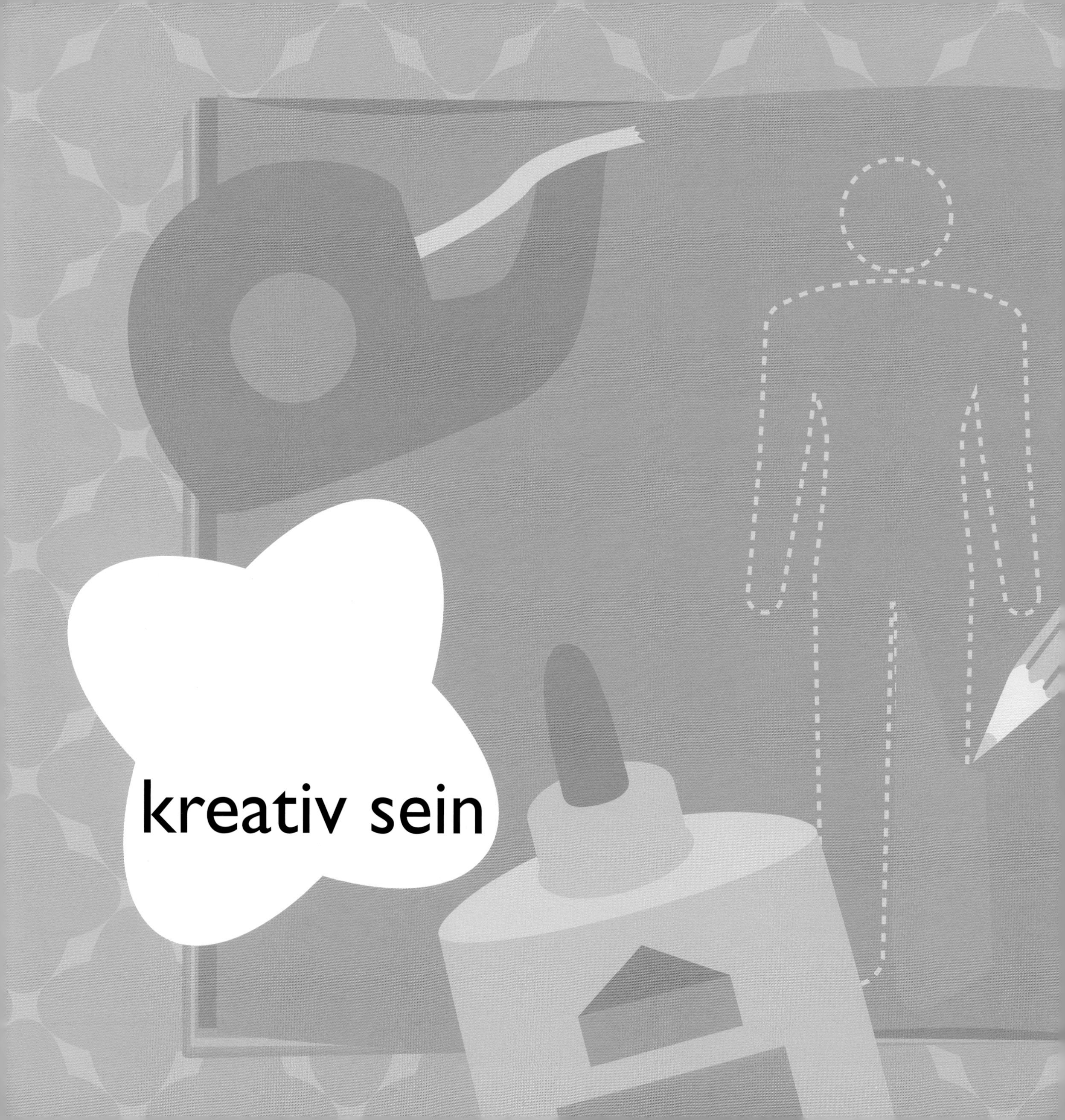

57 Papier-Ansteckblume basteln

1 Jeweils vier Stück Seidenpapier in beiden Größen zuschneiden.

2 Jeweils in der Mitte falten.

3 Eine Ecke jedes Stapels abrunden.

4 Ein kleines Rechteck auseinanderfalten; das untere Ende flachdrücken und zwirbeln.

5 Mit Blumenband an einer Ansteckadel befestigen.

6 Noch mehr kleine Blütenblätter anbringen.

7 Große Blütenblätter zwirbeln und befestigen.

8 Am Revers anstecken.

58 Eine Papier-Ringelblume falten

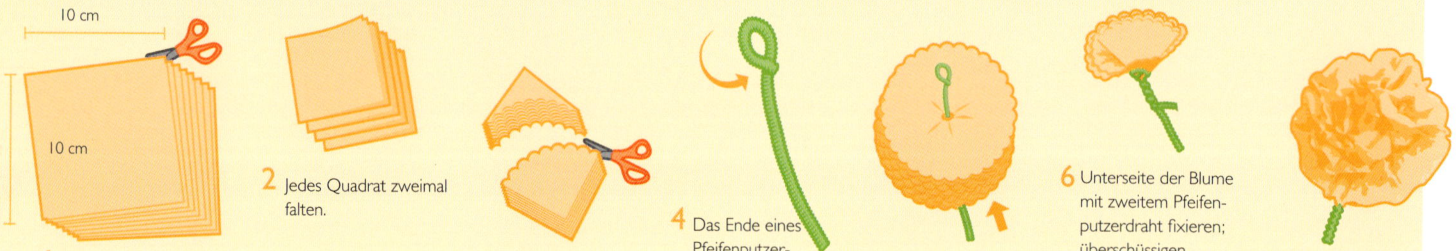

1 Acht Quadrate zuschneiden.

2 Jedes Quadrat zweimal falten.

3 Einen Bogen quer ausschneiden.

4 Das Ende eines Pfeifenputzerdrahts zu einer Schlinge biegen.

5 Papier auffalten; Draht durchstechen.

6 Unterseite der Blume mit zweitem Pfeifenputzerdraht fixieren; überschüssigen Draht am Stängel hinabwinden.

7 Blütenblätter zurechtzupfen und knittern.

59 Rose aus Panzerband wickeln

345 Eine Sashimi-Rose herstellen

1 Ein längliches Stück Panzerband abschneiden.

2 Ecken nach unten falten.

3 Locker einrollen.

4 Neues Blütenblatt zuschneiden und einrollen; locker um das erste wickeln.

5 Weitere Blüten falten und herumwickeln, die Spitzen nach außen ziehen.

6 Bis zur gewünschten Größe wiederholen.

1
Papierstreifen in den Quilling-Stift einsetzen.
2
Papierstreifen fest um den Stift wickeln.
3
Rolle entfernen.
4
Rolle in Form drücken.
5
Das äußere Ende an der Rolle festkleben.
6
Rollen auf feuchten Kleber drücken.

61 Einen Linoldruck anfertigen

Motiv auf Linoleumplatte vorzeichnen.

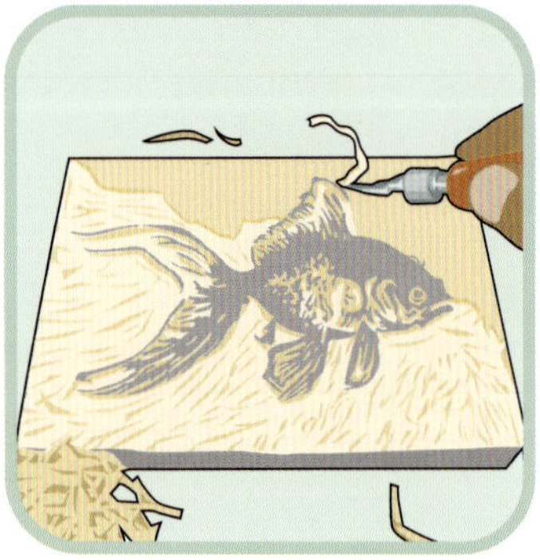

Zeichnung herausschneiden.

Farbe gleichmäßig auf der Walze verteilen.

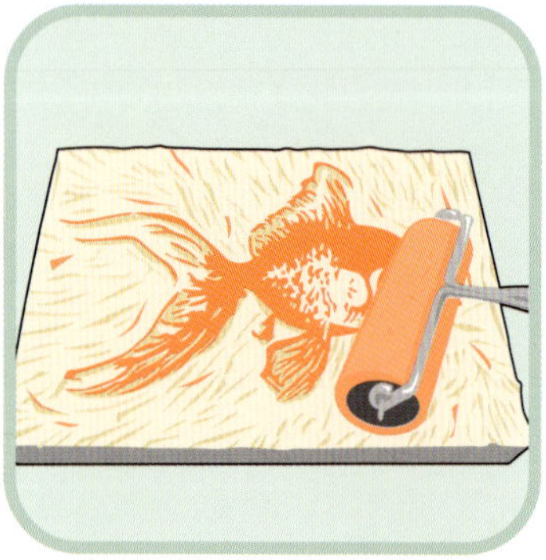

Erhabenen Bereich einfärben.

Papier auf die Platte legen.

Mit einem Löffel reiben,
um das Bild zu übertragen.

Papier vorsichtig abheben.

Zum Trocknen aufhängen.

62 Einen Seifenblasendruck herstellen

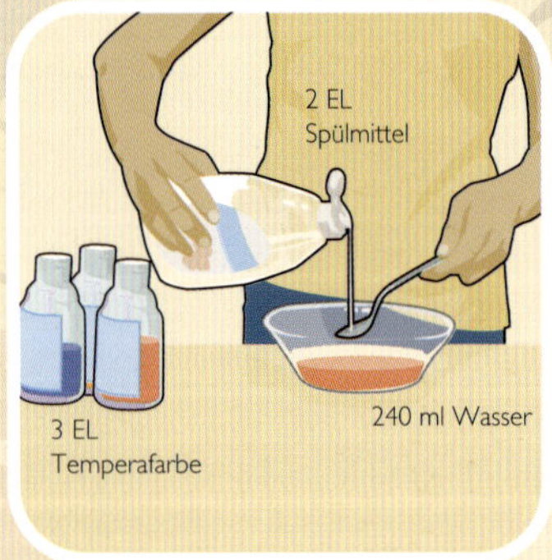

Eine der Farben mit Wasser
und Spülmittel vermischen.

Mit den anderen Farben wiederholen.

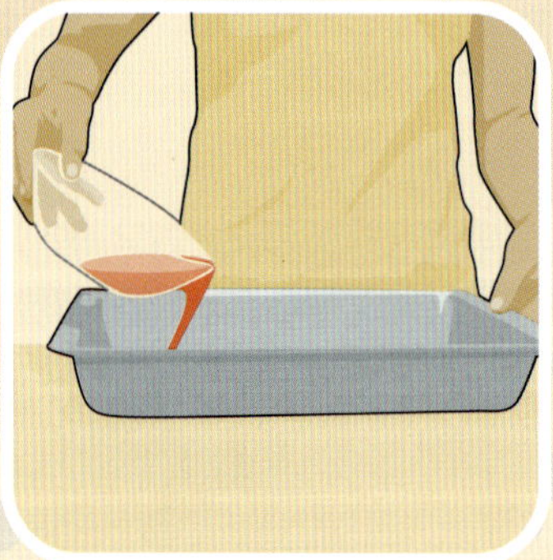

Eine Farbmischung in eine Schale gießen.

Dichte Schicht aus Blasen erzeugen.

Einen Sporenabdruck anfertigen

63

Schwarzes und weißes Papier zurechtschneiden.

Jeweils zwei Blatt zusammenkleben.

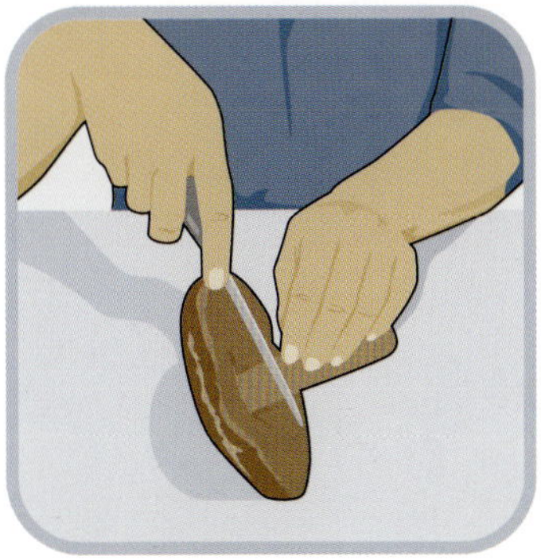

Pilzstiel abtrennen.

Hüte in der Mitte der Blätter auflegen.

Mit Schüsseln zudecken; warten.

Schüsseln und Pilzhüte entfernen.

Mit Haarspray fixieren.

Einen alten Bilderrahmen vergolden 193

Sporenbild aufhängen.

* Jede Pilzart erzeugt einen ganz eigenen Sporenabdruck mit einzigartigen Formen, Mustern und Farben. Manche treten auf dunklerem Papier besser hervor, manche auf hellem.

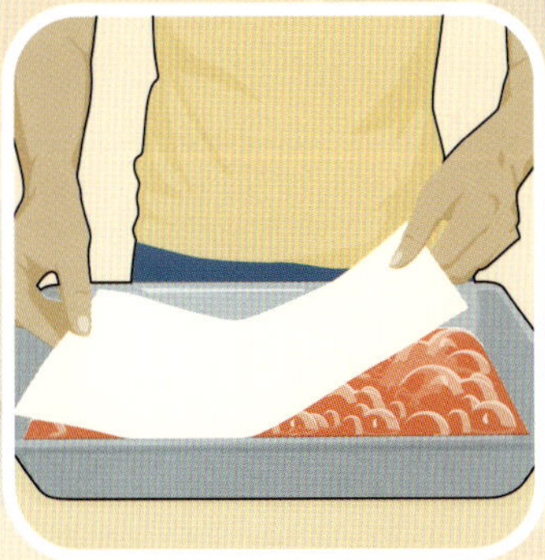

Blasen auf dem Papier platzen lassen.

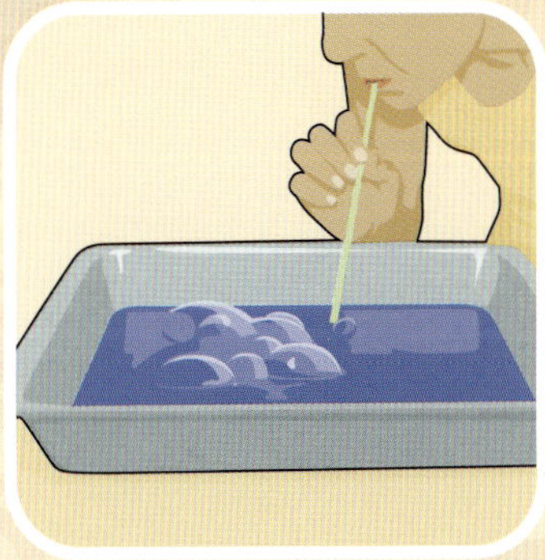

Mit der nächsten Farbe Blasen bilden.

Für einen neuen Effekt
Blasen auf das Papier löffeln.

Mit der dritten Farbe wiederholen;
zum Trocknen aufhängen.

64 Aus T-Shirts Flicken machen

Alte T-Shirts sammeln.

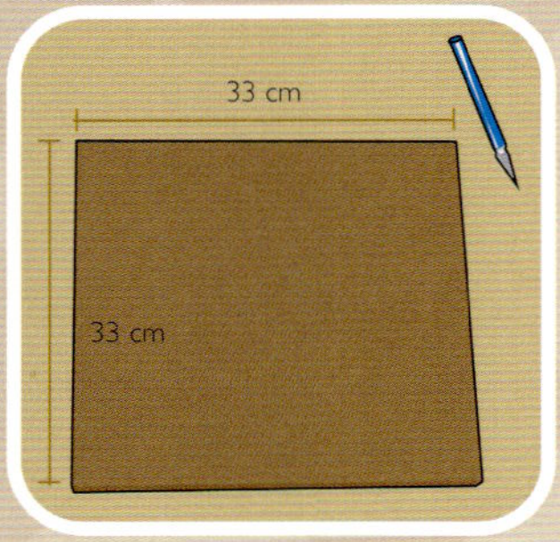

Vorlage aus Karton ausschneiden.

Vorlage auf T-Shirts übertragen; ausschneiden.

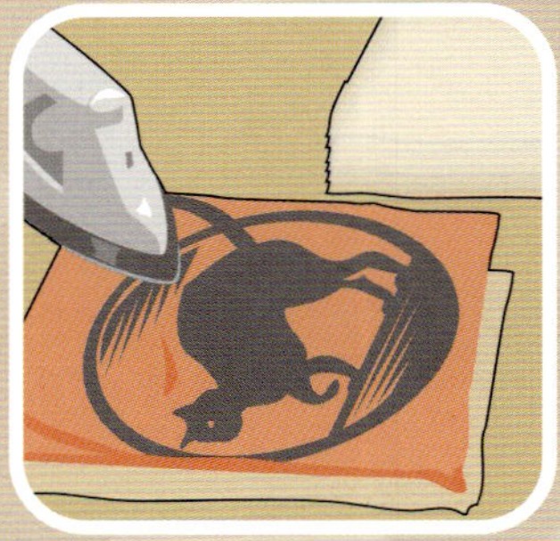

Bügeleinlage zuschneiden; auf Hinterseite des T-Shirts bügeln.

188 Ein Kopfende aus Tapete basteln

65 Eine rockige Decke nähen

49 T-Shirt-Quadrate auflegen.

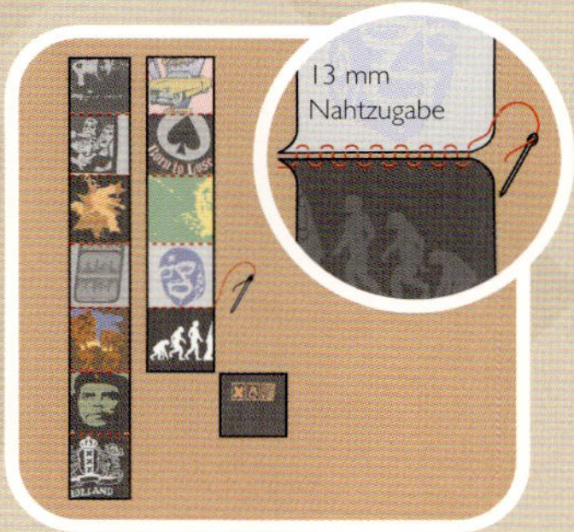

Quadrate in Siebenerreihen zusammennähen.

Reihen zusammennähen.

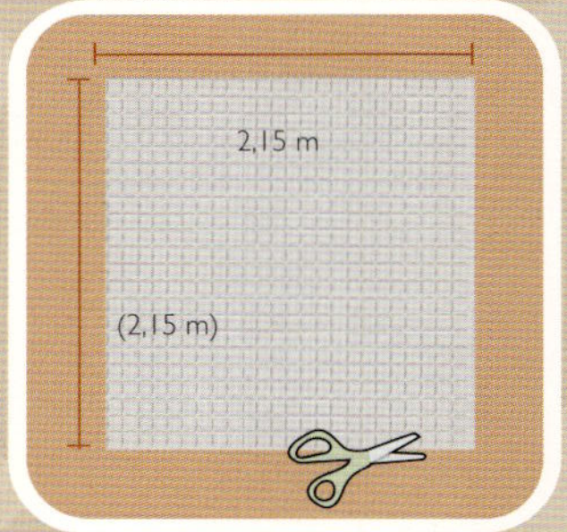

Wattierung abmessen und zuschneiden.

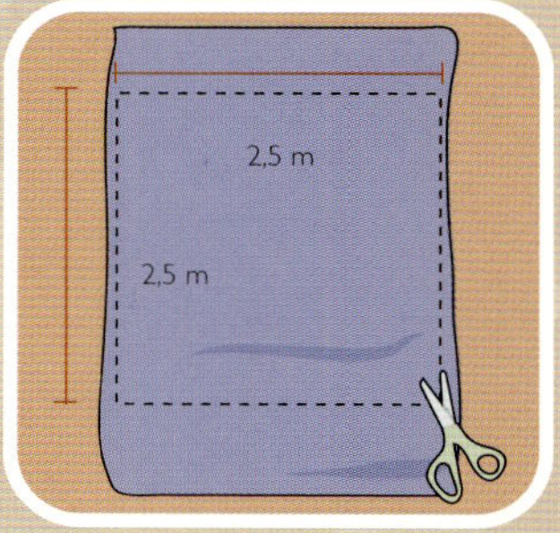

Ein großes Bettlaken zurechtschneiden.

Teile übereinander auflegen.

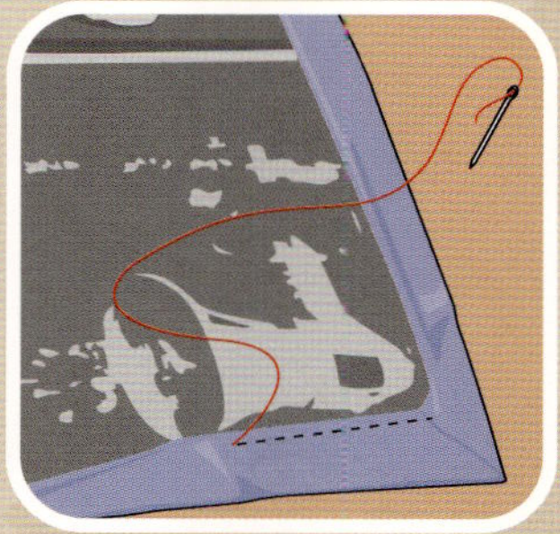

Laken über die Ränder schlagen; annähen.

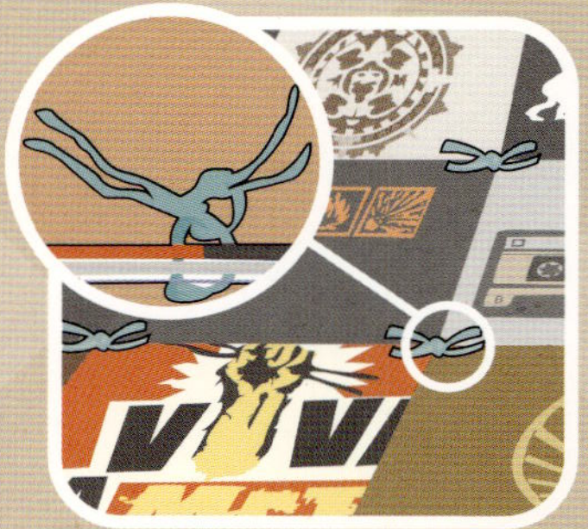

Stickgarn an den Ecken verknoten.

66 Ein Kunstauto malen

67 Pakistanische Buskunst

In Pakistan ist die kunstvolle Gestaltung von Bussen ein großes Geschäft – Buseigentümer zahlen den Künstlern viel Geld, damit diese ihre Wagen mit baulichen Ergänzungen, luxuriöser Innenausstattung und aufwendigen Malereien aufmotzen.

144 Sich im Bus näherkommen

Ein Klebstoffkunstwerk bauen 68

1. Kitschige Gegenstände zu einem bestimmten Thema sammeln.
2. Gegenstände mit Flüssigsilikon auf Auto kleben.
3. Mosaiksteine mit Epoxid aufkleben.
4. Abschließend mit Lack versiegeln.

Dekotora entdecken 69

Dekotora begann als Subkultur auf Fischtransportern im Nordosten Japans. Seit den 1970ern tritt die Kunstform in Filmen, Animationsfilmen und Videospielen auf.

Ein Kronleuchter leuchtet dem Fahrer den Weg.

Das Innenleben ist ebenso schillernd wie das Äußere.

70 Taschenlampe aus Streichholzbrief

39 Streichholz zum Leben erwecken

Streichhölzer entfernen.

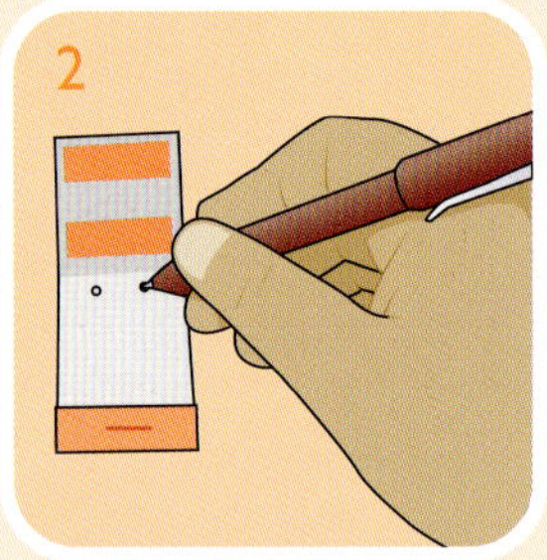

Zwei Punkte auf den Falz zeichnen.

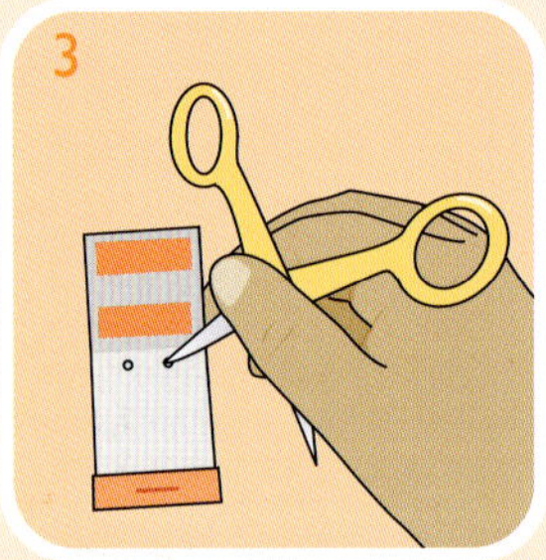

Löcher ausstechen.

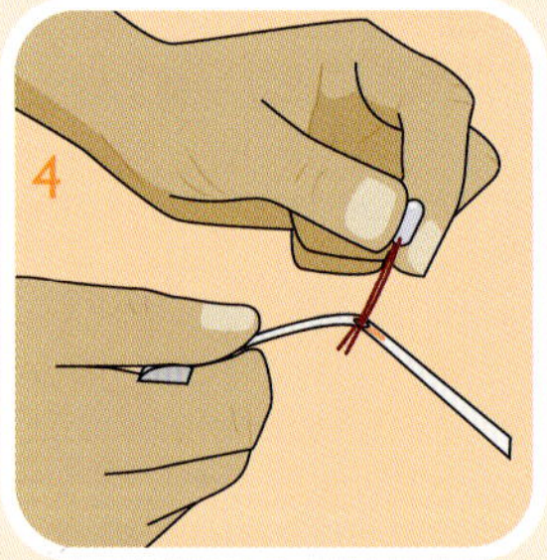

Zwei LED-Drähte einsetzen.

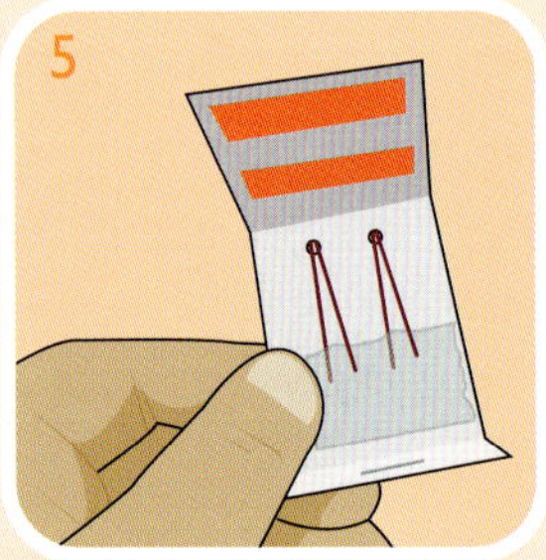

Die linken Drähte niederkleben.

Batterie unter die losen Drähte legen.

Zum Testen drücken.

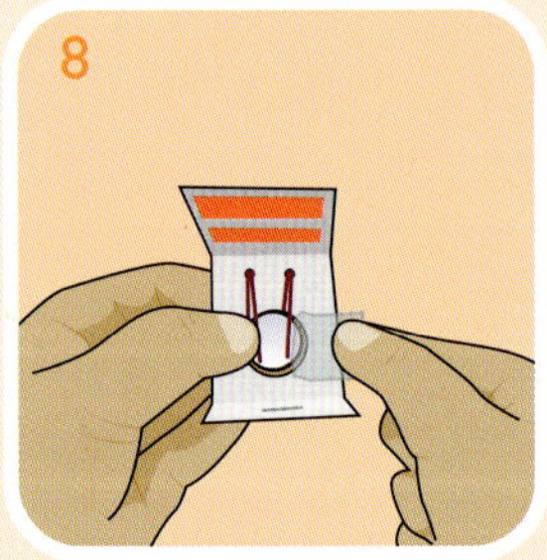

Batterieränder niederkleben.

71 Einen kleinen Roboter bauen

Borte auf Plastikbecher kleben.

Doppelseitiges Klebeband anbringen.

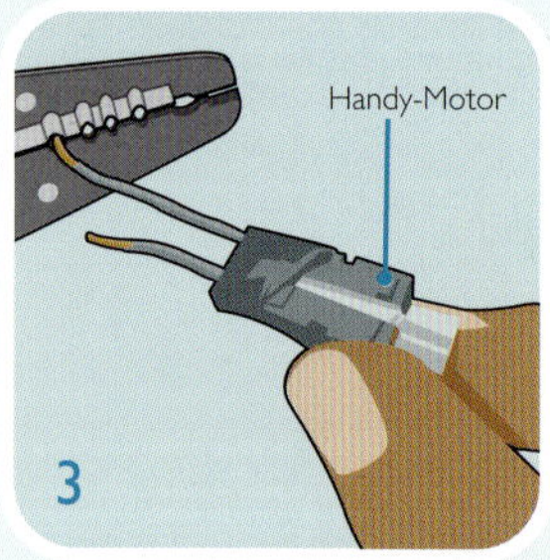

Drahtenden freilegen.

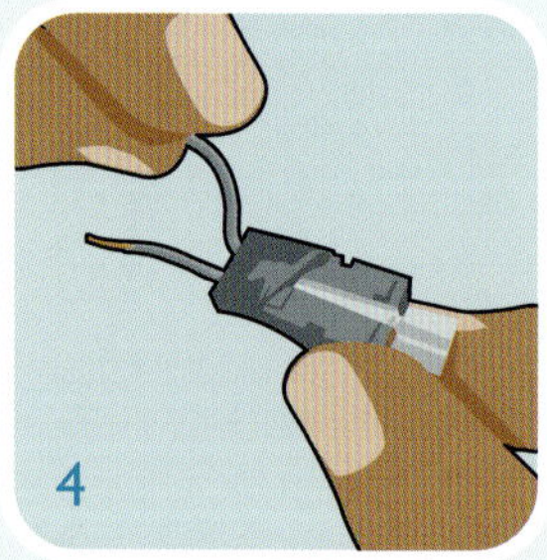

Einen Draht aufbiegen.

Motor am Becher anbringen.

Roboter verzieren.

Batterie zwischen Drähte schieben.

Und los geht's!

72 Einen USB-Stick verstecken

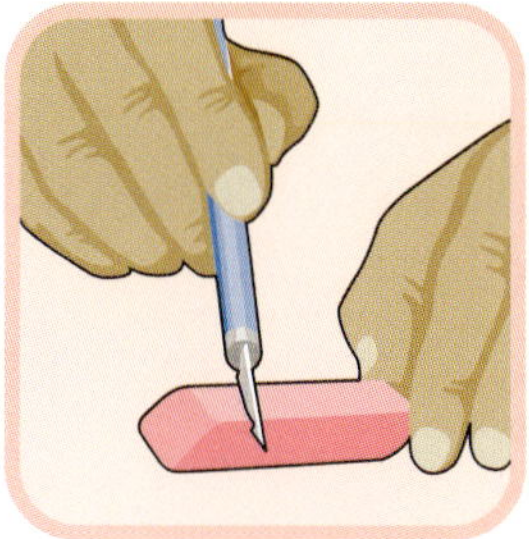

Ein Drittel des Radierers abschneiden.

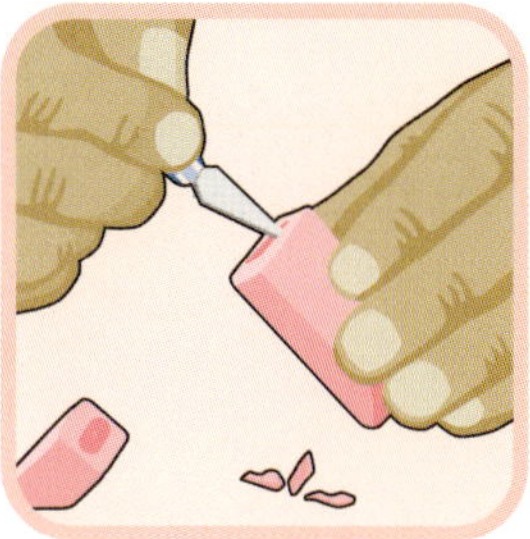

Beide Teile aushöhlen.

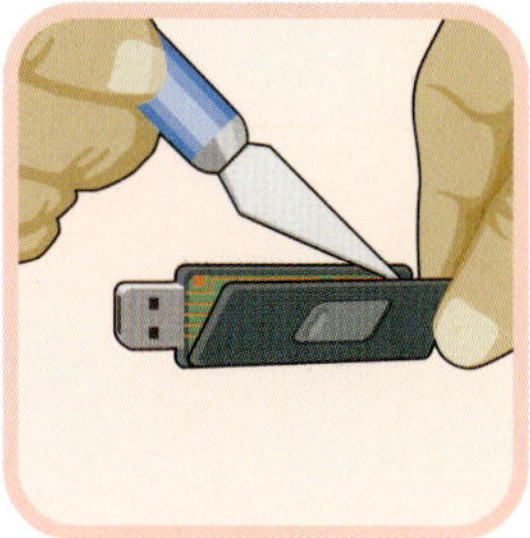

Verkleidung des USB-Sticks entfernen.

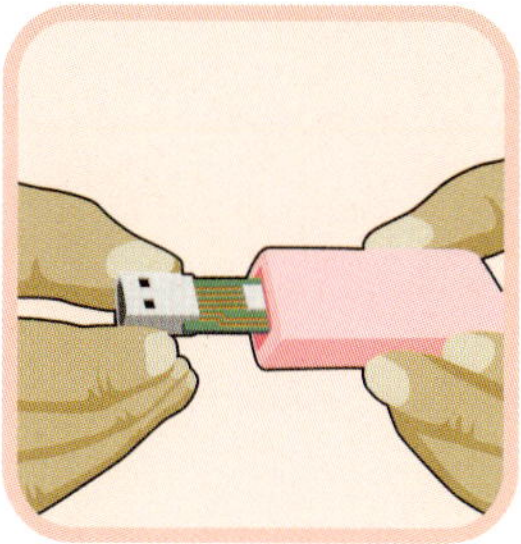

Speicher einsetzen.

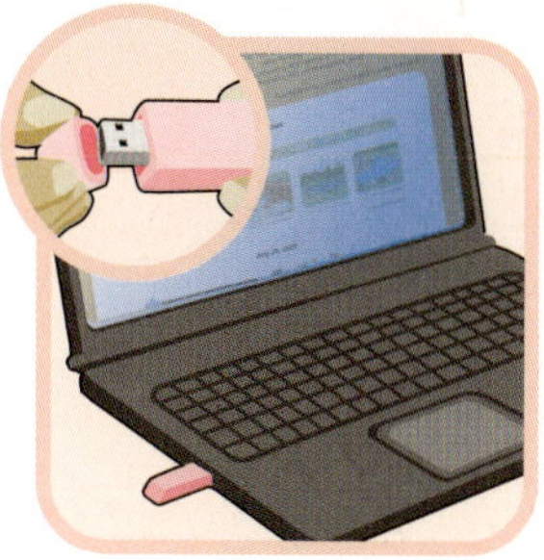

Nach dem Gebrauch Kappe aufstecken.

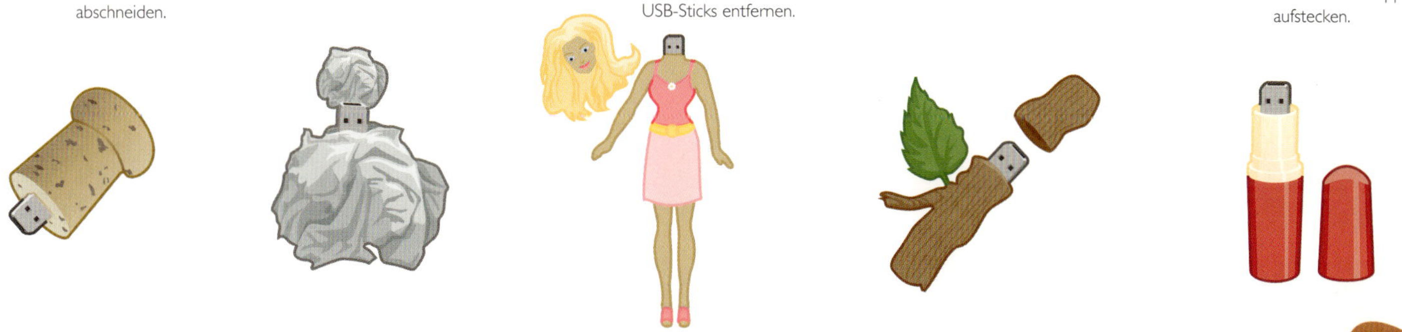

73 Einen Metalldetektor bauen

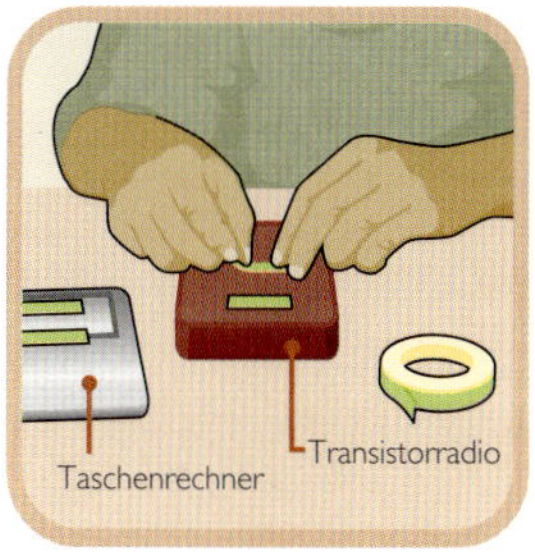

Doppelseitiges Klebeband anbringen.

Beides in CD-Hülle kleben.

Radio auf AM stellen.

Auf höchsten Frequenzbereich stellen.

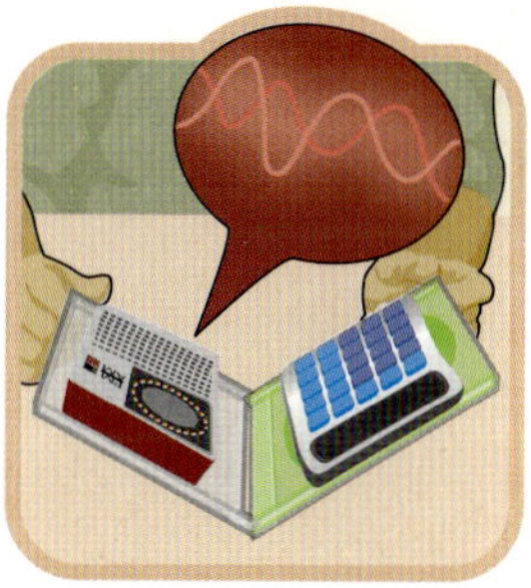

Zusammenklappen, bis ein Ton erklingt.

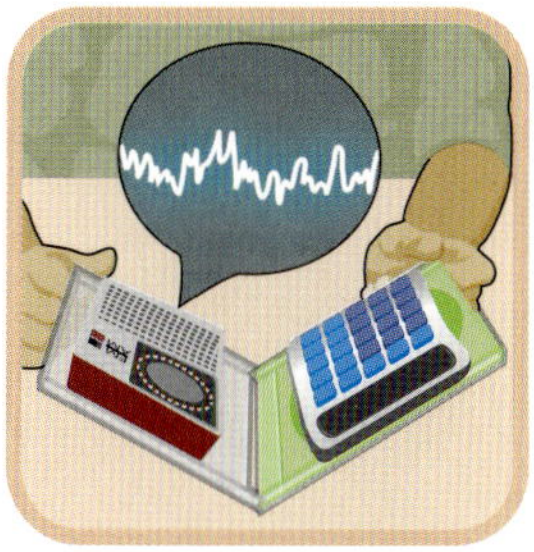

Auseinanderklappen, bis der Ton verschwindet.

Hülle in diesem Winkel fixieren.

Nach wertvollem Metall suchen.

In der Nähe von Metall erklingt der Ton.

Auf zur Schatzsuche!

74 Eine Fütterungsmaschine basteln

Warum die Katze immer auf dieselbe langweilige Weise füttern? Mit ein wenig Aufwand lässt sich aus Alltagsgegenständen eine spektakuläre Fütterungsmaschine à la Rube Goldberg zaubern!

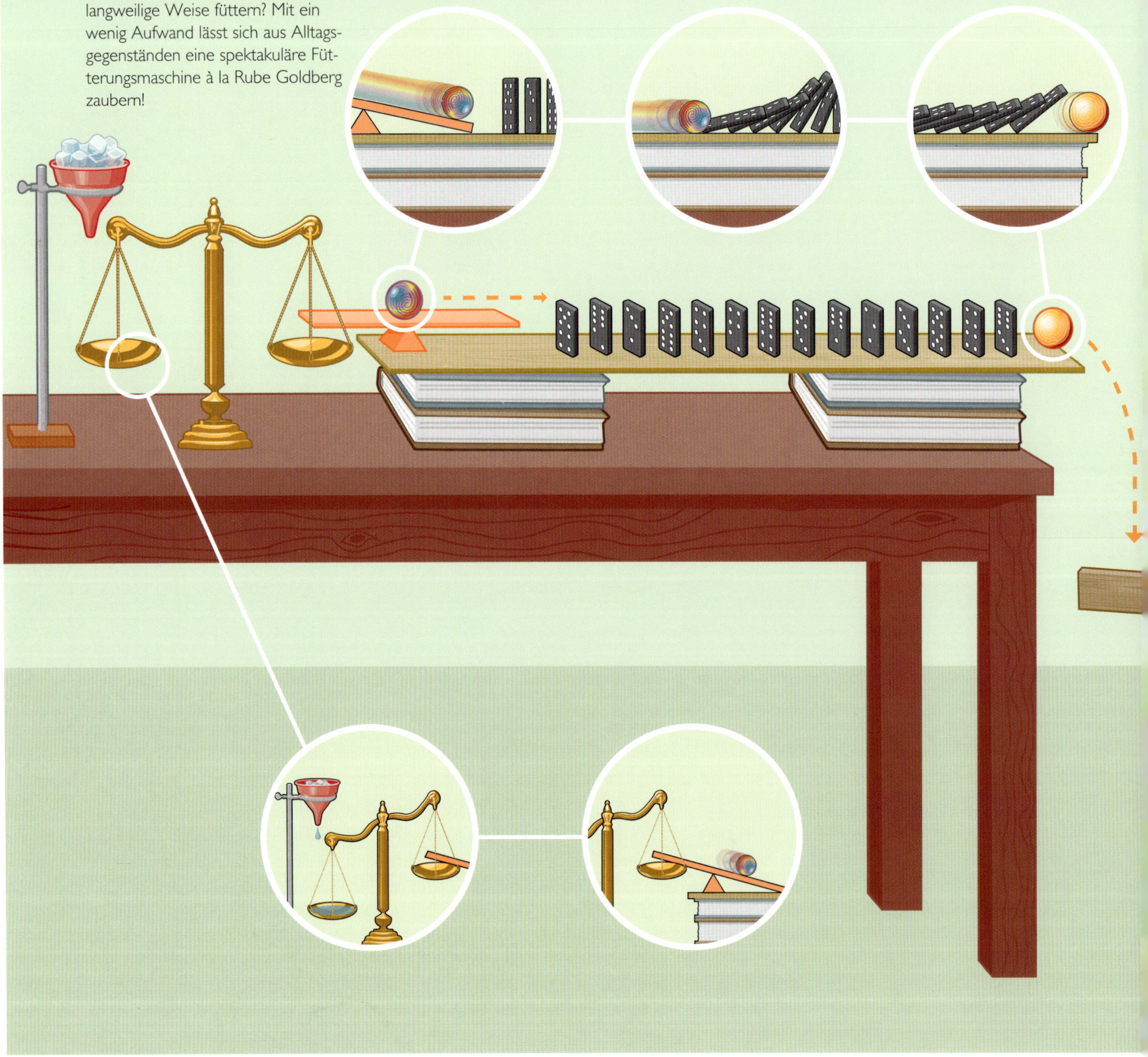

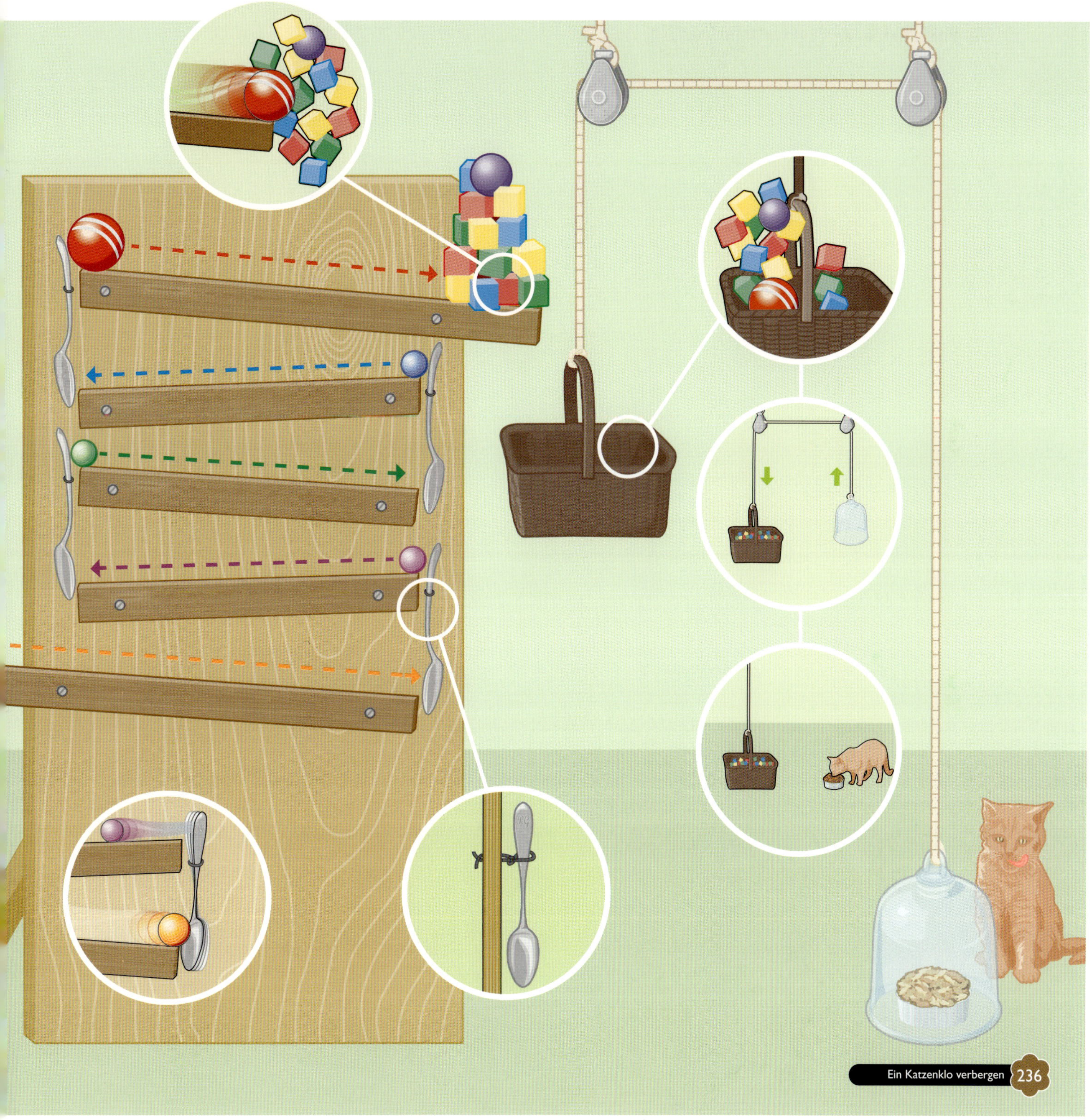

75 Kunstwerke aus Holz sägen

Holzstamm mit Sandsäcken fixieren.

Mit Kreide Motiv vorzeichnen.

Sicherheitsausrüstung anlegen.

Grundform grob aussägen.

Dünne Streifen wegschnitzen.

Details mit Lötlampe einbrennen.

Feinheiten mit der Spitze der Säge herausarbeiten.

Mit Teakholzöl behandeln.

76 Würfeluntersetzer basteln

Quadrate aus Sperrholz ausschneiden.

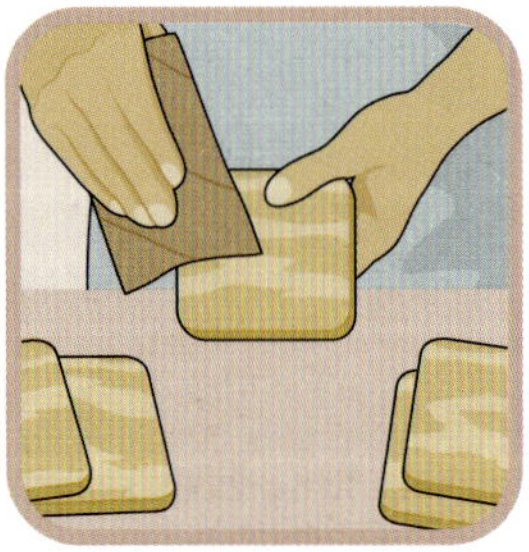
Ränder mit Sandpapier glätten.

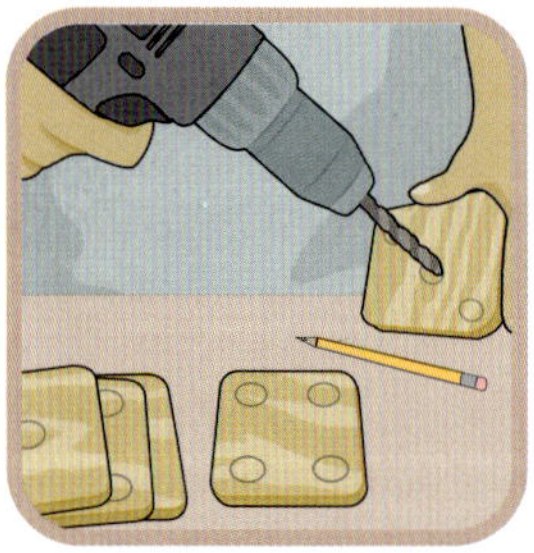
Punkte einzeichnen und einbohren.

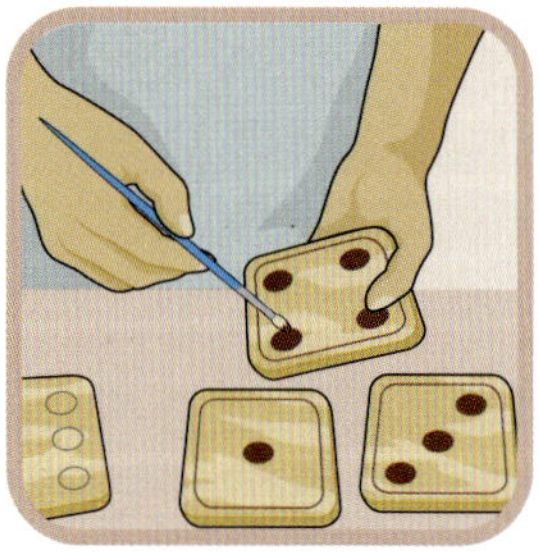
Punkte anmalen.

Mit wasserfestem Lack besprühen.

Ein Schiff in eine Flasche zaubern

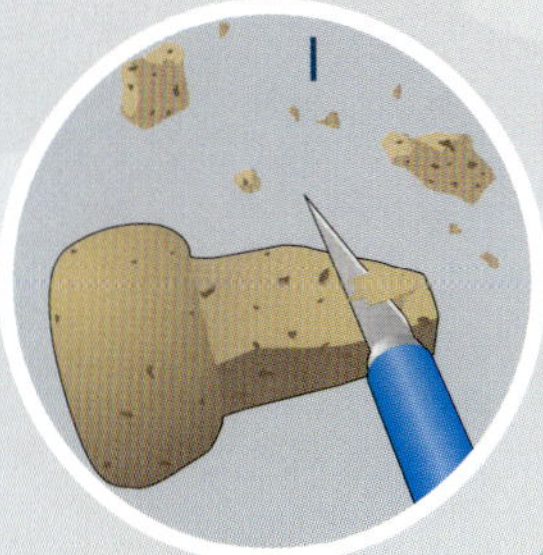

Schiff aus Korken schnitzen.

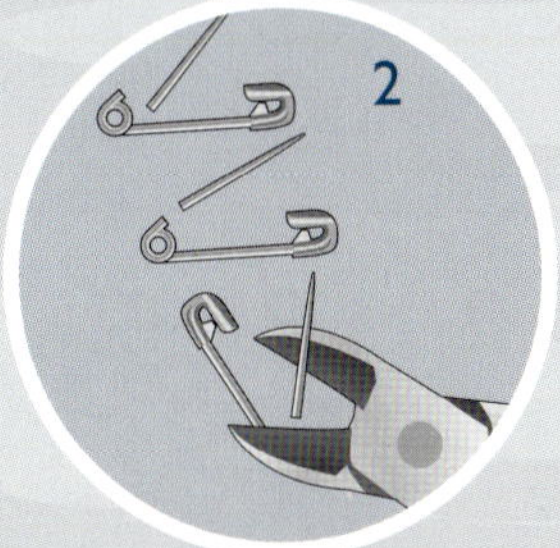

Drei Sicherheitsnadeln zurechtschneiden.

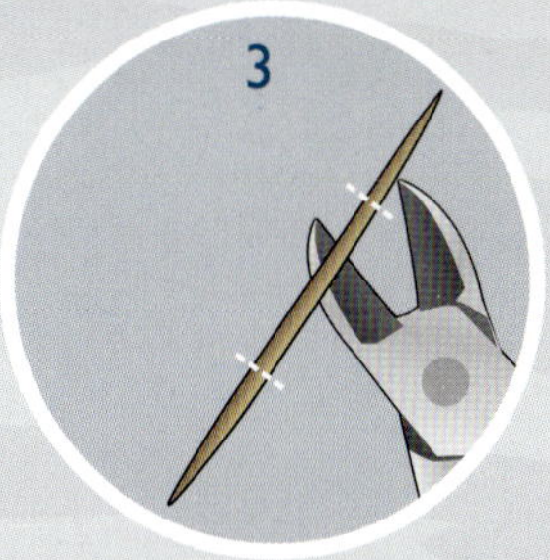

Bambusspieß in drei Teile schneiden.

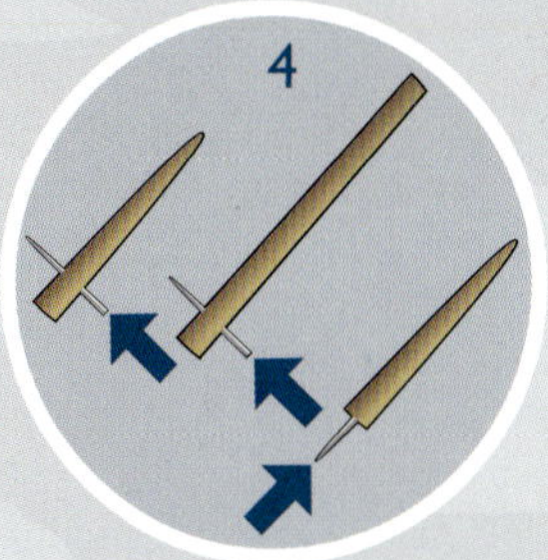

Nadeln in die Spieße stecken.

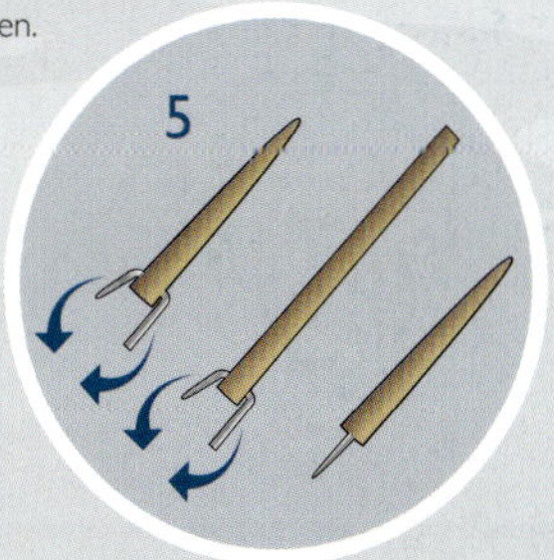

Zwei Nadeln umbiegen.

Am Schiff befestigen.

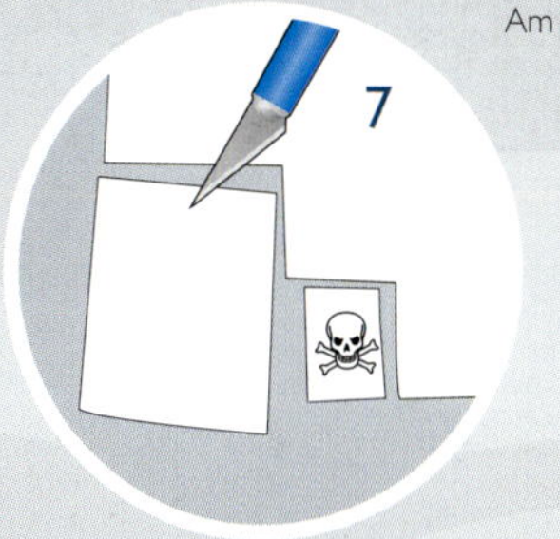

Segel zeichnen; aus Papier ausschneiden.

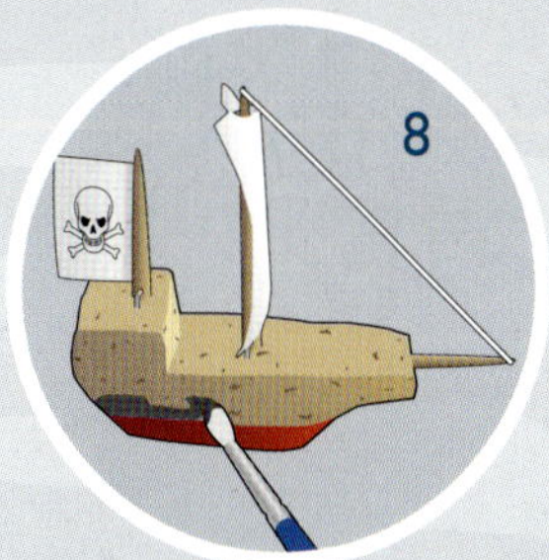

Segel anbringen und Schiff verzieren.

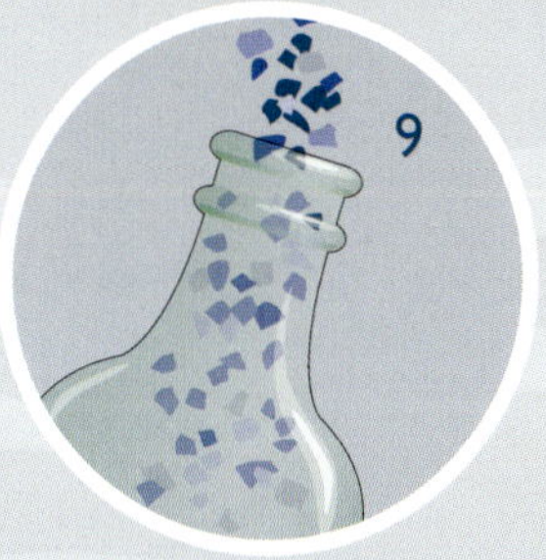

Bunten Kies in die Flasche füllen.

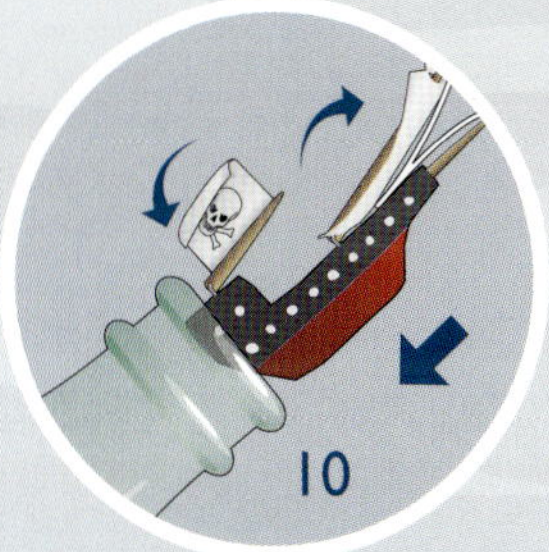

Masten niederlegen; das Schiff in die Flasche einführen.

Ein Segelboot steuern 297

11 Masten hochziehen. Schiff ahoi!

78 Einen Perlenwebrahmen bauen

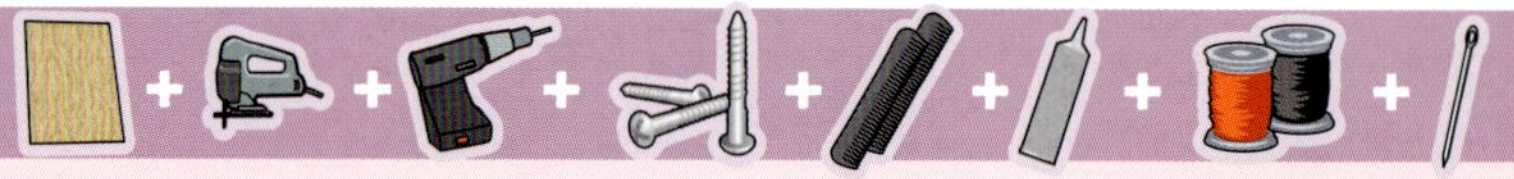

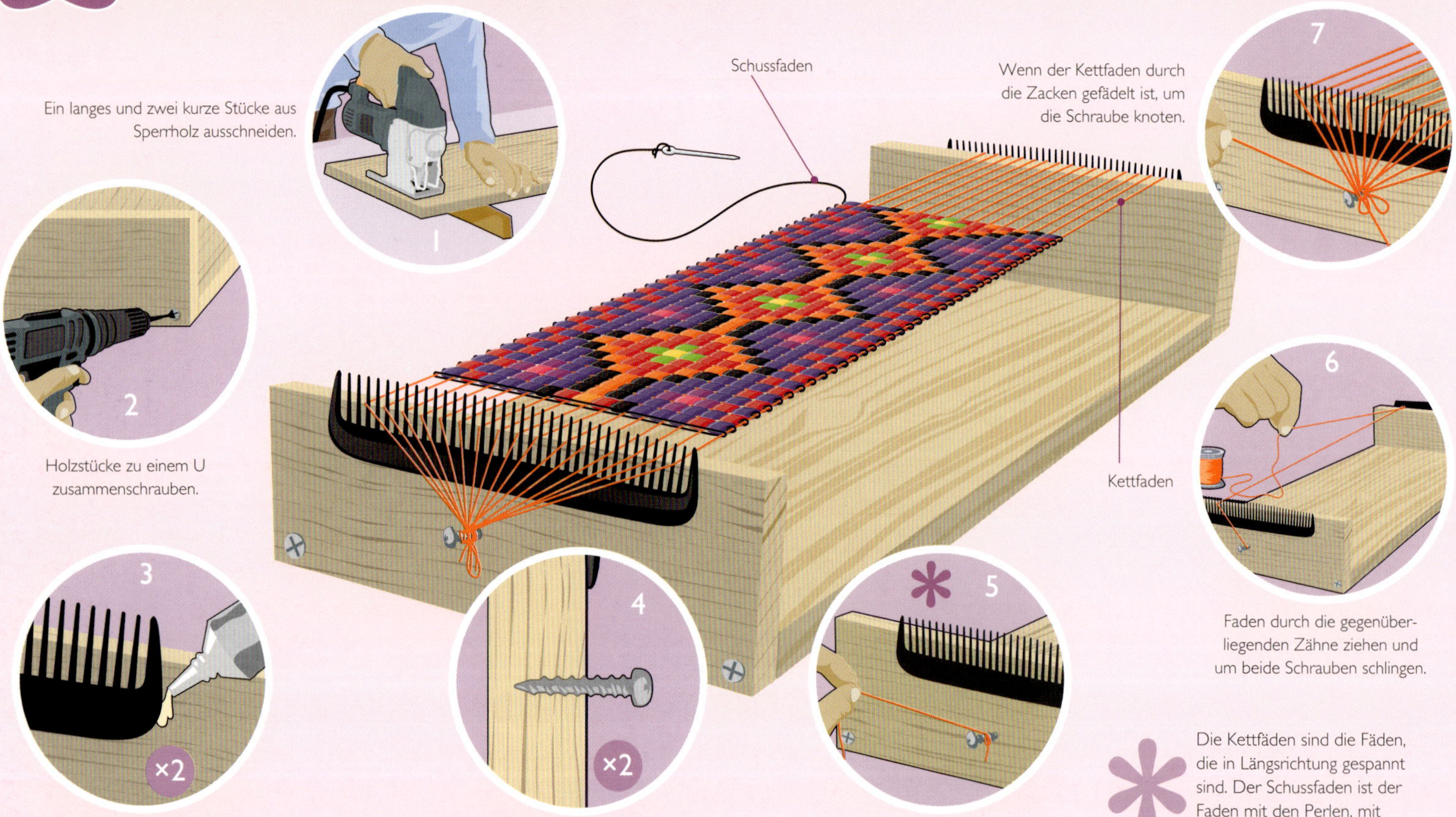

Ein langes und zwei kurze Stücke aus Sperrholz ausschneiden.

Holzstücke zu einem U zusammenschrauben.

Kamm an beiden Enden festkleben.

Unter jedem Kamm in der Mitte eine Schraube eindrehen.

Faden an einer Schraube festknoten.

Faden durch die gegenüberliegenden Zähne ziehen und um beide Schrauben schlingen.

Wenn der Kettfaden durch die Zacken gefädelt ist, um die Schraube knoten.

* Die Kettfäden sind die Fäden, die in Längsrichtung gespannt sind. Der Schussfaden ist der Faden mit den Perlen, mit dem das Muster gewebt wird.

80 Ein Armband aus Sicherheitsnadeln

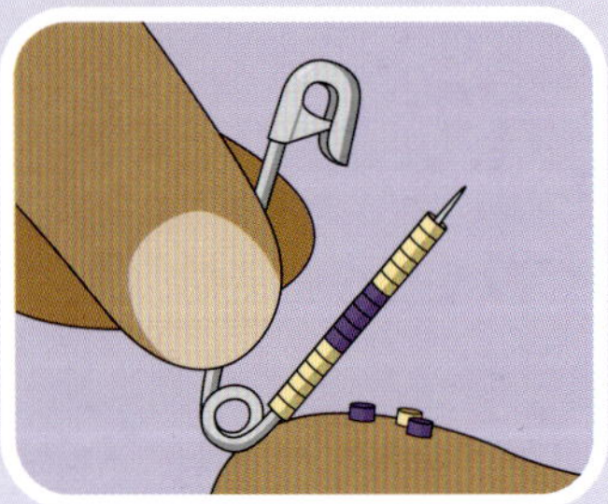

Perlen auf eine Sicherheitsnadel aufreihen; Nadel verschließen.

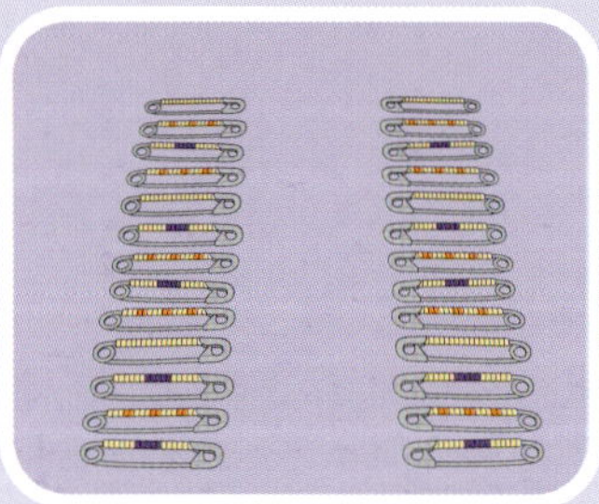

Mehrere Nadeln mit Perlen versehen.

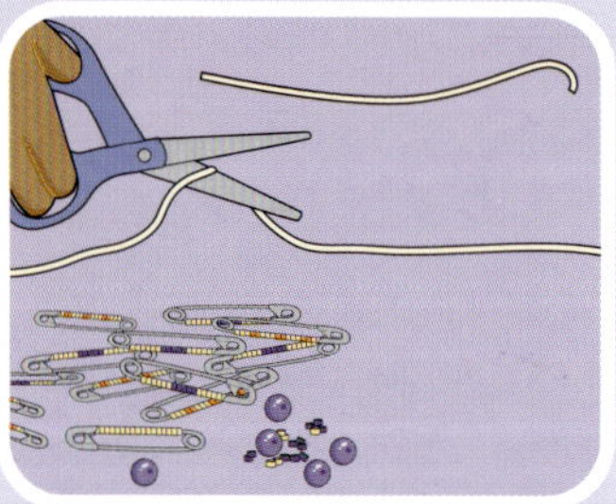

Gummiband in der Länge des Handgelenks abschneiden.

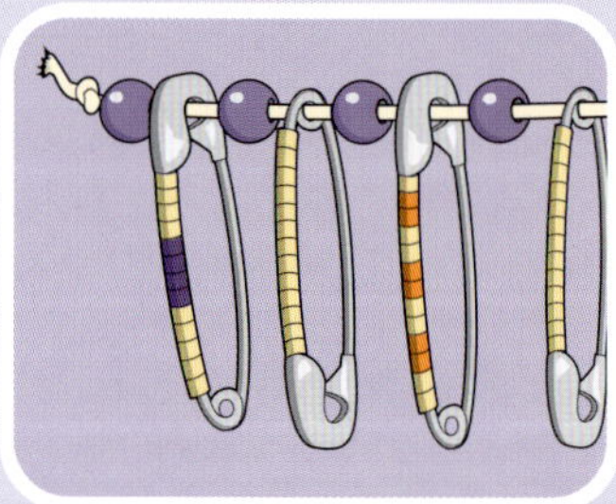

Perlen und Sicherheitsnadeln auf Band auffädeln.

Mit Perlen weben 79

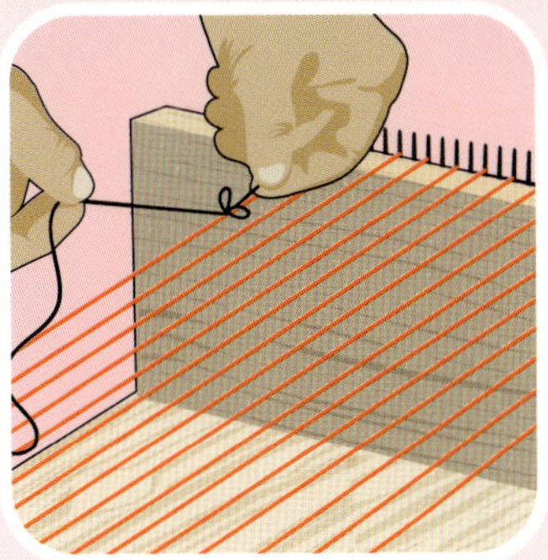

Schussfaden am Ende des Kettfadens anknoten.

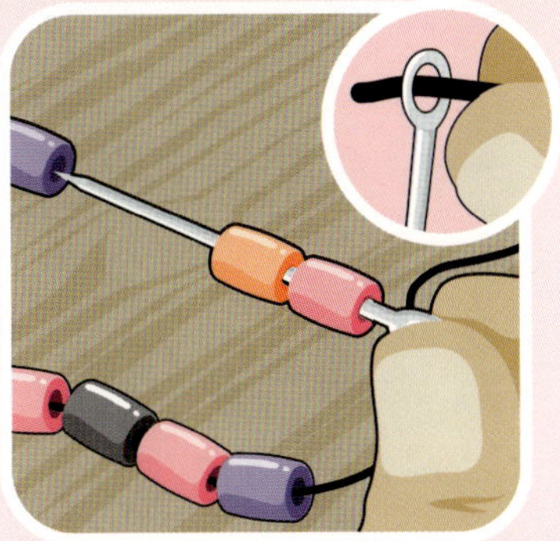

Nadel einfädeln; eine Reihe Perlen aufnehmen.

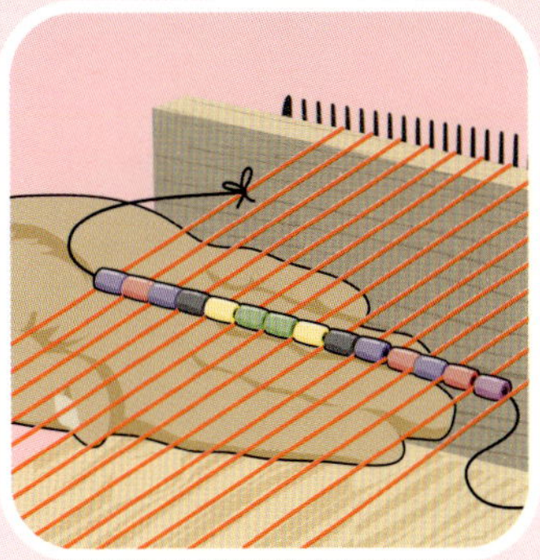

Perlen unter den Kettfäden aufreihen.

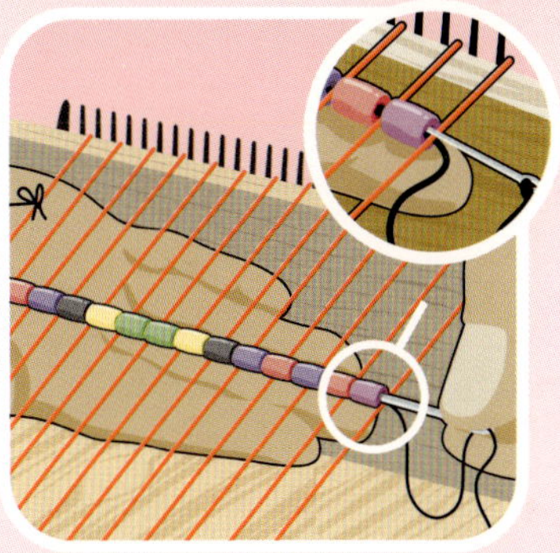

Faden durch die Perlenreihe ziehen.

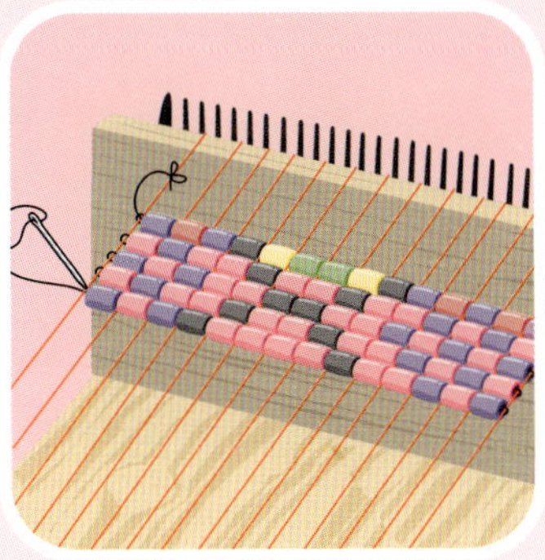

Weitere Reihen weben.

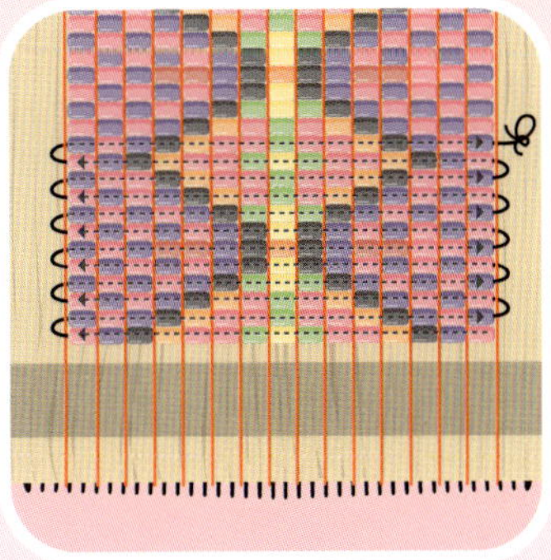

Die letzten paar Reihen verweben; verknoten.

Kettfäden vom Rahmen abschneiden.

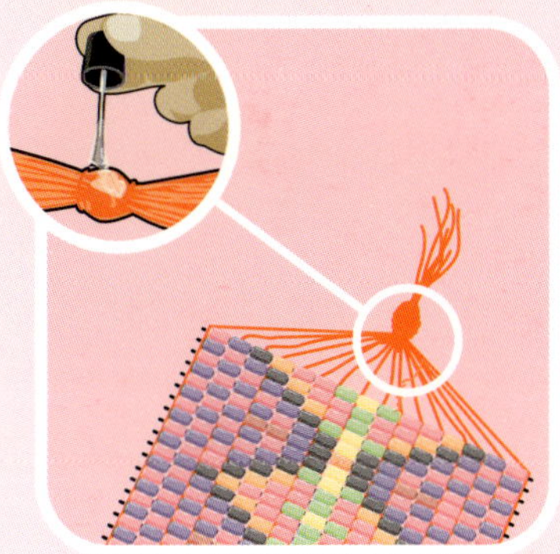

Verknoten; mit Nagellack versiegeln.

Am Ende verknoten.

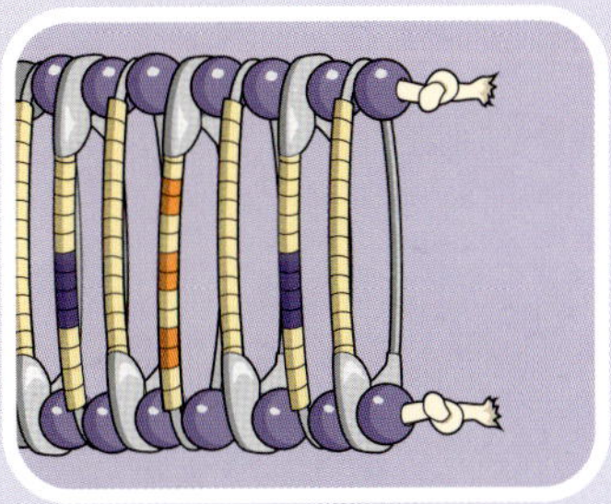

Mit dem zweiten Band wiederholen.

127 Eine Halskette aus Filz basteln

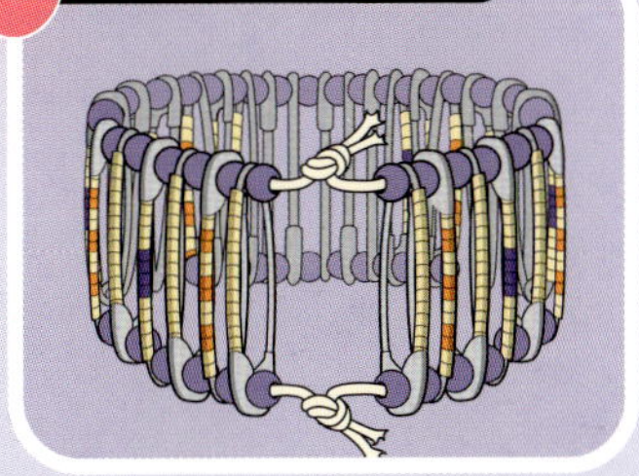

Bänder zusammenbinden.

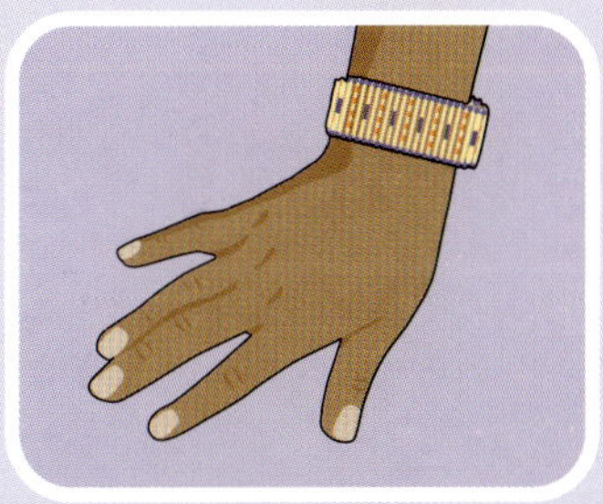

Komplimente holen.

81 Bilder-Schmuck kreieren

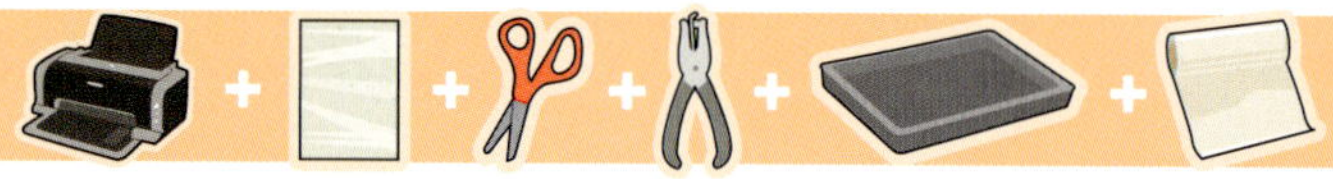

Motive auf Schrumpffolie drucken.

Motive ausschneiden.

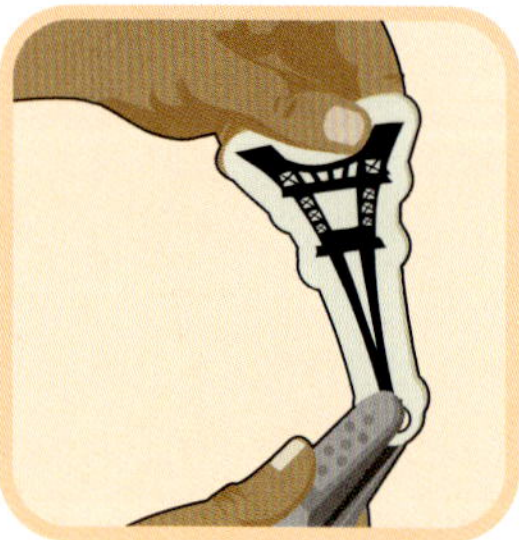

Je nach Bedarf Löcher einstanzen.

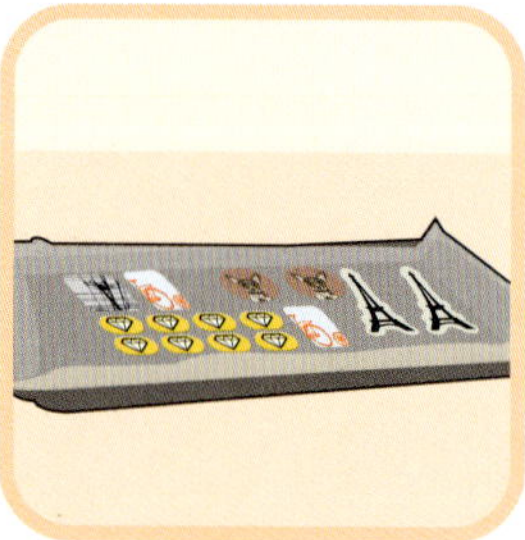

Auf mit Backpapier ausgelegtes Backblech legen.

Nach Anleitung backen.

* Der Schrumpffolie liegen genaue Backanweisungen bei. Nach dem Abkühlen den Schmuck mit Verschlüssen versehen und zur Schau tragen!

82 Mit Transferpapier dekorieren

Motiv auf Transferpapier vergrößert kopieren.

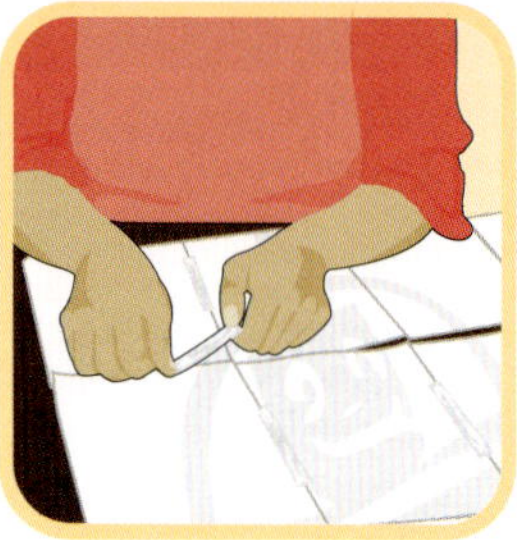

Blätter zusammenkleben.

Transparenten Acryllack auftragen.

Kopie mit der Vorderseite aufdrücken.

Mit Pappe glätten.

Trocknen lassen.

Mit nassem Handtuch anfeuchten.

Feuchtes Papier vorsichtig abreiben.

So lange reiben, bis das Motiv gut sichtbar ist.

Mit Acryllack versiegeln.

Malen nach Zahlen 83

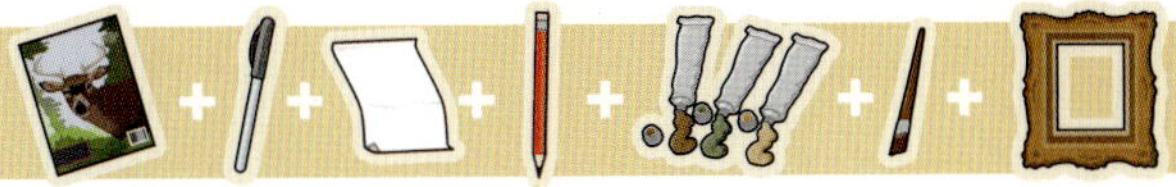

Bild mit Marker nachzeichnen.

Auf leeres Papier abpausen.

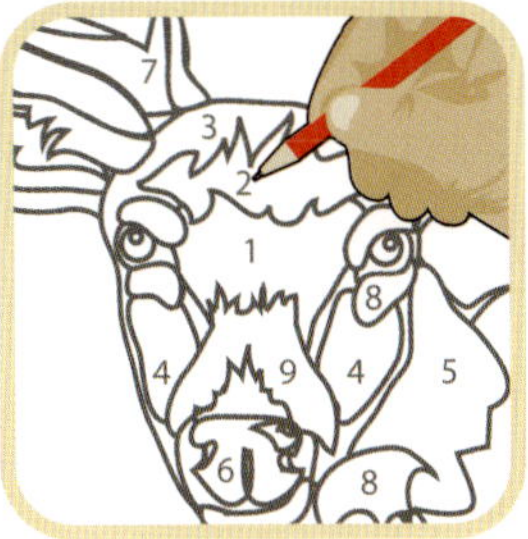

Nach Farbe nummerieren.

Nach Zahlen malen.

Fertig ist das Meisterwerk.

Spezielle Bilder sticken 84

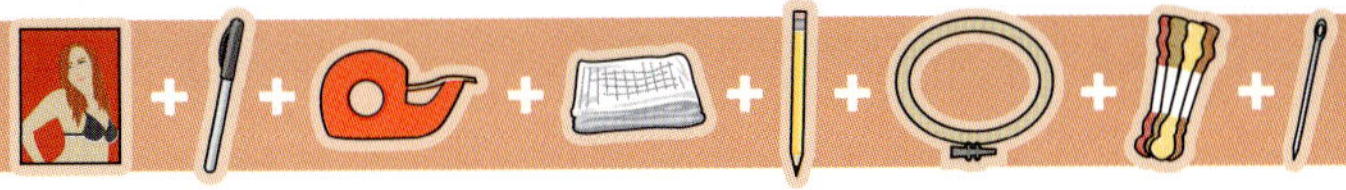

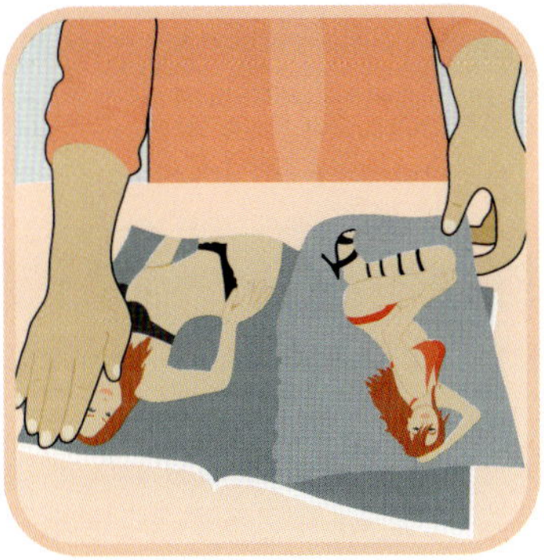

Bild herausreißen.

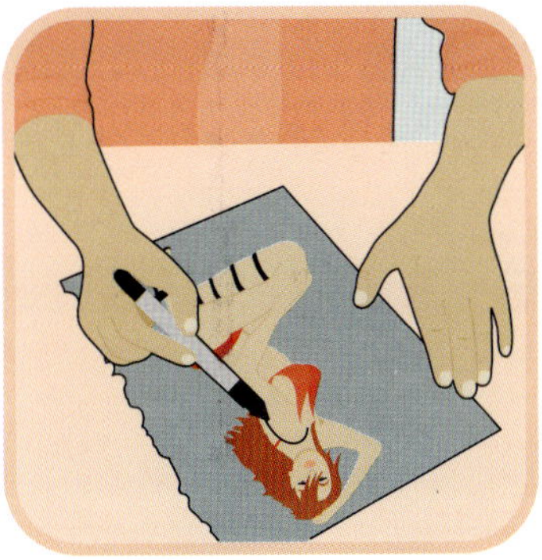

Mit schwarzem Marker umranden.

Auf ein helles Fenster kleben.

Stoff über dem Bild befestigen.

Auf dem Stoff mit Bleistift nachzeichnen.

Entfernen.

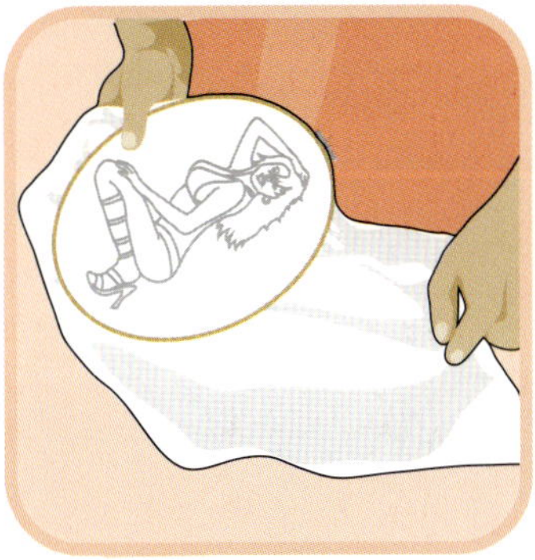

In Stickrahmen spannen.

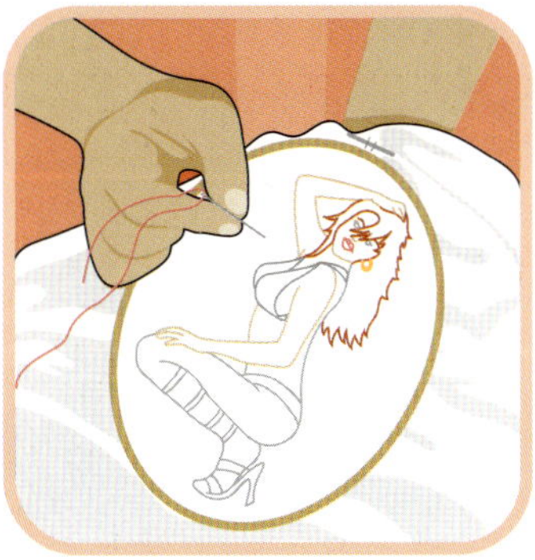

Mit Stickgarn einsticken.

85 Ein Tongefäß töpfern

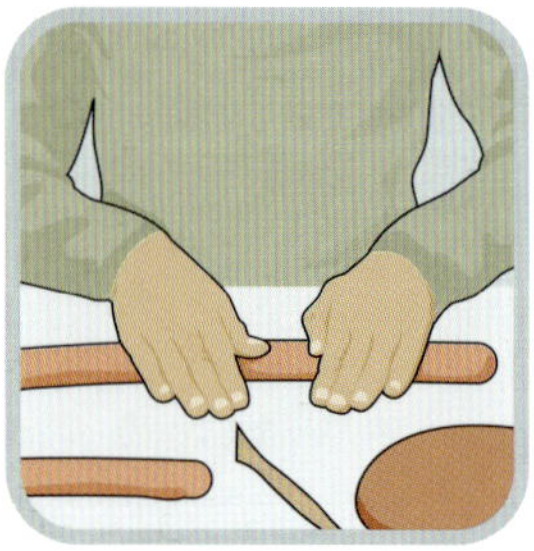
Würste aus Ton rollen; Boden ausschneiden.

Wurst am Boden anbringen; Würste herumwinden.

Würste zusammendrücken.

354 Brot in einem Tonofen backen

Weiter formen.

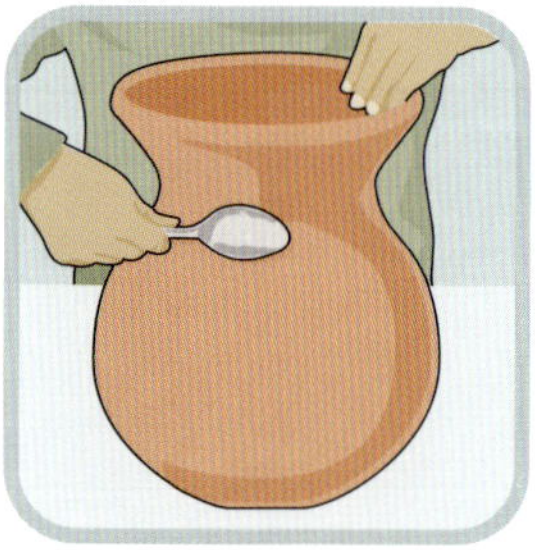
Außenseite mit Löffel glätten.

86 Mosaik-Trittsteine herstellen

Fliesen in ein Handtuch wickeln; zertrümmern.

Stücke zu einem Motiv arrangieren.

Fugenmasse anrühren; auf Stein auftragen.

Fliesenstücke in die Fugenmasse drücken.

Zwischenräume mit Fugenmasse füllen.

Oberfläche abwischen.

Versiegeln; trocknen lassen.

Im Freien auflegen.

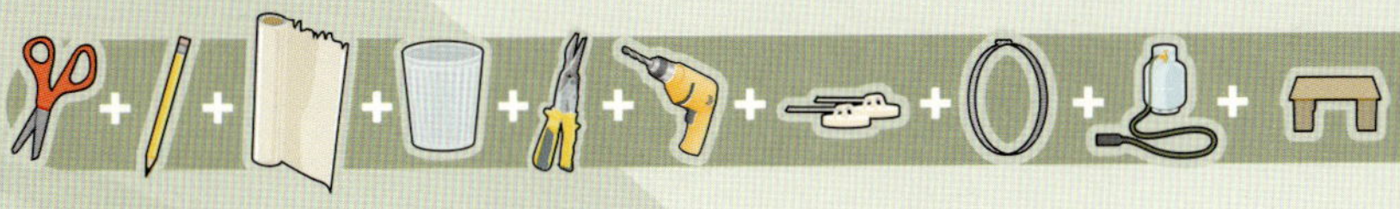

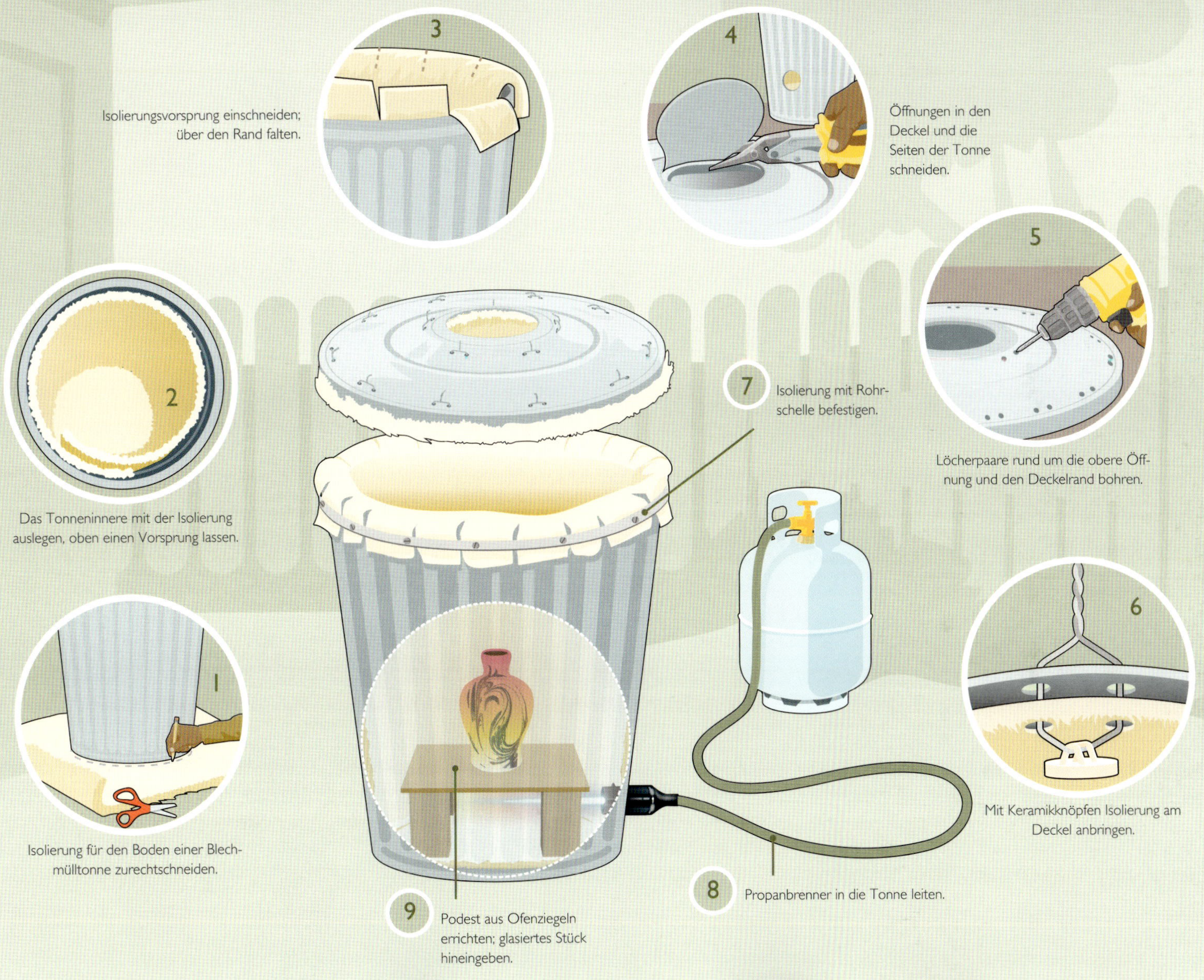

Für diese traditionelle Brennmethode aus Japan sind Rauch, eine Flamme und etwas Abenteuerlust erforderlich – spezielle Glasuren und starke Hitze sorgen für hübsche, unerwartete Effekte.

88 Ein Daumenklavier bauen

1. Große Haarklammern halbieren.
2. Vier Hälften auf dem Brett platzieren.
3. Eine Hälfte darüber legen.
4. Fixieren.
5. Klammer kreuzweise niedertackern.
6. Schraube unter die Tasten schieben.
7. Schraube antackern.
8. Mit den Daumen spielen.

Auf der Glasharfe spielen 89

Gläser mit Hilfe eines Klaviers stimmen.

Eine Knochenflöte schnitzen 90

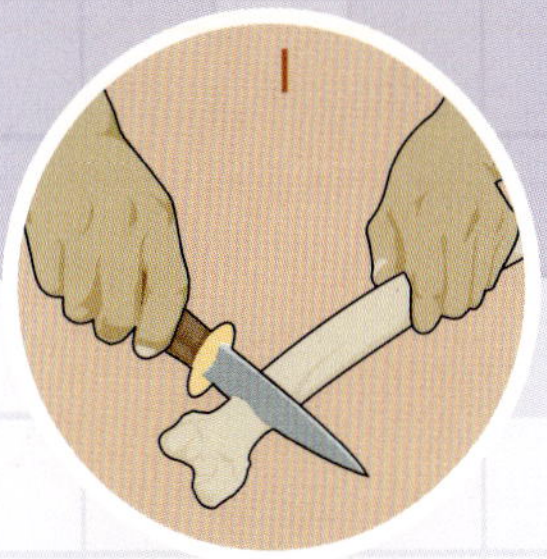

Das Ende eines großen Knochens abschneiden.

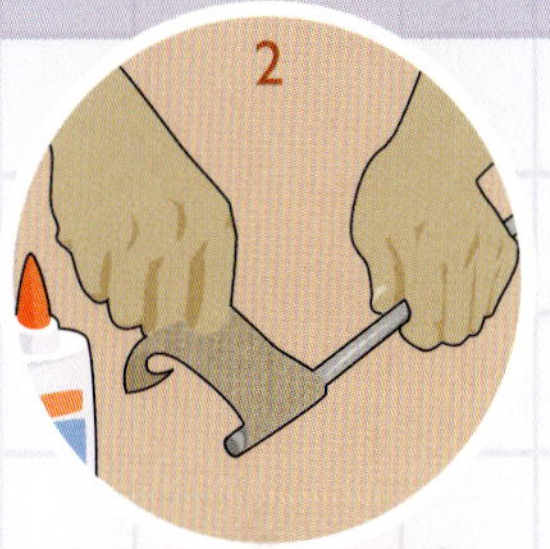

Sandpapier auf eine Metallstange kleben.

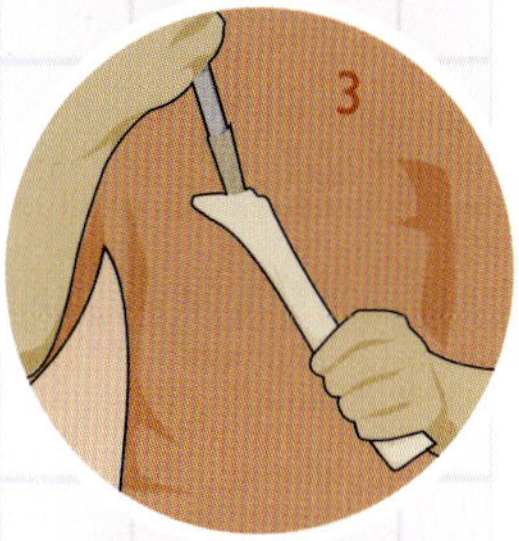

Knocheninneres abschleifen.

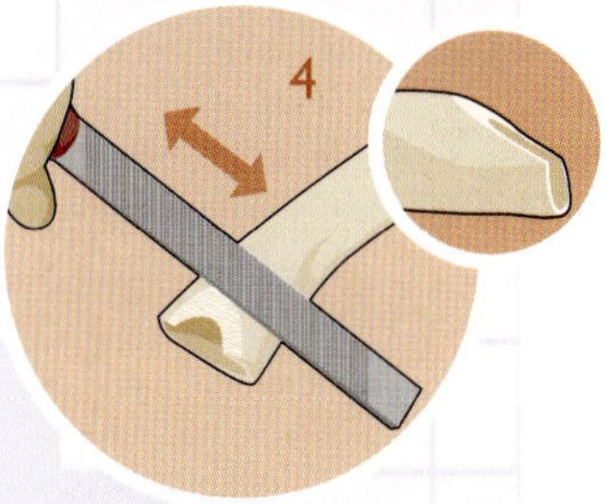

Ein Mundstück am Ende abfeilen.

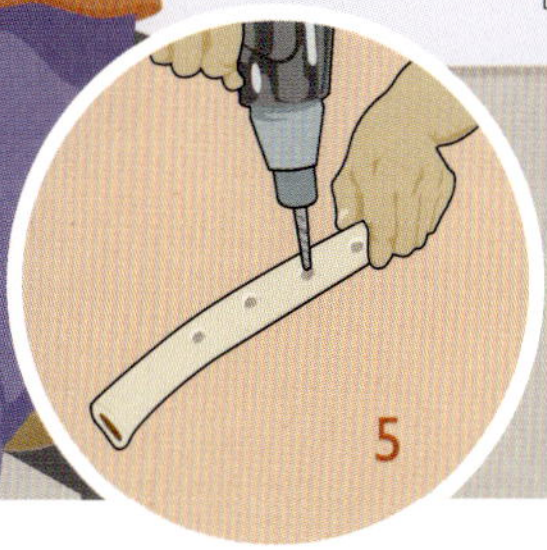

Vorsichtig Grifflöcher bohren.

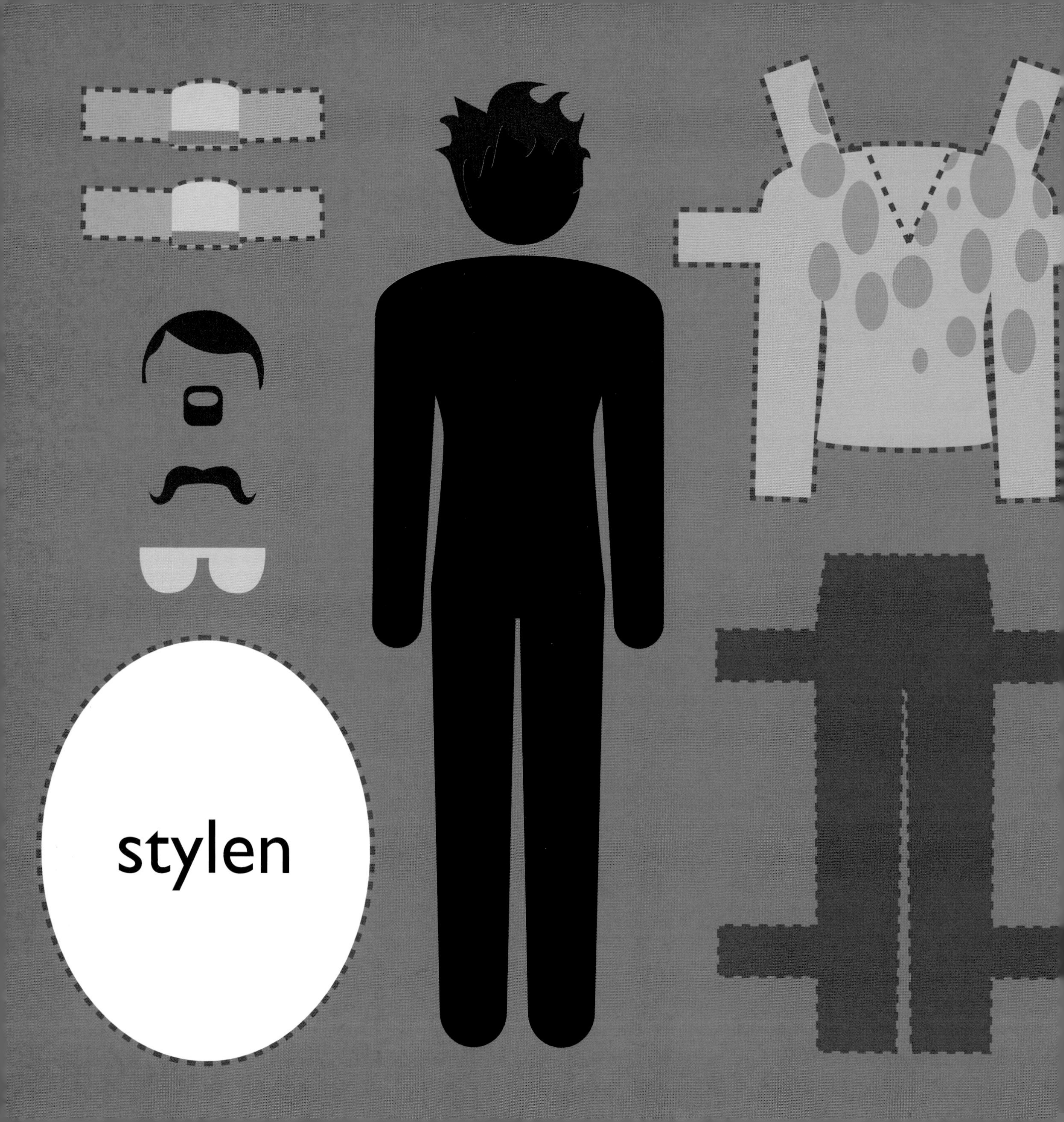
stylen

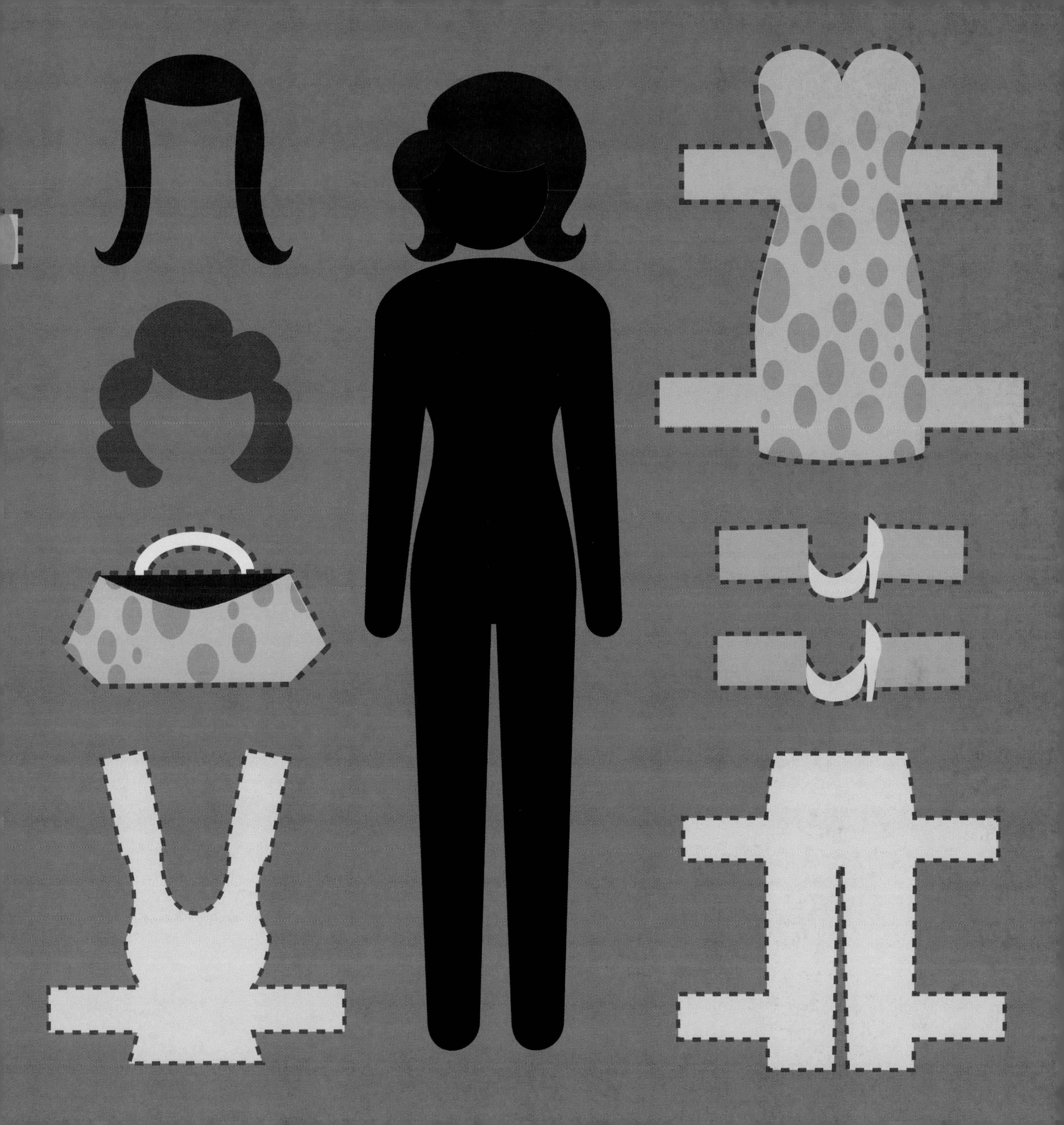

91 Der Welt als Flapper begegnen

92 Der Film-Noir-Look

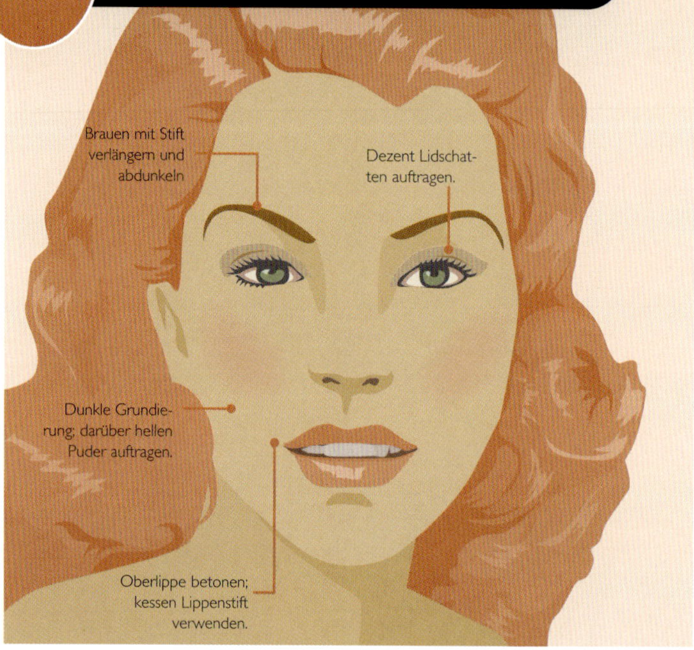

93 Umwerfender 60er-Look

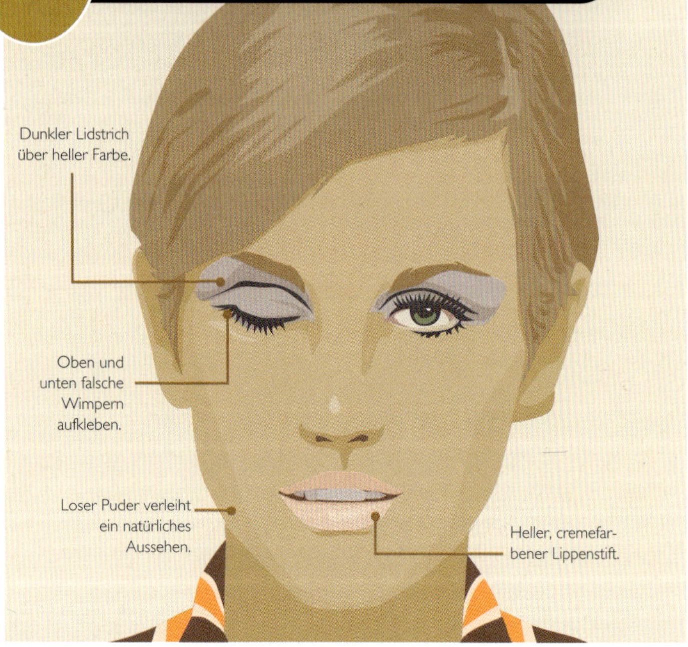

94 Aufregender 70er-Style

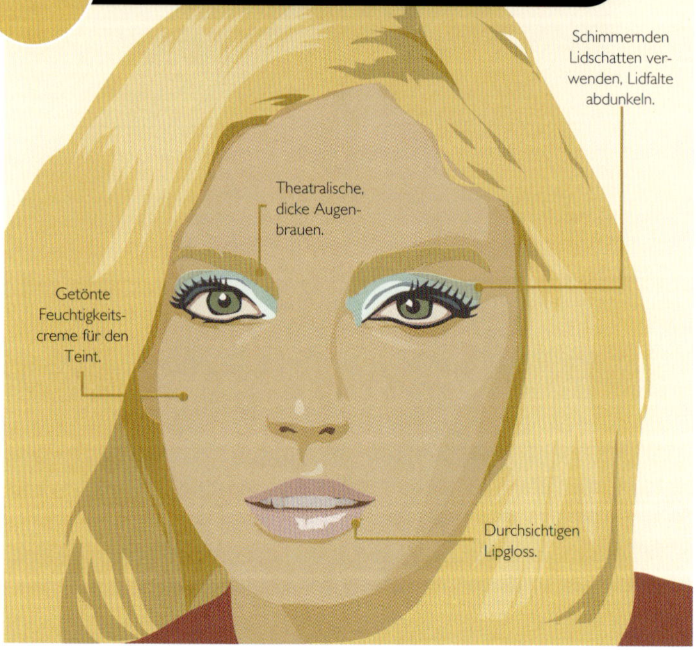

Mineralpuder auftragen 95

Puder in den Deckel streuen.

Großen Pinsel eindippen.

Überschüssigen Puder abklopfen.

Kreisend auftragen.

Zum Fixieren mit Wasser besprühen.

Wangenknochen hervorheben 96

Cremige Grundierung auftragen.

Backen einsaugen.

Entlang der eingesunkenen Linie pinseln.

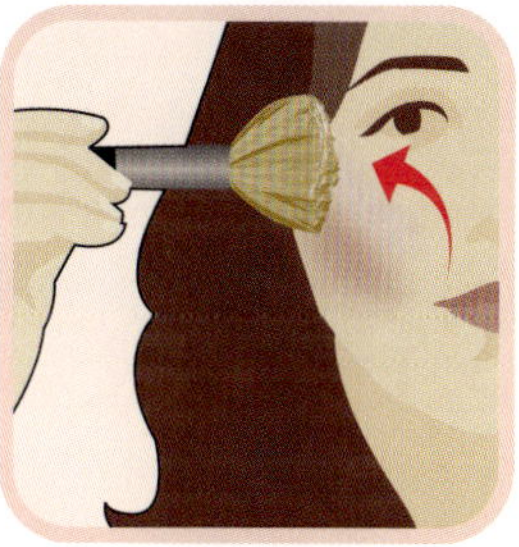
Highlighter darüber auftragen.

Beide Töne vermischen.

Theatralische Augen aufmalen 97

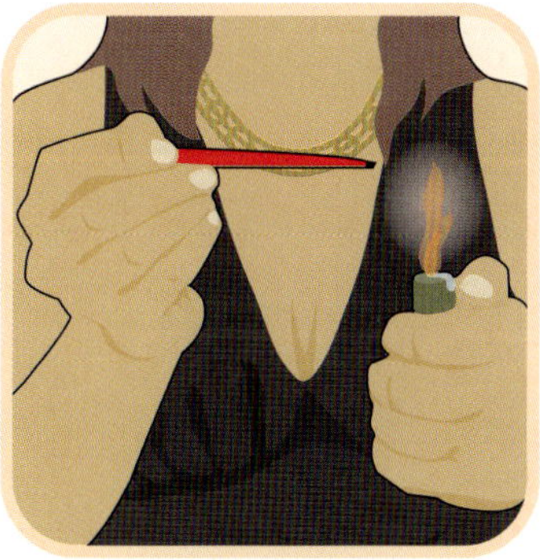
Kajalstift kurz erwärmen.

Auf den Stift blasen, damit er wieder aushärtet.

Großzügig auftragen.

Wie eine Ägypterin aussehen.

98 Lipgloss selbst herstellen

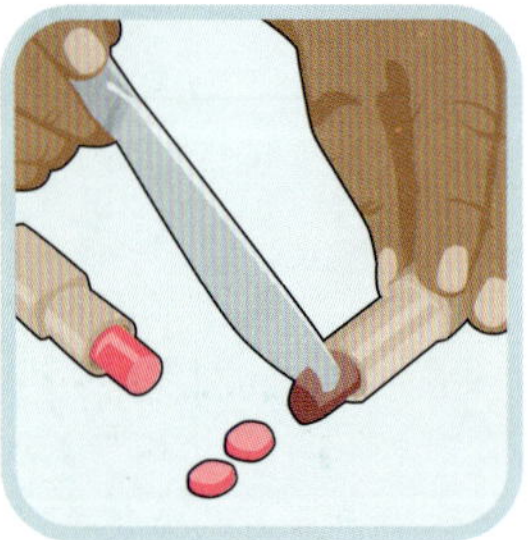

Alte Lippenstifte zerstückeln.

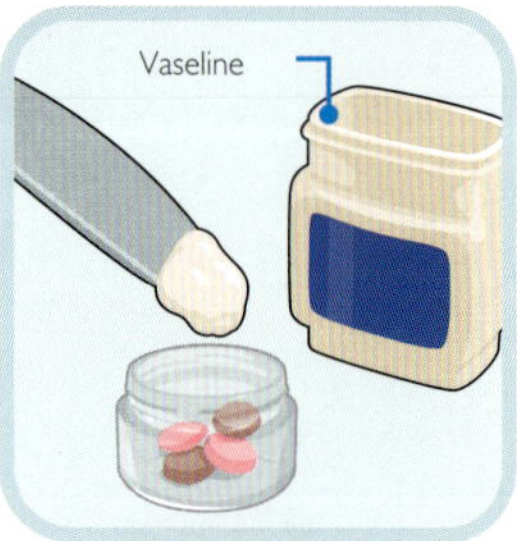

In ein Döschen geben; Deckel schließen.

In heißes Wasser tauchen.

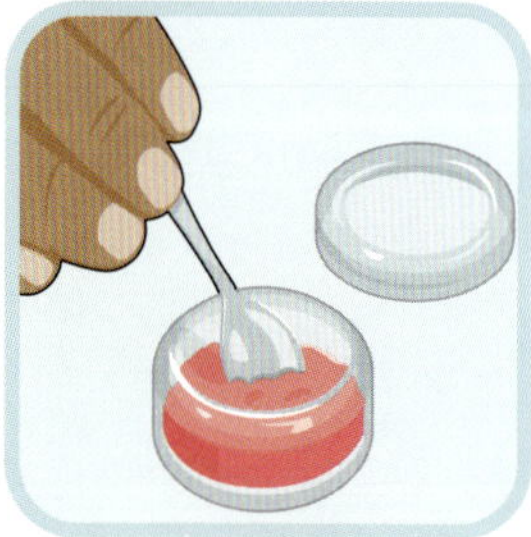

Umrühren.

Vor dem Auftragen abkühlen lassen.

99 Eigenes Gesichtswasser mischen

In dünne Scheiben schneiden.

Früchte und Alkohol vermengen.

Pürieren.

Abseihen.

Im Kühlschrank aufbewahren.

100 Eine Gesichtscreme herstellen

* Je nach Hauttyp hinzufügen:
2 EL Zitronensaft (unreine Haut)
2 EL Nachtkerzenöl (trockene Haut)
1 EL Hamamelis (ölige Haut)

210 Wachs vom Teppich entfernen

Im Wasserbad schmelzen.

Destilliertes Wasser dazugeben.

Gut vermengen.

In Behälter gießen; abkühlen lassen.

Schönheitsprodukte selbst machen 101

Die Haltbarkeit von Kosmetika 102

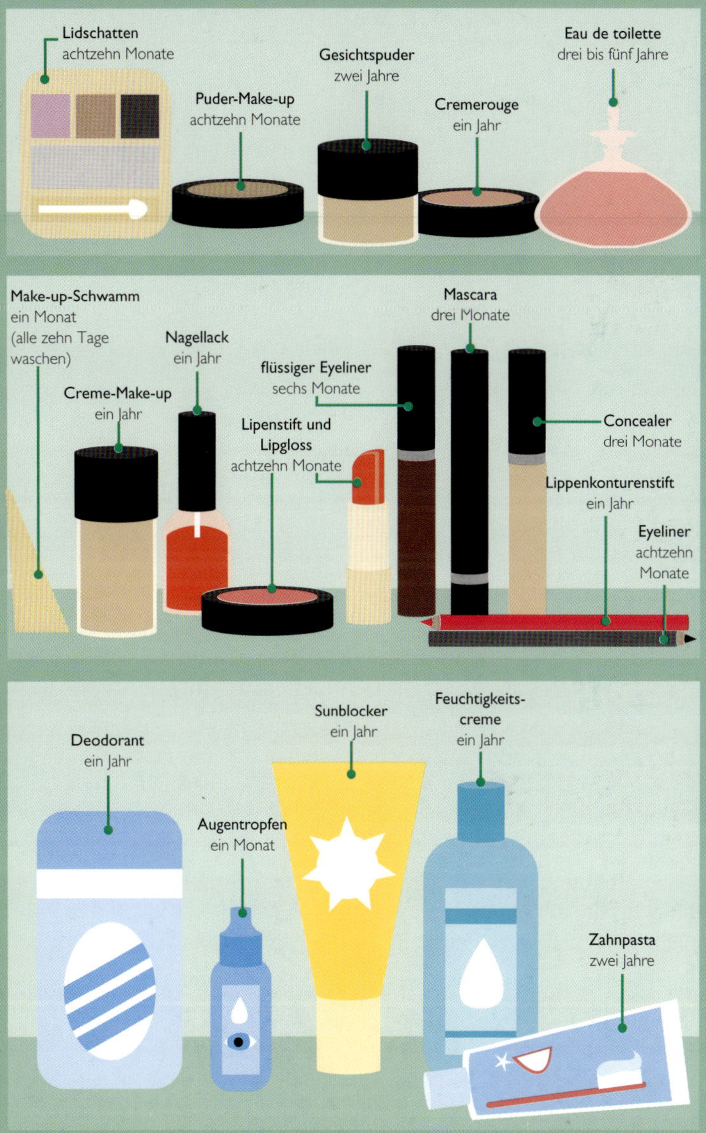

103 Passende Sonnenbrillen wählen

Damit Sie bei der Wahl der Sonnenbrille nichts falsch machen, bestimmen Sie Ihre Gesichtsform unten und entscheiden Sie sich dann für eine entsprechende Fassung.

104 Verbogene Brillen reparieren

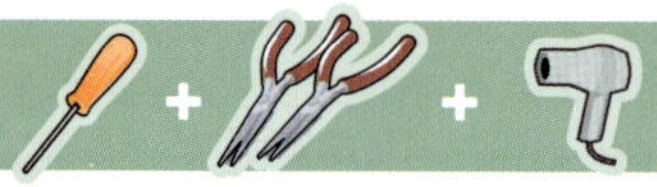

Oje – Brille verbogen.

Bügelschrauben anziehen.

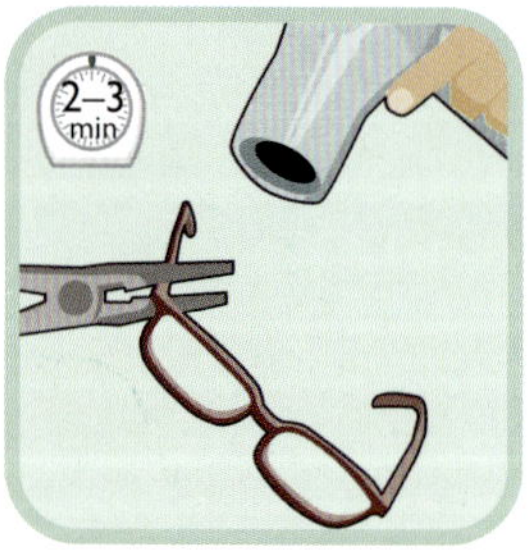

Verbogenen Arm erwärmen.

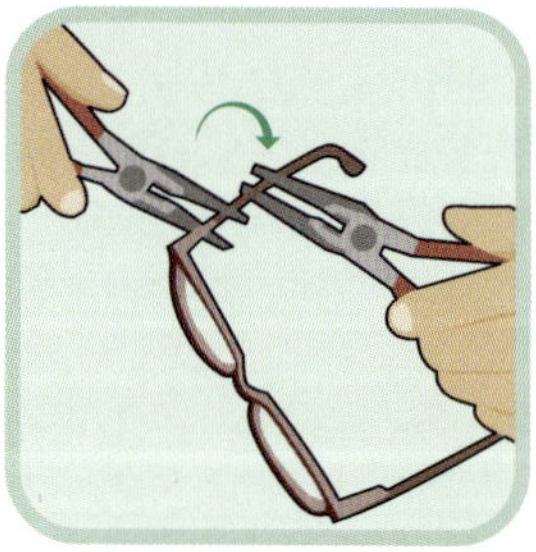

Mit Zange gerade biegen.

Vor dem Spiegel prüfen.

105 Augenbrauen in Form bringen

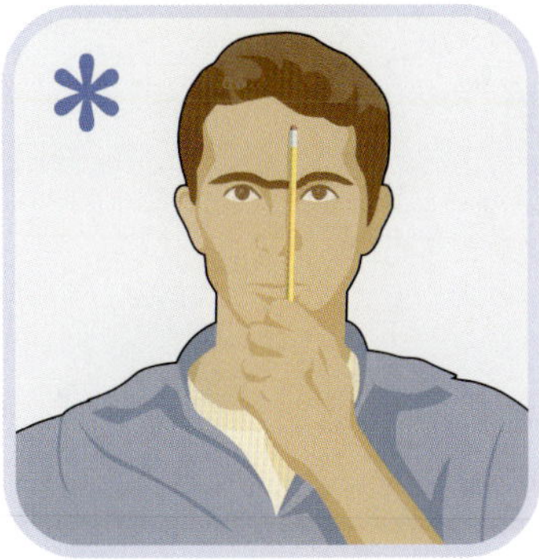

Die optimale Brauenform ermitteln.

Langsam und vorsichtig zupfen.

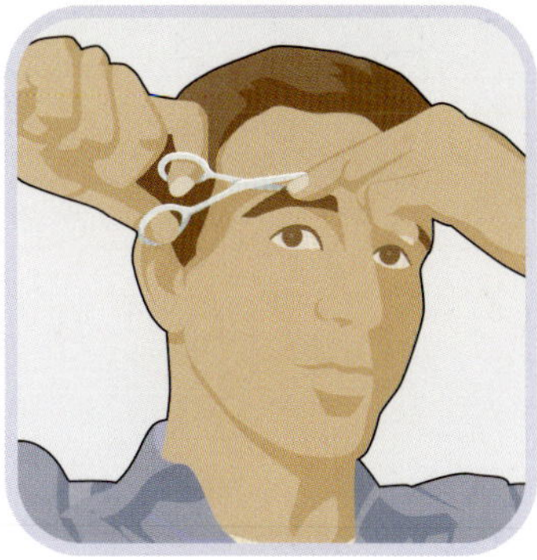

Lange Brauen mit Schere stutzen.

Haut mit Aloe-Vera-Lotion beruhigen.

* Ermitteln Sie die Endpunkte der beiden Augenbrauenbögen, indem Sie einen Bleistift jeweils am rechten und linken Nasenflügel anlegen. Alles darüber Hinausstehende zupfen.

106 Richtig wachsen

Nach einer heißen Dusche beginnen.

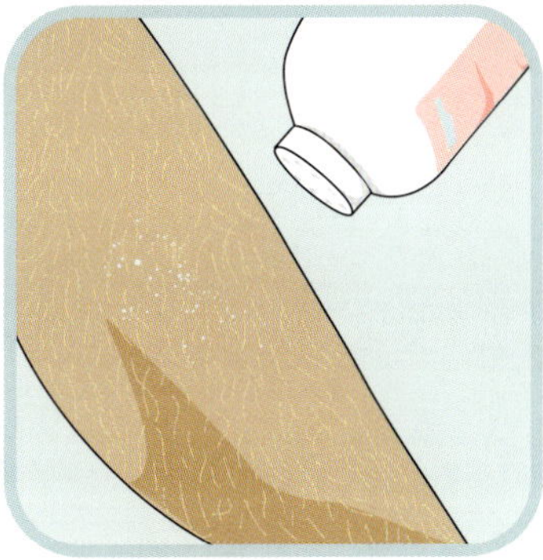

Körperpuder auftragen.

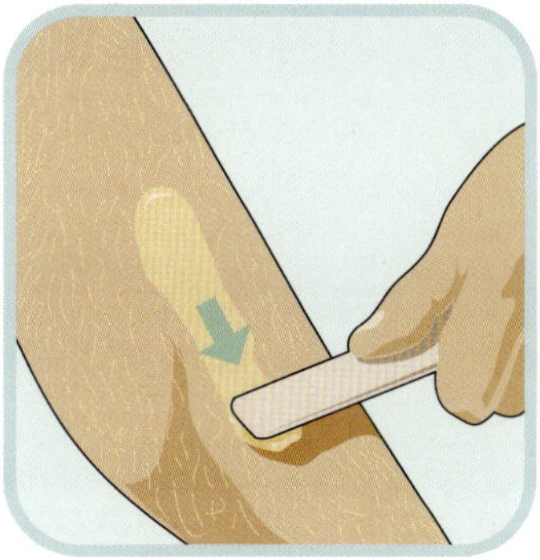

Wachs mit der Wuchsrichtung auftragen.

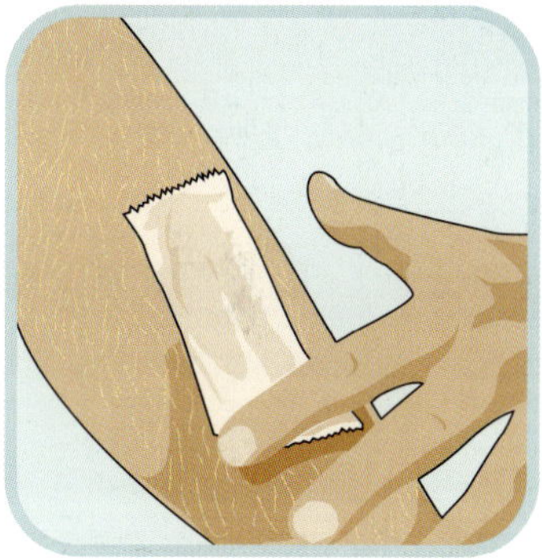

Stoffstreifen glattstreichen.

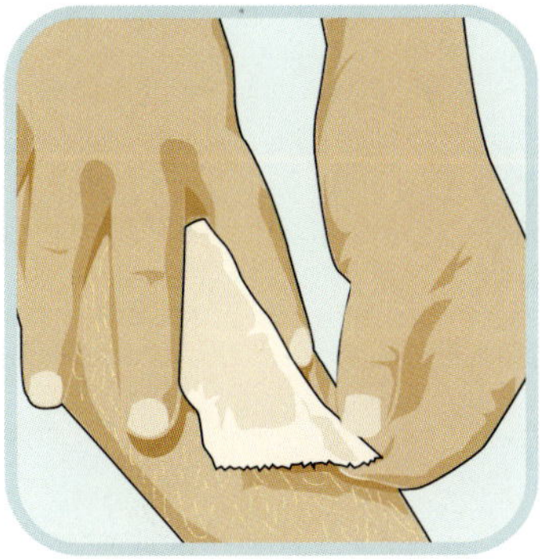

Streifen am Ende fassen.

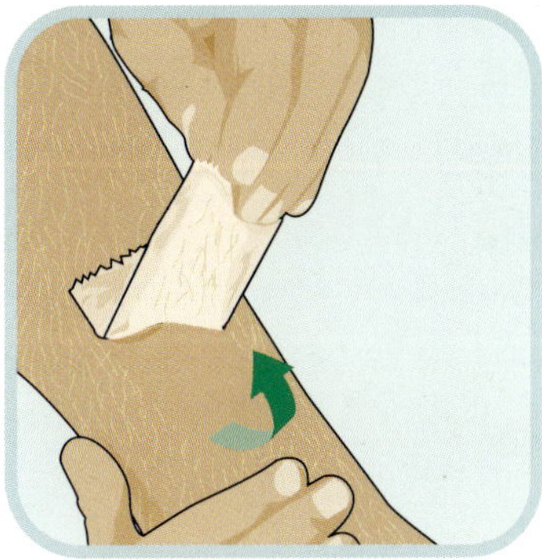

Gegen die Wuchsrichtung abziehen.

Restliches Bein wachsen; übriggebliebene Härchen mit Pinzette entfernen.

Hautberuhigende Lotion auftragen.

107 Einen simplen Haarschnitt zaubern

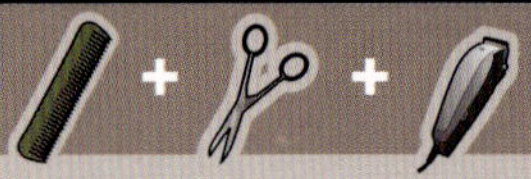

Eine vertikale Haarpartie lotrecht zum Kopf kämmen; zwischen die Finger nehmen.

Partie gerade kürzen.

Für Fransen gerade nach unten schneiden.

Haare im Nacken mit einer Haarschneide-maschine kürzen.

Neue Frisur präsentieren.

Das Haar kasten-förmig schneiden.

108 Strähnchen zu Hause färben

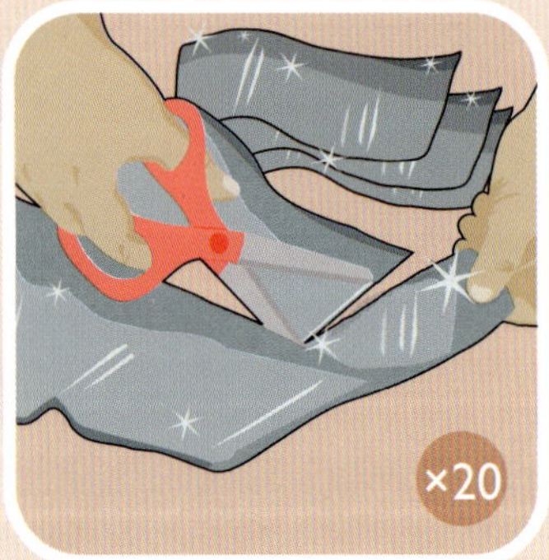

Streifen aus Alufolie zurechtschneiden.

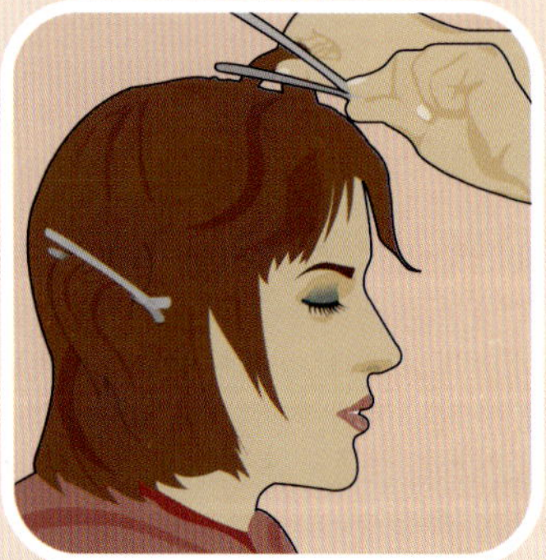

Haare in Partien teilen.

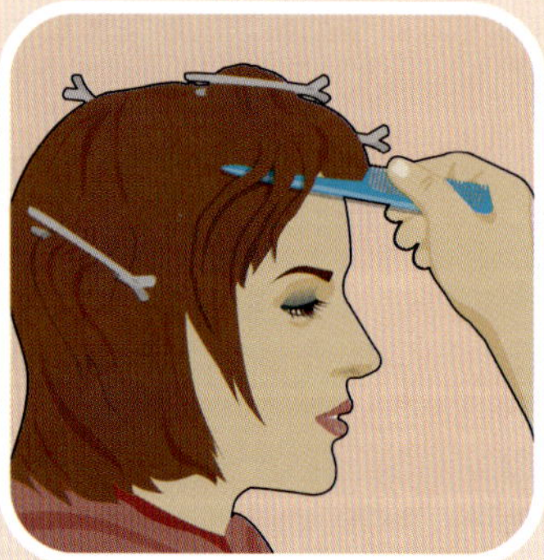

Mit dem Kammgriff durch die Partie fahren.

351 Gemüse in der Folie grillen

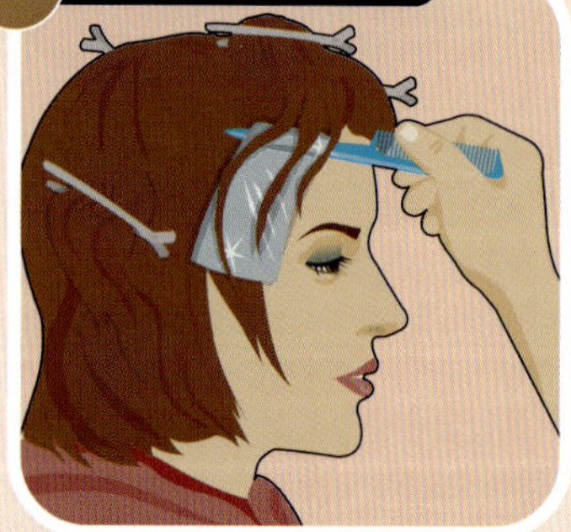

Folie unter die Partie legen.

Stirnfransen-Stile erkennen 109

uneinheitliche Linie — geradlinig — Kobold — '80er — Bettie Page

zur Seite gekämmt — fransig — gescheitelt — fedrig — unangepasst

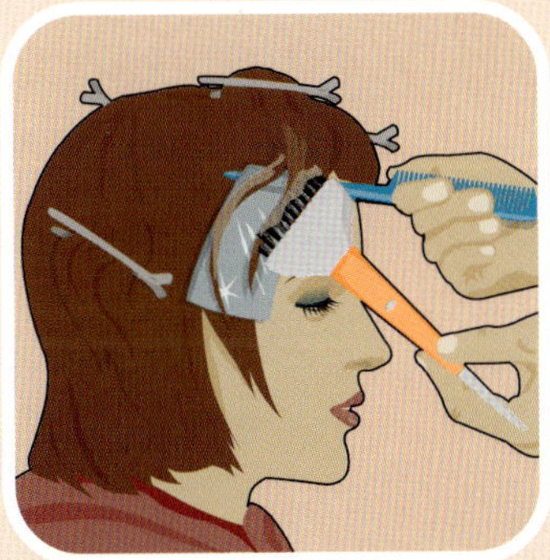

Tönung auftragen.

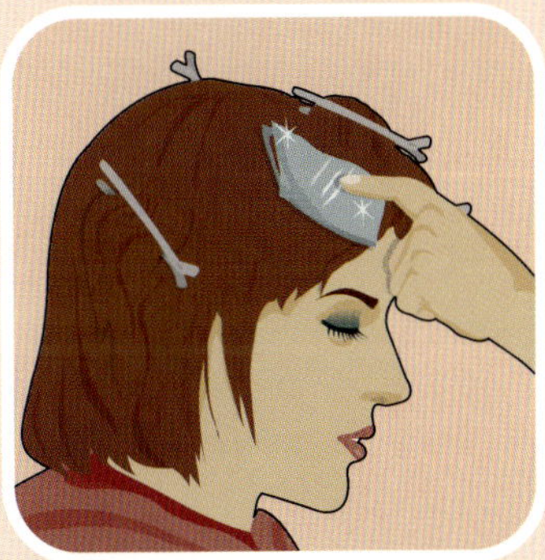

Folie hochklappen.

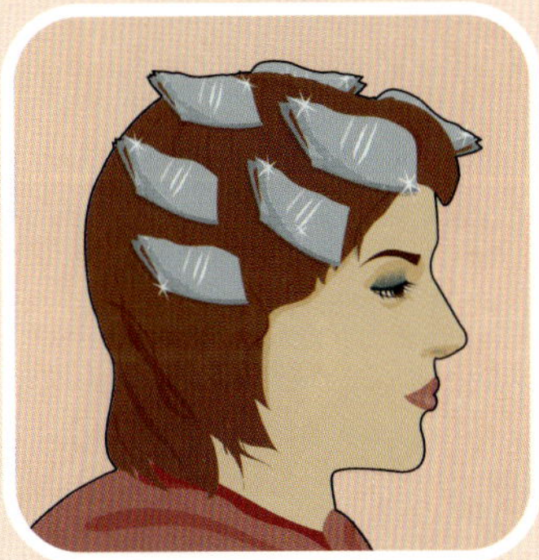

Mit restlichen Partien wiederholen.

Einwirken lassen. Folie entfernen
und Tönung ausspülen.

110 Ein Haarband flechten

Obere Haarpartie fixieren.

Seitenpartie abteilen und flechten.

Eine Partie auf der anderen Seite flechten.

Partie über den Kopf legen; feststecken.

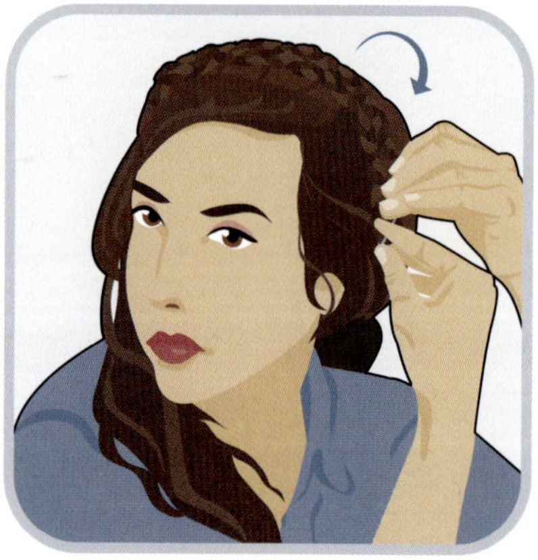

Mit dem zweiten Zopf wiederholen.

183 Einen Jeansteppich flechten

Reizend!

111 Mit einem „Beckham“ glänzen

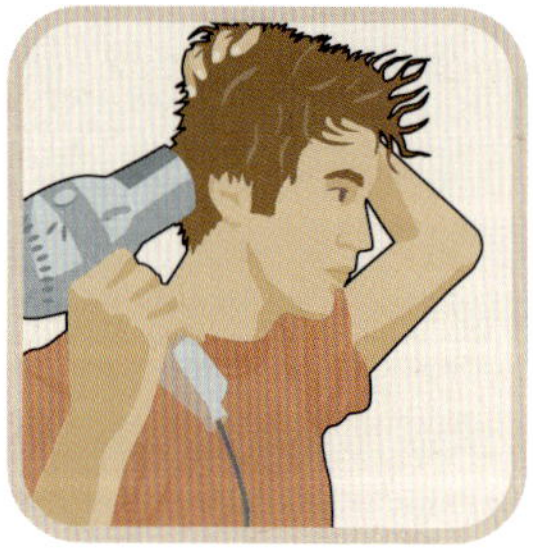

Haar waschen, danach fönen.

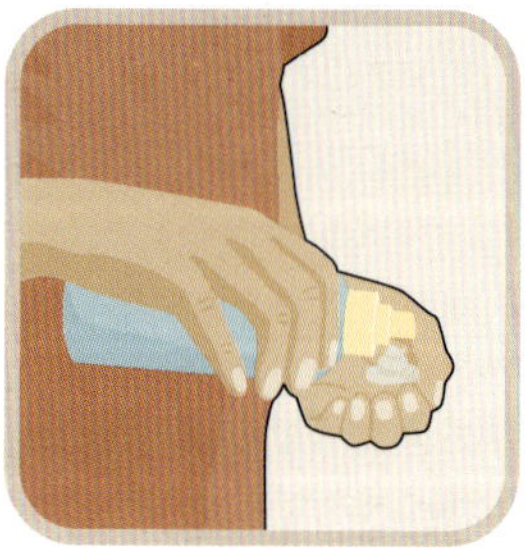

Gel in den Händen verreiben.

Haar nach oben
und nach vorn streichen.

Mit Haarspray fixieren.

Spitze aussehen.

112 Einen „Ducktail“ stylen

Reichlich Pomade auftragen.

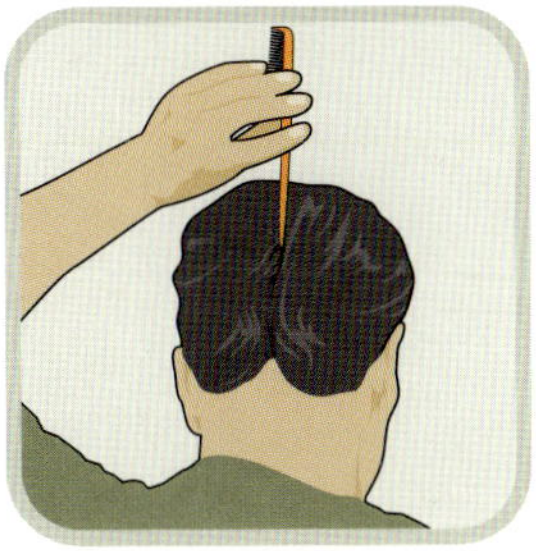

Haar am Hinterkopf teilen.

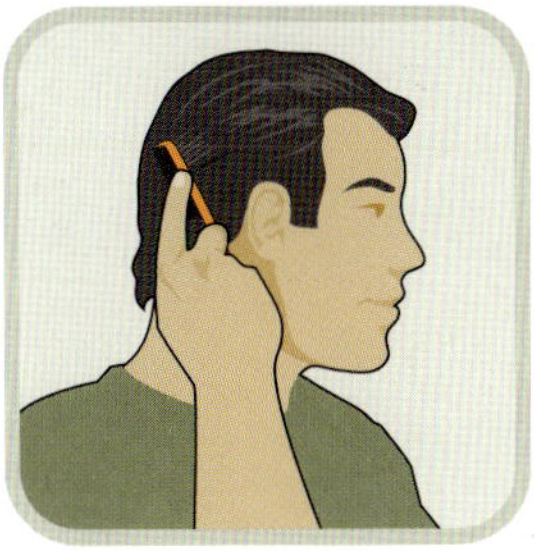

Seiten nach hinten kämmen.

Enden am Hinterkopf einschlagen.

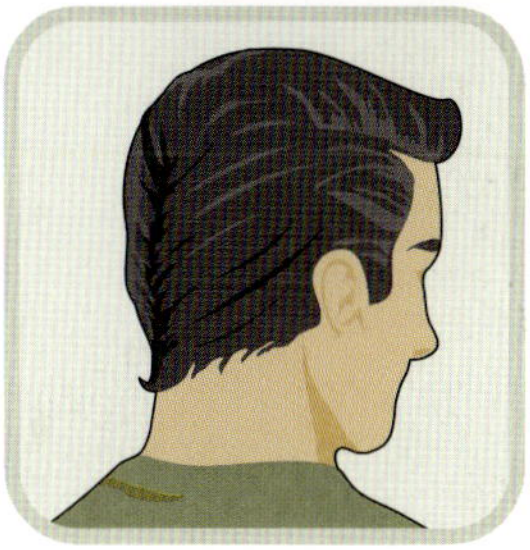

Scharf aussehen!

113 Eine Lockenpracht zaubern

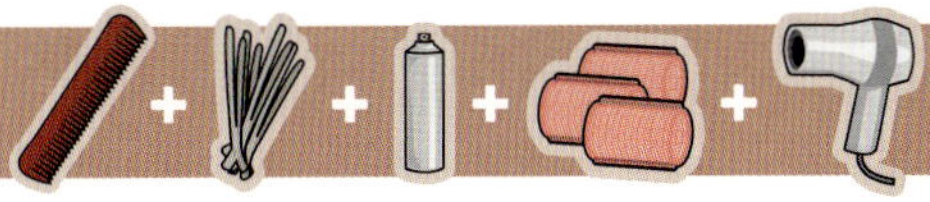

Haar in Strähnen teilen.

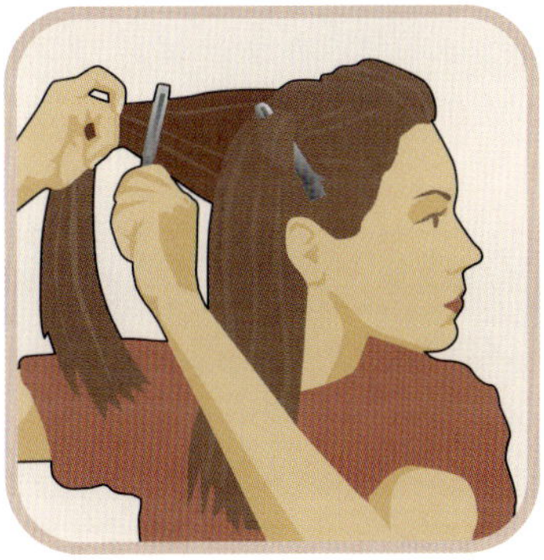

Strähnen nach Bedarf feststecken.

Mit Haarspray besprühen; kämmen.

Haar auf Lockenwickler drehen.

Mit Haarspray besprühen.

Mit einem Fön trocknen.

Haar auskühlen lassen; Lockenwickler entfernen.

Frisur mit den Fingern in Form bringen.

114 Sich in Winterstoffe hüllen

Bouclé

Schaftgewebe

Chenille

Jacquard

Fischgrätmuster

Hahnentritt

115 Sich frühlingshaft kleiden

buntgestreift

Liberty-Muster

Ajour

Dreherbindung

Jamdani

gepunktet

Kühle Sommerstoffe wählen 116

Sich in Herbststoffe kuscheln 117

Eine Hitzewelle überstehen 256

Batik

Gingham

Ikat

Ombré

Leinen

Seersucker

Damast

Cord

Pointelle

Paisley

Tartan

Toile de Jouy

118 Einen Turban binden

1 Stoffbahn der Länge nach zweimal falten.

2 Das Ende im Nacken befestigen

3 Umwickeln. Die rechte Seite soll höher als die linke sein.

4 Erneut herumwickeln, aber nun nach links oben führen.

5 Weiterwickeln und dabei Stoff straff spannen.

119 Einen Sari wickeln

1 Stoff an der rechten Hüfte einstülpen.

2 Einmal um die Taille wickeln.

3 Stoff vor dem Körper falten.

4 Erneut falten, Rest in der linken Hand halten.

5 Falten an der linken Hüfte einstülpen. Übrigen Stoff greifen.

120 Einen Anzug aus Stoff wickeln

1 Stoff vor dem Körper ausbreiten.

2 Enden im Nacken verknoten.

3 Stoff zwischen den Beinen nach hinten führen. Jede Hand fasst ein Ende.

4 Enden in der Taille verknoten.

6 Die restlichen 30 cm Stoff nach hinten einschlagen.

7 Gefalteten Stoff einstecken.

8 Stoff vom Nacken herausziehen. Über der Stirn ausbreiten.

9 Über dem Kopf zurückschlagen; am Hinterkopf einstecken.

6 Gefalteten Stoff mit der rechten Hand nehmen. Über linke Schulter legen.

7 Die Mitte des gefalteten Stoffs verknoten.

8 Verknoteten Stoff in die Taille stülpen.

9 Übrigen Stoff um den Rücken legen.

10 Übrigen Stoff über die linke Schulter drapieren.

1 Stoff hinter dem Rücken ausbreiten.

2 Beide Seiten vorn überkreuzen.

3 Enden verdrehen.

4 Im Nacken verknoten.

122 Einen Hosensaum kürzen

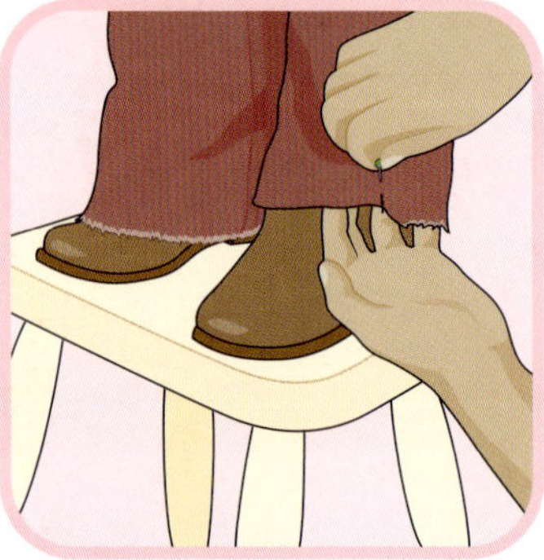

Gewünschte Länge mit Stecknadel markieren.

Schnittkante hochfalten.

Kante mit dem Bügeleisen fixieren.

Bis zur markierten Stelle hochfalten.

Kante mit dem Bügeleisen fixieren.

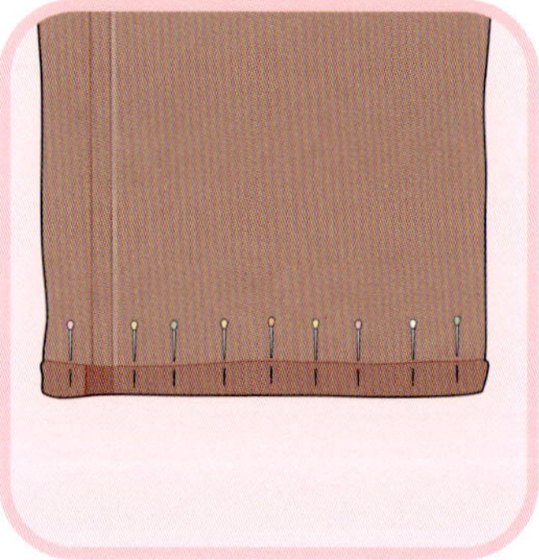

Mit Stecknadeln feststecken.

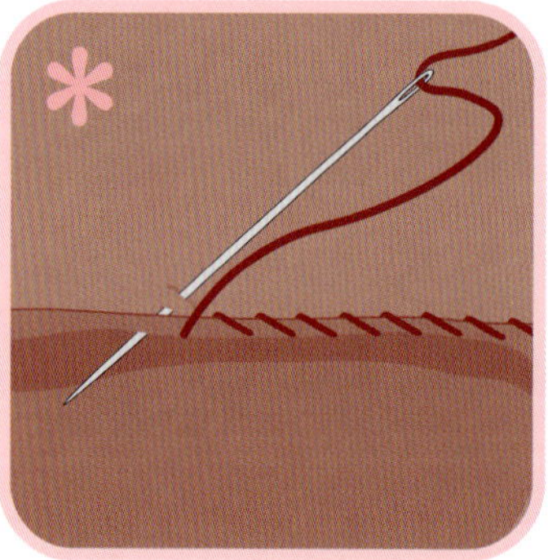

Saum mit Blindstich annähen.

Beim zweiten
Bein wiederholen.

* Ein Blindstich ist nur auf der linken Seite des Saums sichtbar.
Auf der rechten Seite ist nur ein winziges Stück Faden zu erkennen.

123 Einen Reißverschluss kürzen

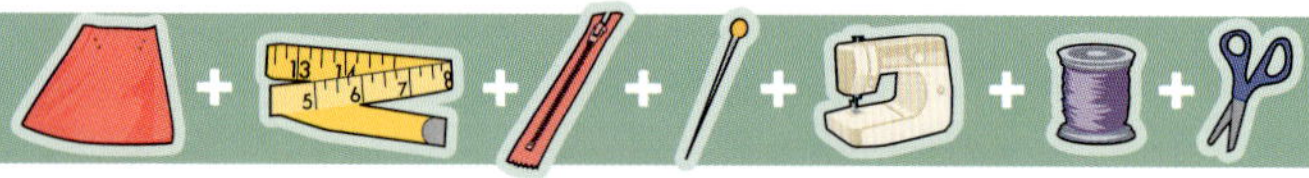

Passende Länge ermitteln.

Gewünschte Länge markieren.

Zick-Zack-Stich auf der
Nähmaschine einstellen.

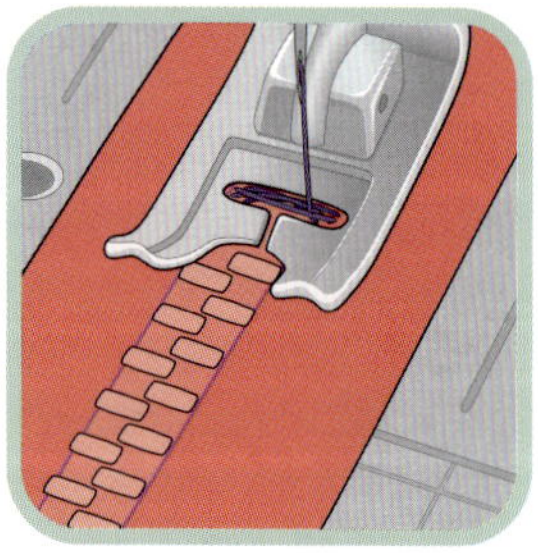

Endteil nähen.

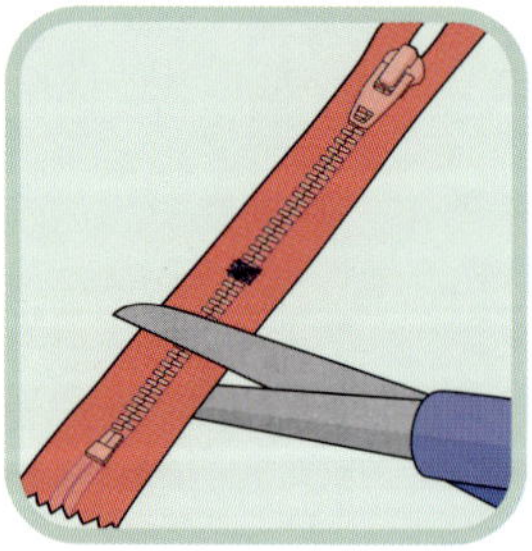

Unter dem Endteil kürzen.

Einen Reißverschluss einnähen 124

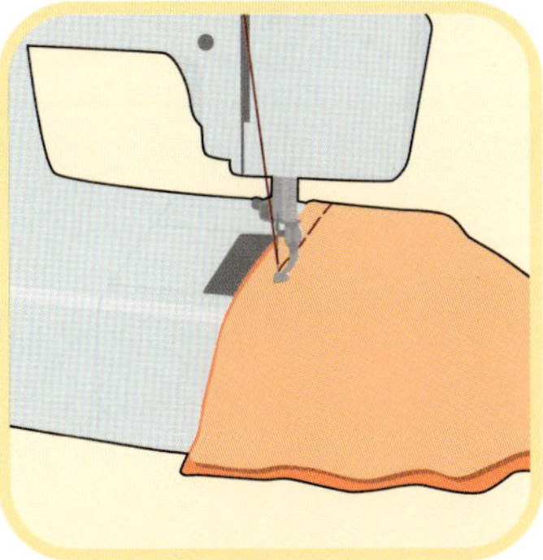

Stoffteile zusammenheften.

Saum auseinanderfalten.

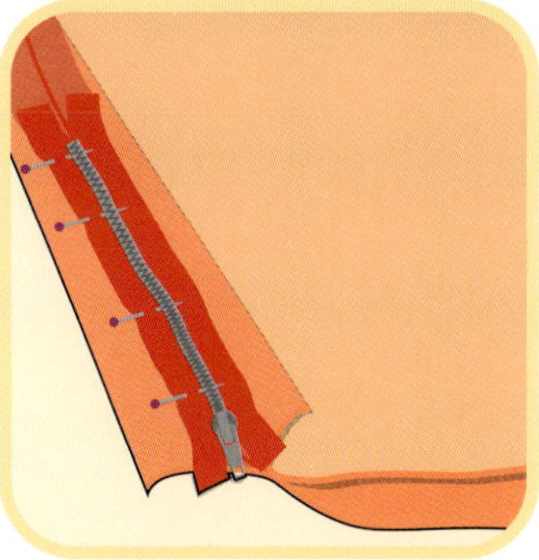

Reißverschluss an einer Saumseite feststecken

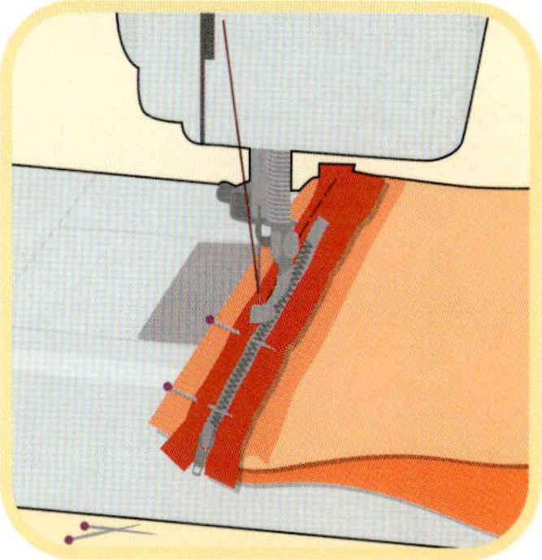

Festgesteckte Seite auf den Stoff heften.

Klebeband als Anhaltspunkt aufkleben.

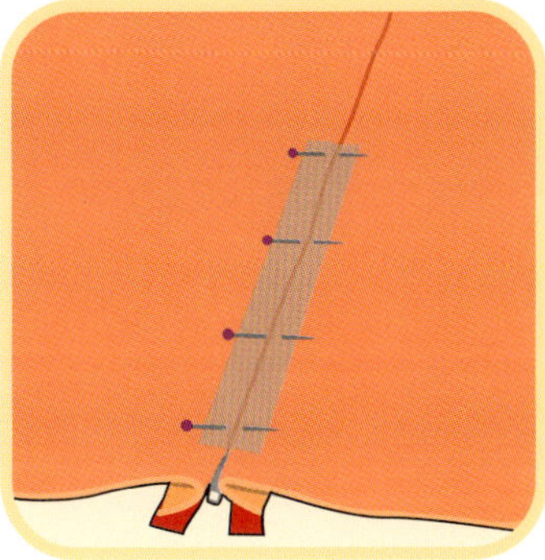

Stoff mit Stecknadeln fixieren.

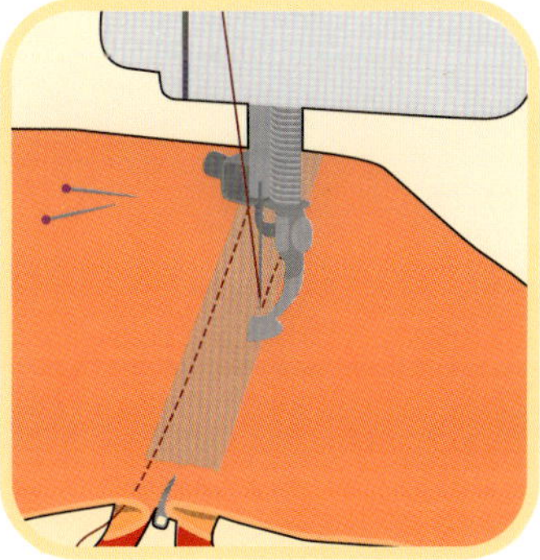

Reißverschluss entlang des Klebebands festnähen.

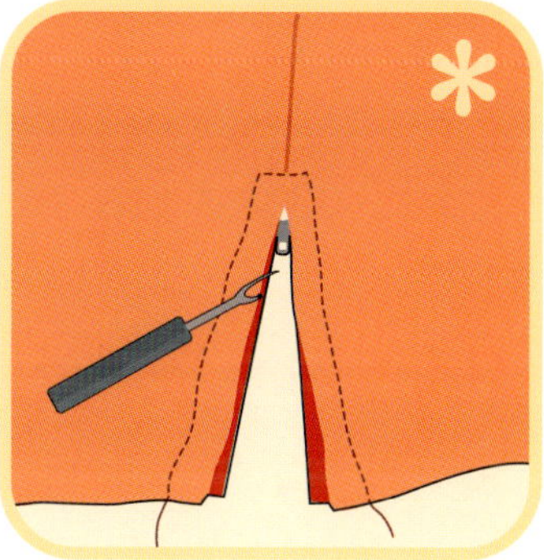

Klebeband entfernen; Stoffsaum aufschneiden.

* Zusammenheften bedeutet, die Stoffteile mit schnellen Stichen aneinander zu fixieren. Nach der Fertigstellung den Heftstich entfernen.

Einen Ankerknoten binden 125

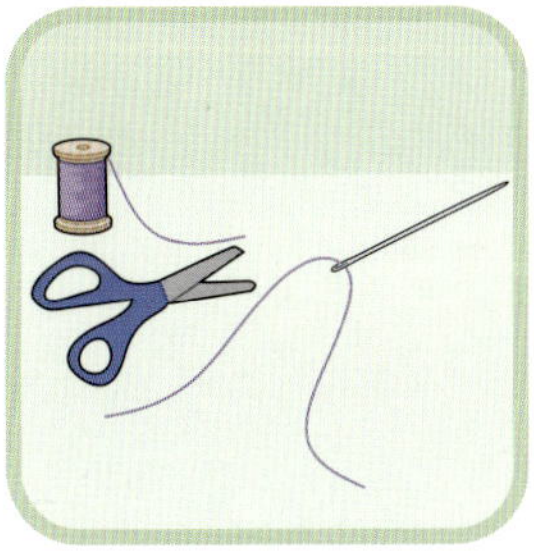

Nadel einfädeln und in die Mitte des Fadens schieben.

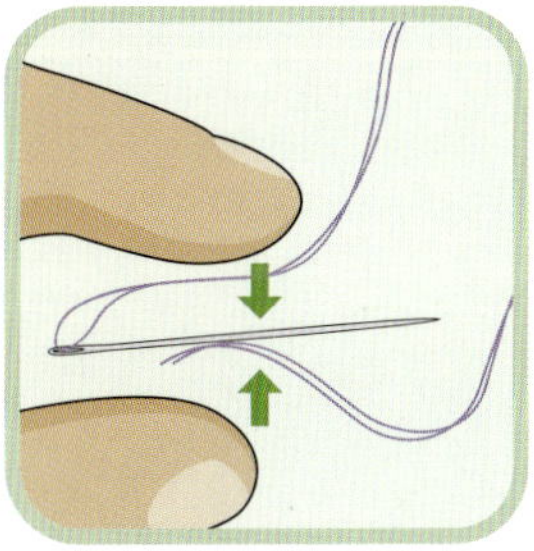

Faden zur Nadel drücken.

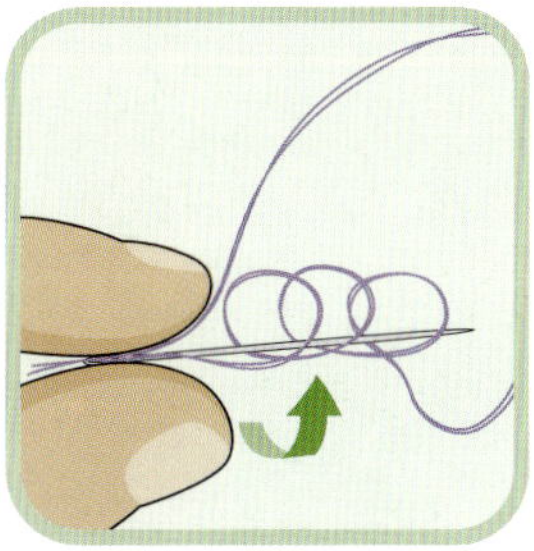

Dreimal herumwickeln.

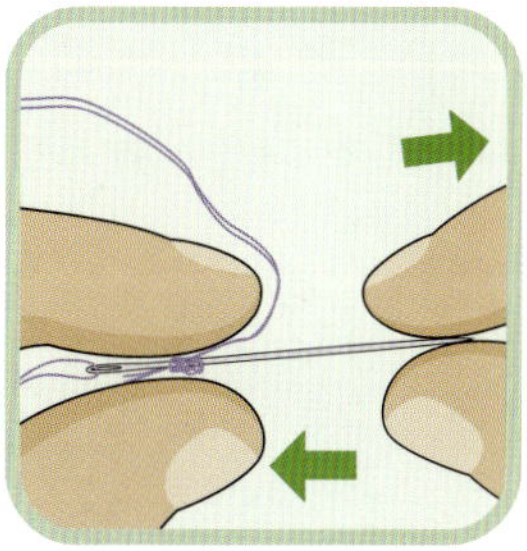

Schlaufen zusammendrücken; Nadel herausziehen.

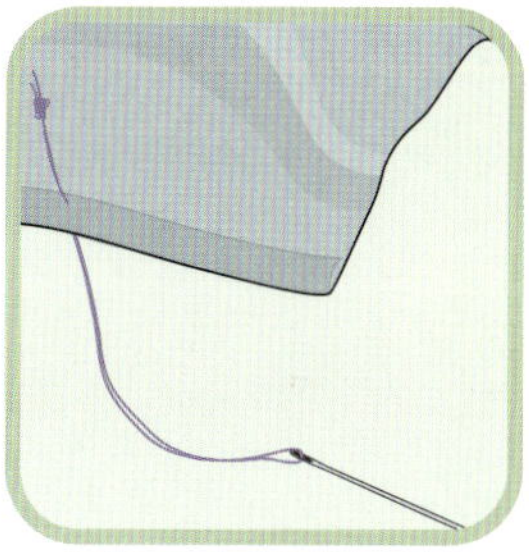

Knoten zur Verankerung benutzen.

126 Eine Tischtuch-Tunika nähen

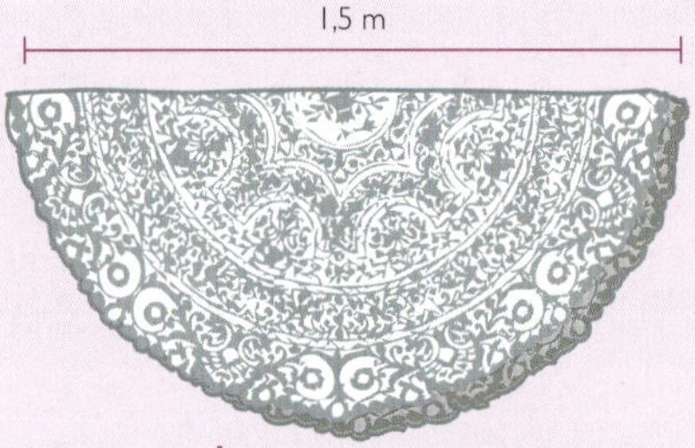

1 Ein rundes Tischtuch mit der rechten Seite nach innen zusammenfalten.

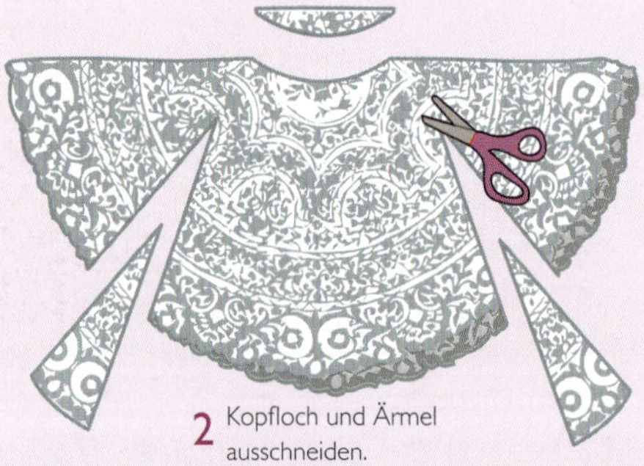

2 Kopfloch und Ärmel ausschneiden.

3 Ärmel und Seitenöffnungen zusammennähen.

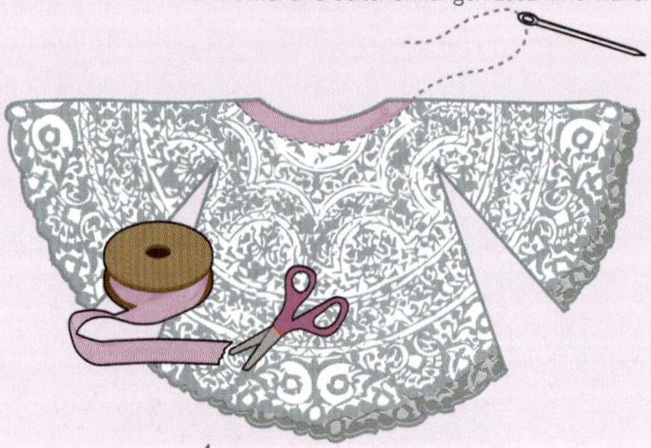

4 Von innnen nach außen stülpen; Halsausschnitt mit Band einsäumen.

127 Eine Halskette aus Filz basteln

1 Filz in Rechtecke schneiden.

2 Jedes falten. . .

3 . . . und dann nochmal.

4 Schnittmuster einzeichnen.

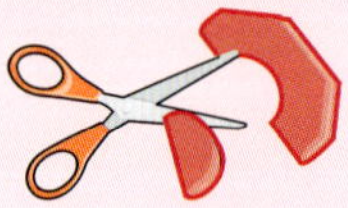

5 Ausschneiden.

6 Aufklappen.

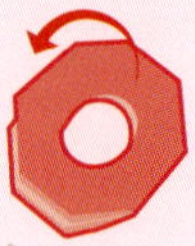

7 Zusammenfalten.

8 Ein zweites Glied heineinschieben.

9 Zweites Glied zusammenfalten.

10 Weitere Glieder hinzufügen.

Mit einer Schleife befestigen.

Hosenkorselett

Teddy

Babydoll

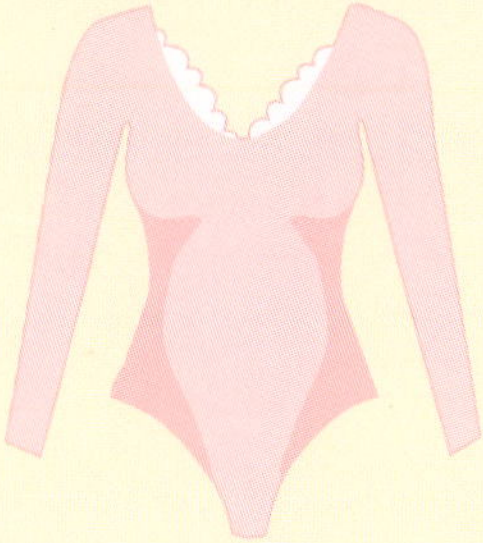
Body

Strapsbustier

Taillenmieder

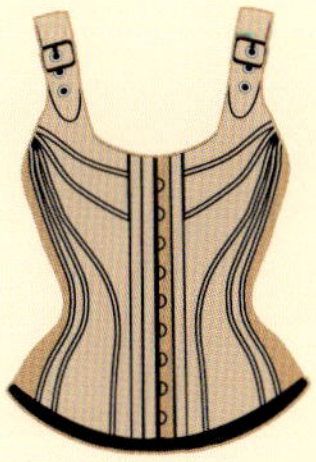
Korsett

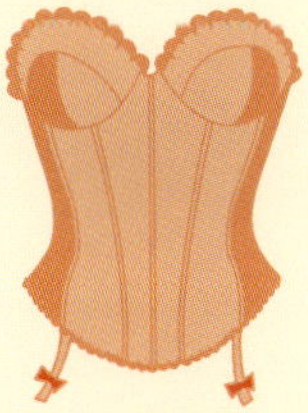
Bustier

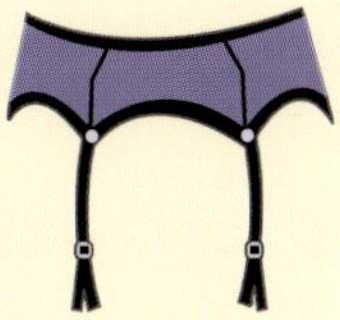
Strumpfgürtel

Hemdchen

Essbare Slips zaubern 162

Minislip

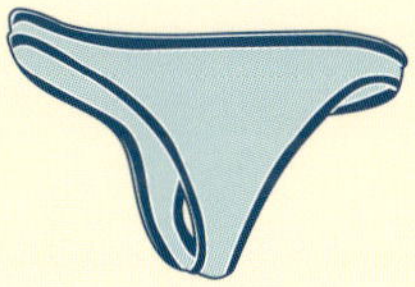
Tanga

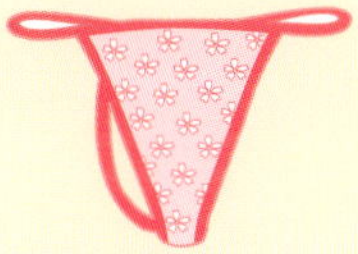
Stringtanga

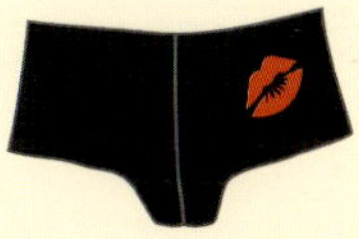
Shorty

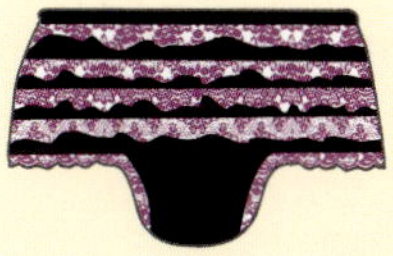
Hipster Panty

Nachtmantel

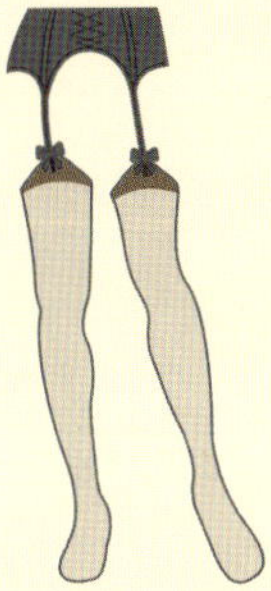
Strümpfe

Halterlose Strümpfe

Catsuit

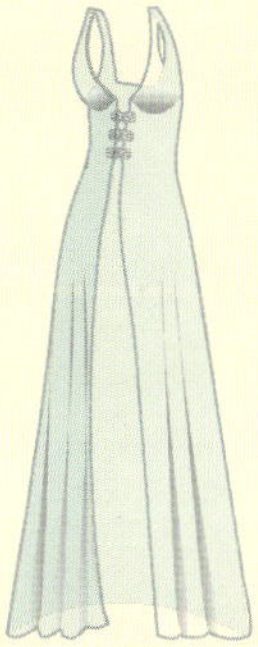
Negligé

129 Eine Ascot-Krawatte binden

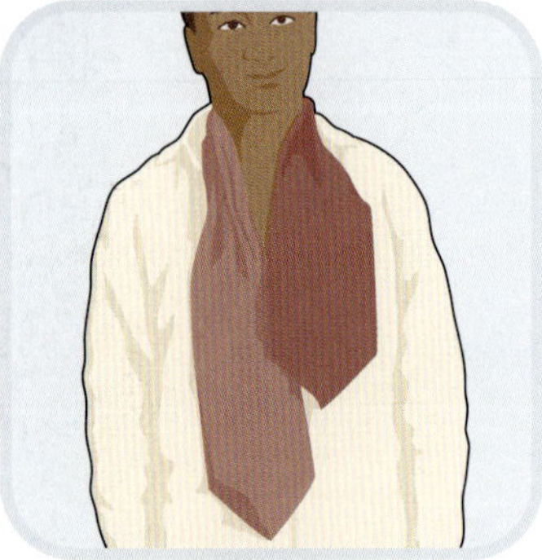

Krawatte um den Hals legen.

Rechtes Ende unter dem linken durchziehen.

Rechtes Ende über das linke ziehen.

Durch den Knoten schlingen.

Rechtes Ende nach unten ziehen.

Zurechtziehen, um den Knoten abzudecken.

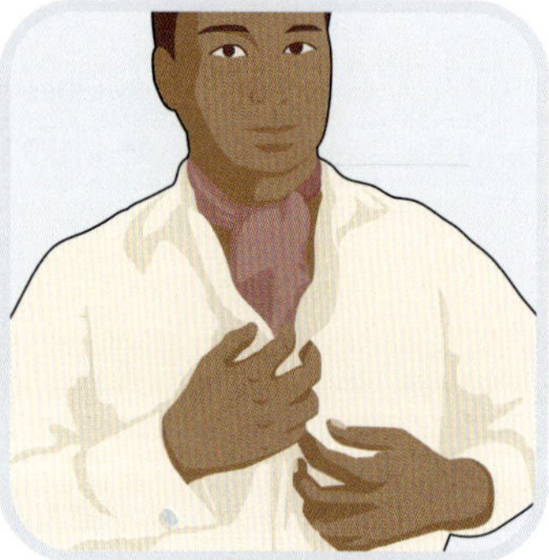

Ins Hemd stecken.

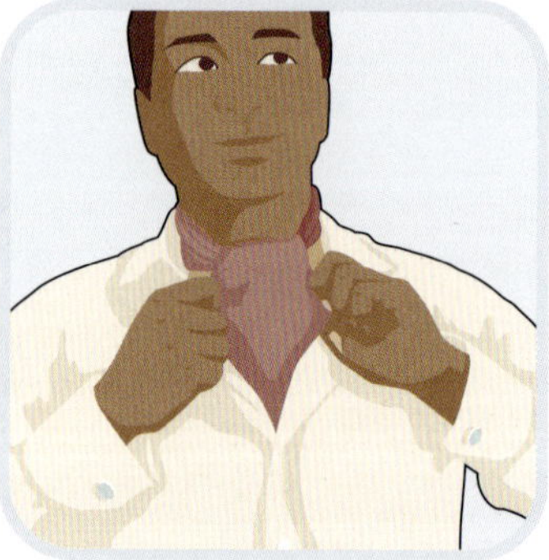

Aufplustern. Dandy!

130 Herrenausstattung erkennen

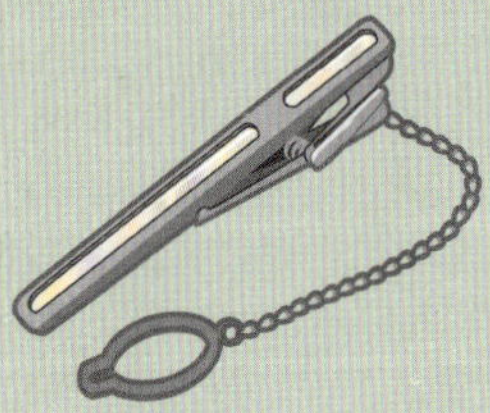

Krawatten-Clip

Anstecknadel

Manschettenknöpfe

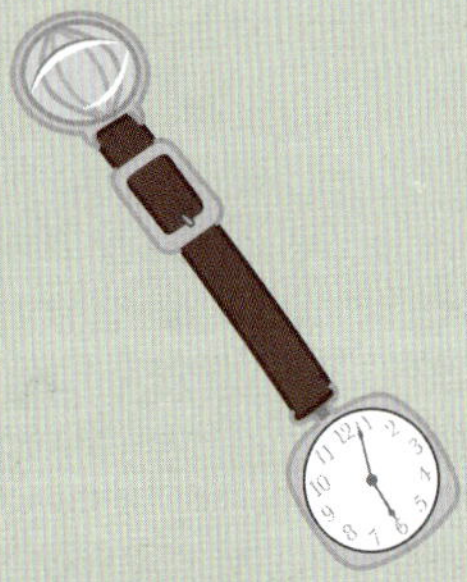

Uhr mit Uhrentasche

Geldklammer

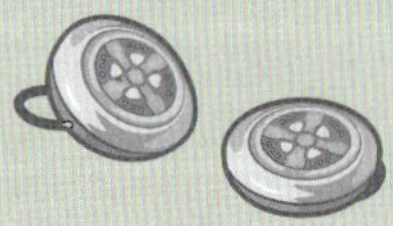

Überknöpfe

Einen Sicherheitsgurt tragen 131

Gurt und Schnalle entfernen.

Auf passende Größe zuschneiden; Ränder versiegeln.

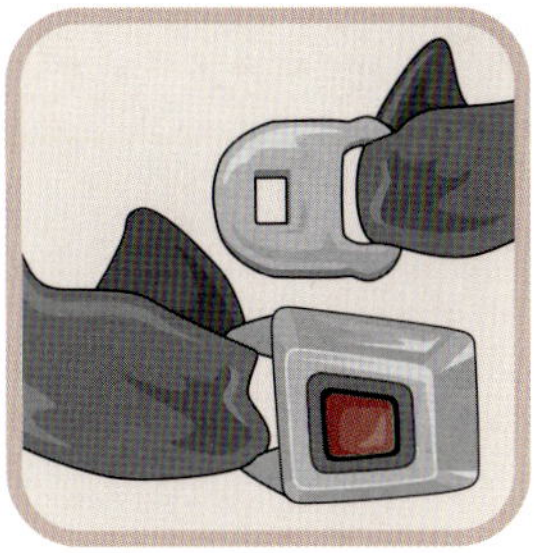

Gurt in die lose Schnalle einfädeln.

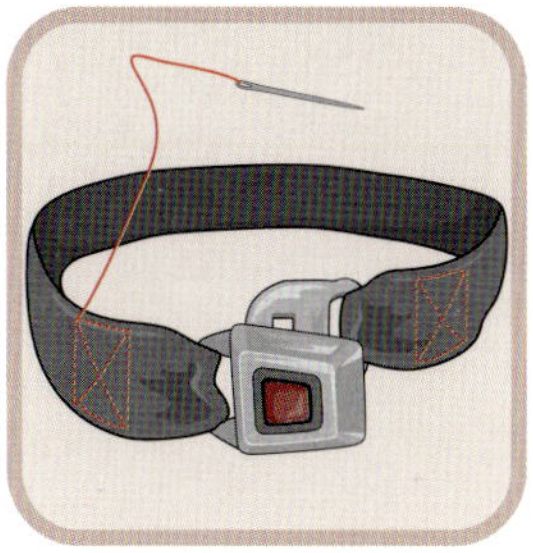

Mit Faden festnähen.

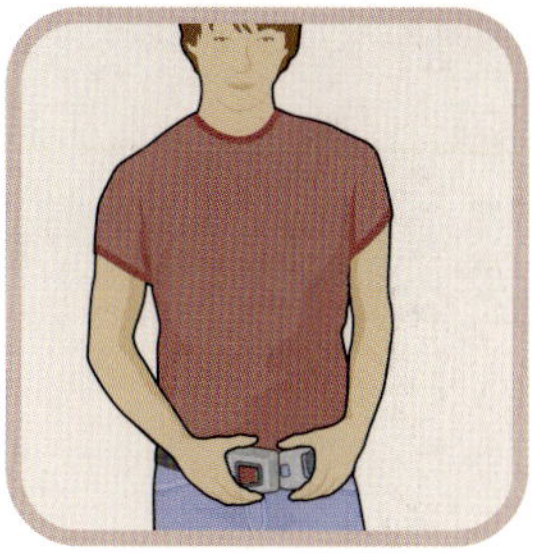

Angeschnallt!

Kassetten-Geldklammer basteln 132

Kassette aufschrauben.

Scharnier einkleben.

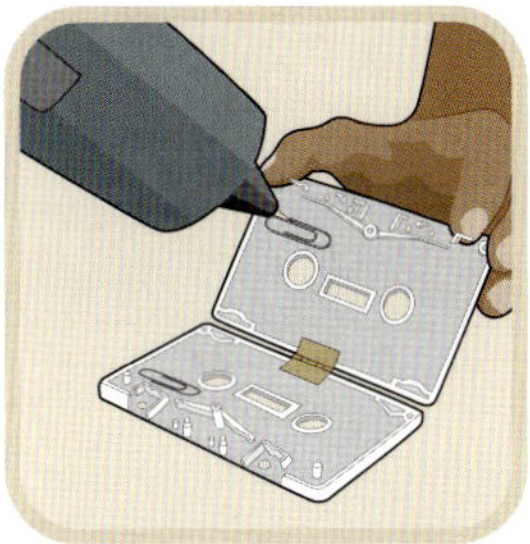

Büroklammern befestigen.

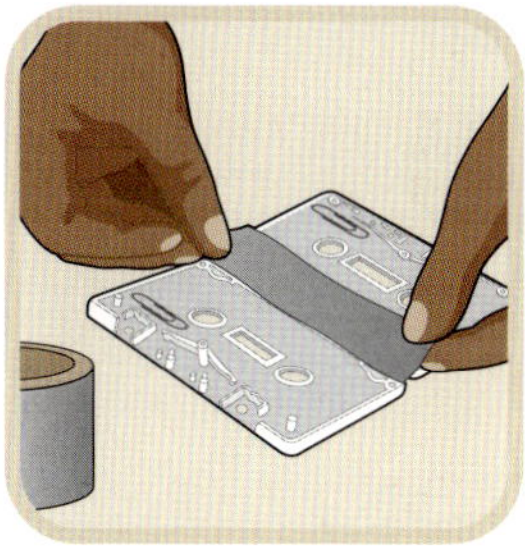

Klebebandstreifen aufkleben.

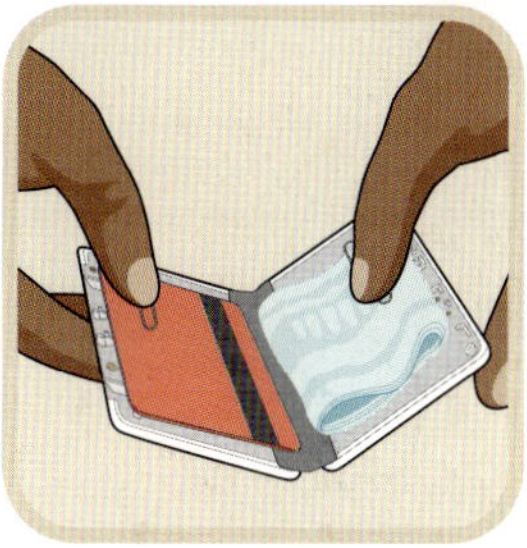

Geld und Karten einstecken.

Perfekt sitzende Jeans 133

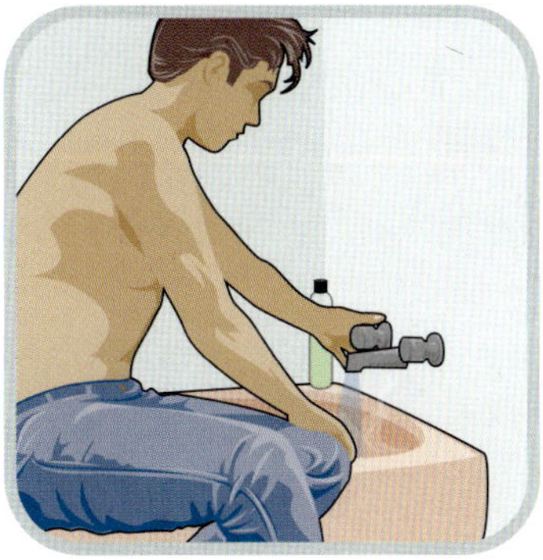

Badewanne mit heißem Wasser füllen.

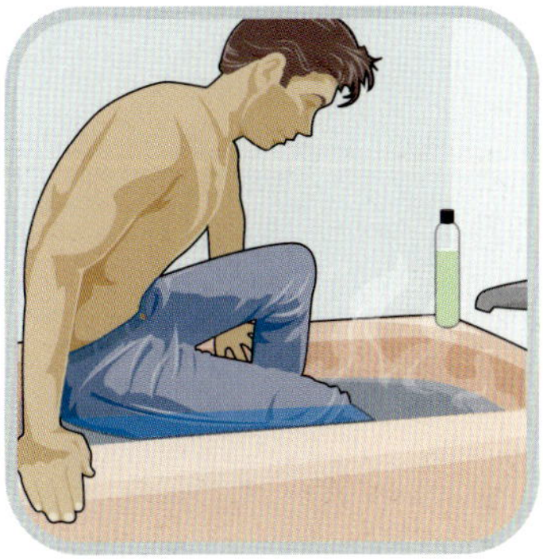

Mit der Jeans in die Wanne steigen.

In der Badewanne bleiben, bis das Wasser kalt ist.

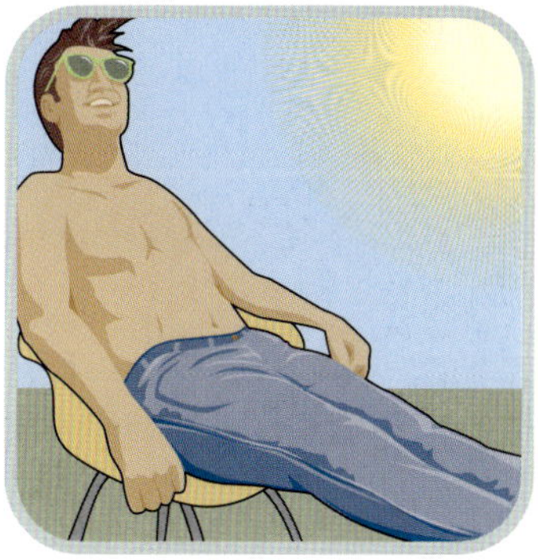

Anlassen und an der Luft trocknen.

134 Piercings erkennen

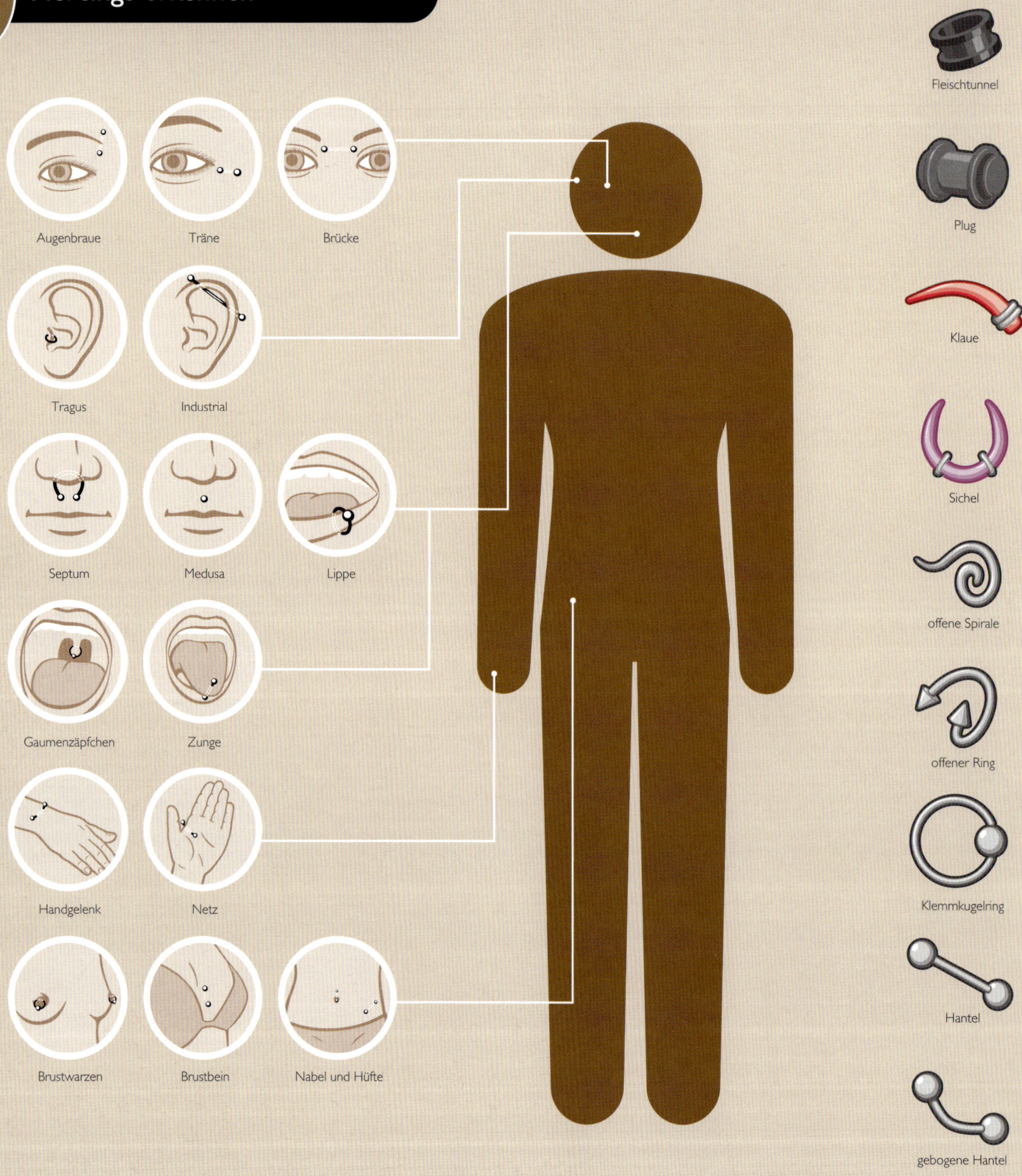

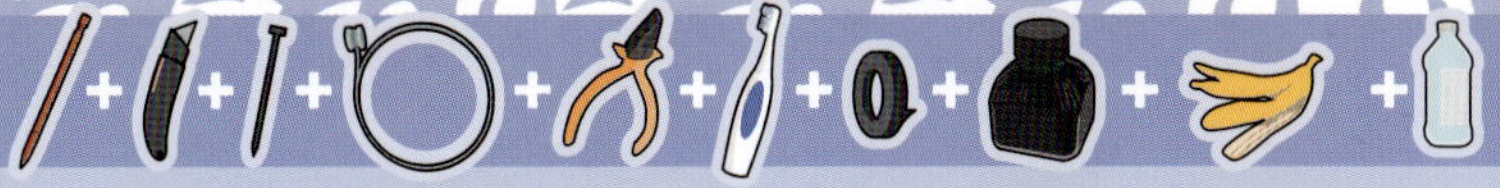

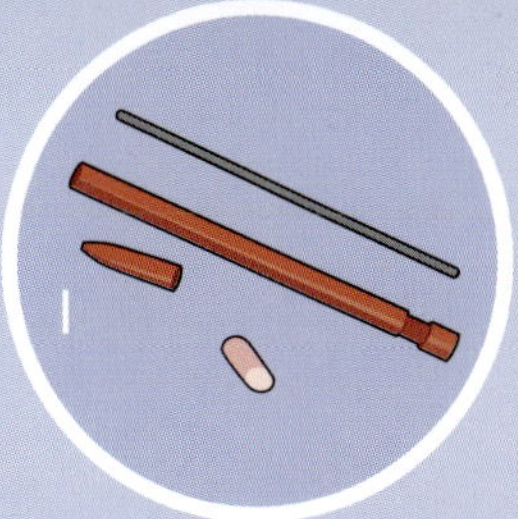

Druckbleistift auseinandernehmen.

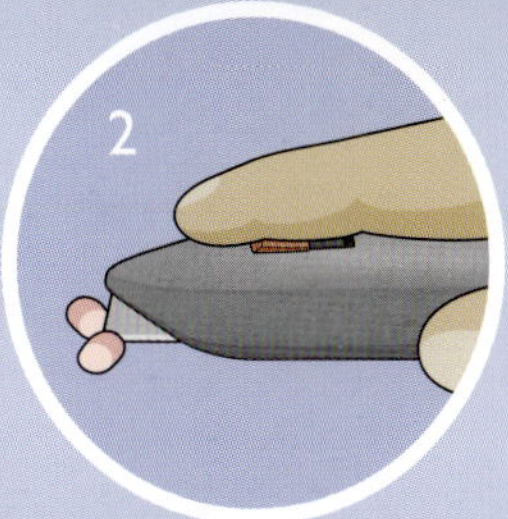

Radiergummi in zwei Teile schneiden.

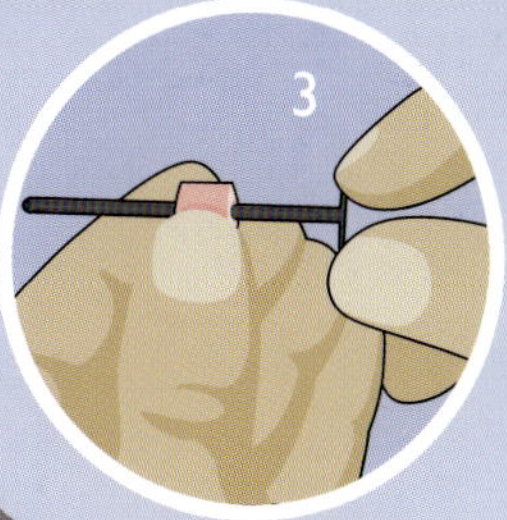

In eine Hälfte Loch stechen; andere Hälfte wegwerfen.

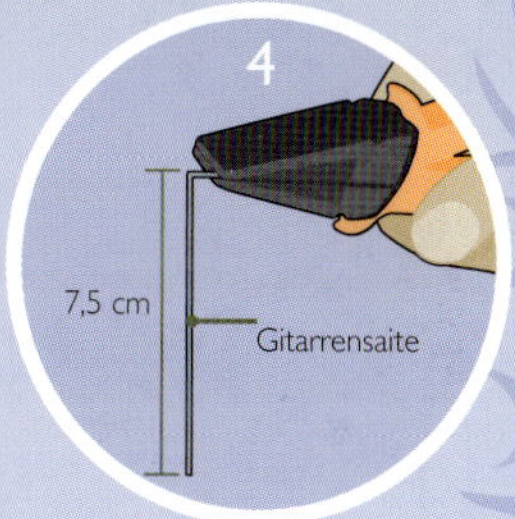

Gitarrensaite abschneiden; Spitze im rechten Winkel biegen.

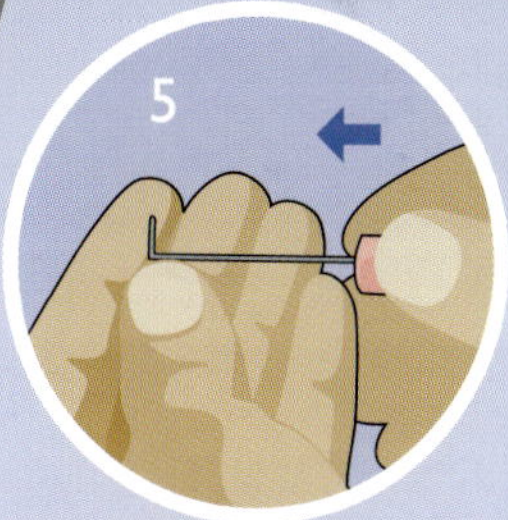

Draht durch die Radiergummihälfte schieben.

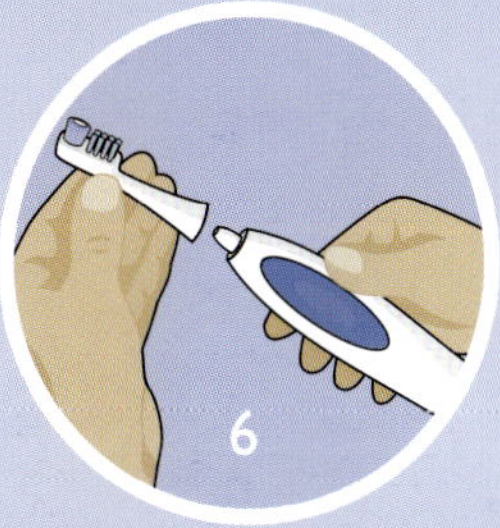

Aufsatz einer elektrischen Zahnbürste entfernen.

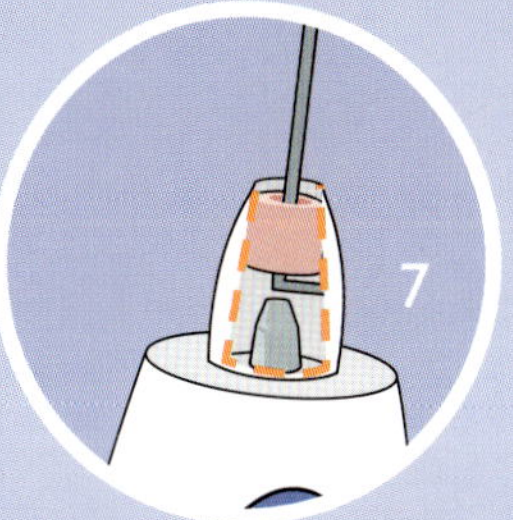

Fest auf den Metallschaft drücken.

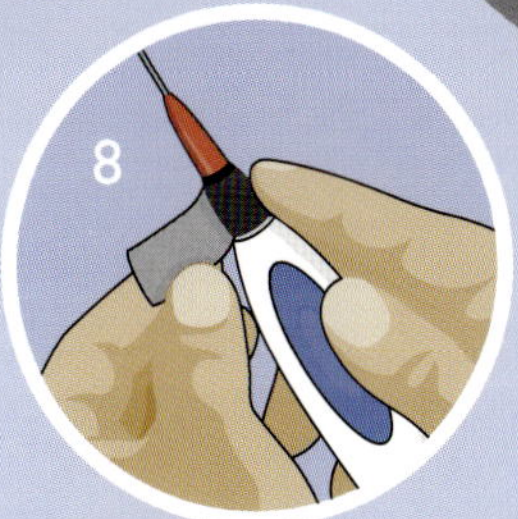

Bleistiftspitze mit Klebeband an der Zahnbürste befestigen.

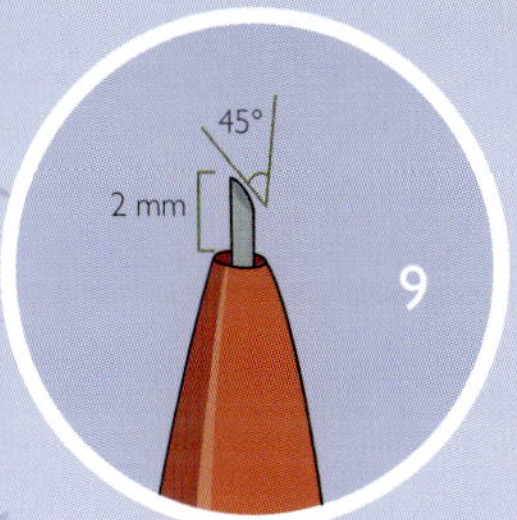

Draht über der Bleistiftspitze im Winkel abschneiden.

Spitze in Tintenfass tauchen; auf einer Bananenschale üben.

11 An einem nachsichtigen Freund ausprobieren. (Stets mit Franzbranntwein sterilisieren.)

136 Harajuku-Modestile erkennen

Das Tokioter Viertel Harajuku ist ein Mekka für modebegeisterte junge Leute. Sonntags treffen sie sich hier nach dem Motto „sehen und gesehen werden“. Hier ein paar ihrer auffälligen Kostümierungen.

Eine Anime-Frisur stylen

lieben

138 Liebe ins Leben zaubern

Diese romantischen Glücksbringer bringen Liebe in Ihr Leben.

139 Einen Liebestrank mischen

Ein Teil Lavendelöl

Ein Teil Sandelholz

Ein Teil Ylang-Ylang

140 Ein Bad zum Liebesglück

Traumpartner beschreiben.

Rosa Kerze anzünden.

Liste neben Kerze legen.

Warmes Bad einlassen.

Liebestrank ins Badewasser träufeln.

Bad genießen und dabei den Traumpartner visualisieren.

Kerze ausblasen.

Liste verstecken; auf den Traumpartner warten.

141 Sich beim Einkauf kennenlernen

142 Beim Konzert flirten

143 Im Fitnessstudio anbändeln

144 Sich im Bus näherkommen

145 Sich den Schulschwarm angeln

Setzen Sie sich ganz in die Nähe Ihres Schwarms.

Erörtern Sie interessante Themen in der Klasse.

Stecken Sie einander während der Vorlesung Zettelchen zu.

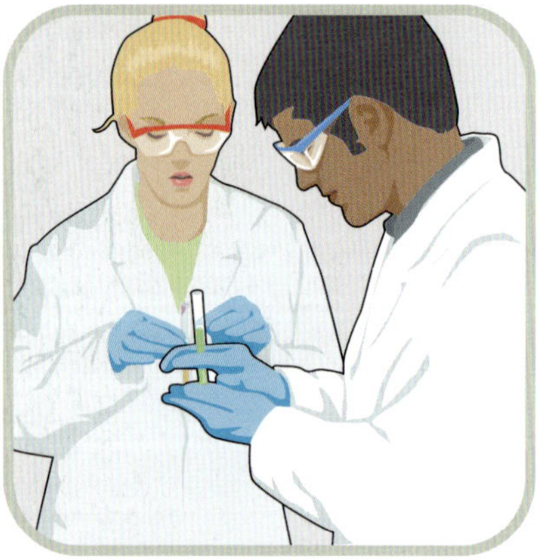

Tun Sie sich für Projekte zusammen.

Lernen Sie außerhalb des Unterrichts zusammen.

Gehen Sie nach einer Prüfung gemeinsam feiern.

146 Eine Büroromanze anbahnen

Machen Sie auf sich aufmerksam.

Füßeln Sie während langweiliger Sitzungen.

Nutzen Sie die Happy Hour und „Überstunden“.

Verziehen Sie sich ins stille Kämmerlein. Absperren nicht vergessen!

Kennen Sie die Unternehmenspolitik zu Beziehungen am Arbeitsplatz.

147 Die Liebe im Hundepark finden

Ein Hundebeet machen 237

Besuchen Sie den Park zu Zeiten, wenn viel los ist.

Entdecken Sie den richtigen Hund (und Besitzer).

Teilen Sie Ihr Spielzeug.

Sprechen Sie den heißen Besitzer an.

Beachten Sie die Hundeparkordnung.

Halten Sie regelmäßige Zeiten ein.

148 Beim Kinderfußball punkten

Ziehen Sie sich adrett an.

Bringen Sie Snacks und Getränke mit, und teilen Sie sie mit Ihrem Schwarm.

Halten Sie nach einem alleinstehenden Elternteil Ausschau.

Fiebern Sie beim Spiel mit, aber übertreiben Sie es nicht.

Verabreden Sie sich zum Abendessen nach dem Spiel.

149 Das Zusammensein genießen

Einen Garten pflanzen.

Fallschirmspringen.

Eine Oper besuchen.

Sich in Vampire verwandeln.

Äpfel pflücken.

Ein Monster erschaffen.

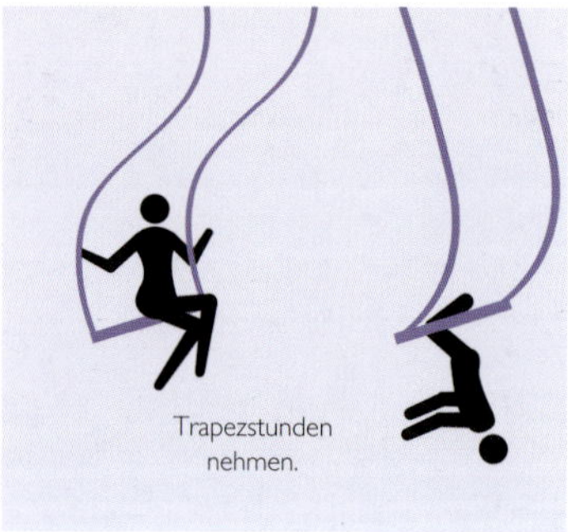
Trapezstunden nehmen.

Sich um Tiere kümmern.

Sich eine sportliche Betätigung suchen.

Nach dem Sinn des Lebens suchen.

Fliegen lernen.

Armdrücken.

Schaurige Geschichten erzählen.

Tanzen gehen.

4 Dartpfeile auf Luftballons werfen

Am Rummelplatz Preise gewinnen.

Videospiele zu Hause spielen.

Ein Aquarium besuchen.

Reiten.

Bei einem Poetry Slam mitmachen.

Karten spielen.

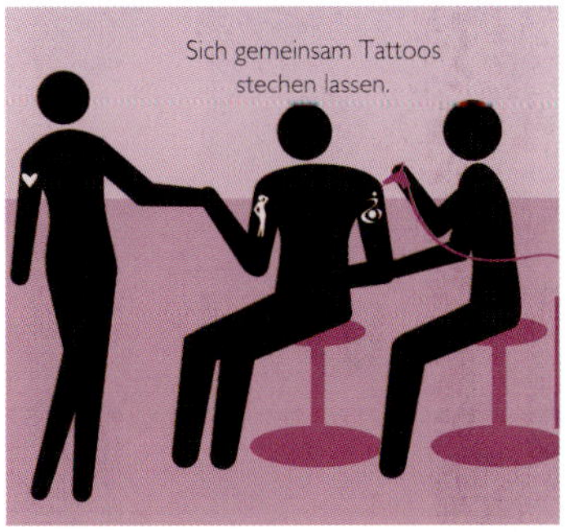
Sich gemeinsam Tattoos stechen lassen.

Rudern.

Gemeinsam kochen.

Einen Rie-senroboter bauen.

Die Straße erobern.

Einen Wellness-Tag einlegen.

Mit dem Tandem fahren.

Mit der Achterbahn fahren.

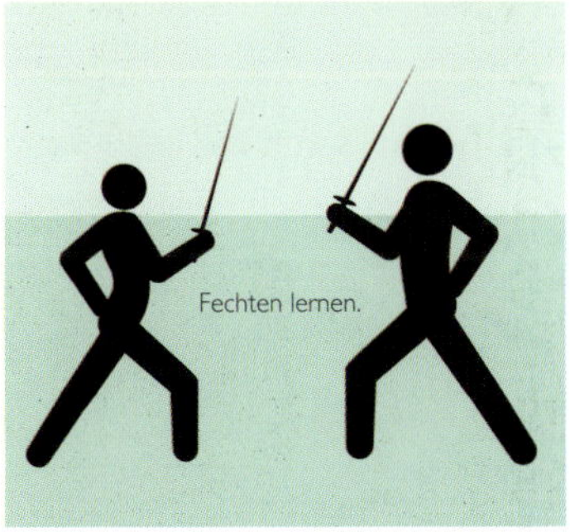
Fechten lernen.

Ein Duett spielen.

Einen Schneeman bauen.

Klettern.

150 Ein flottes Video drehen

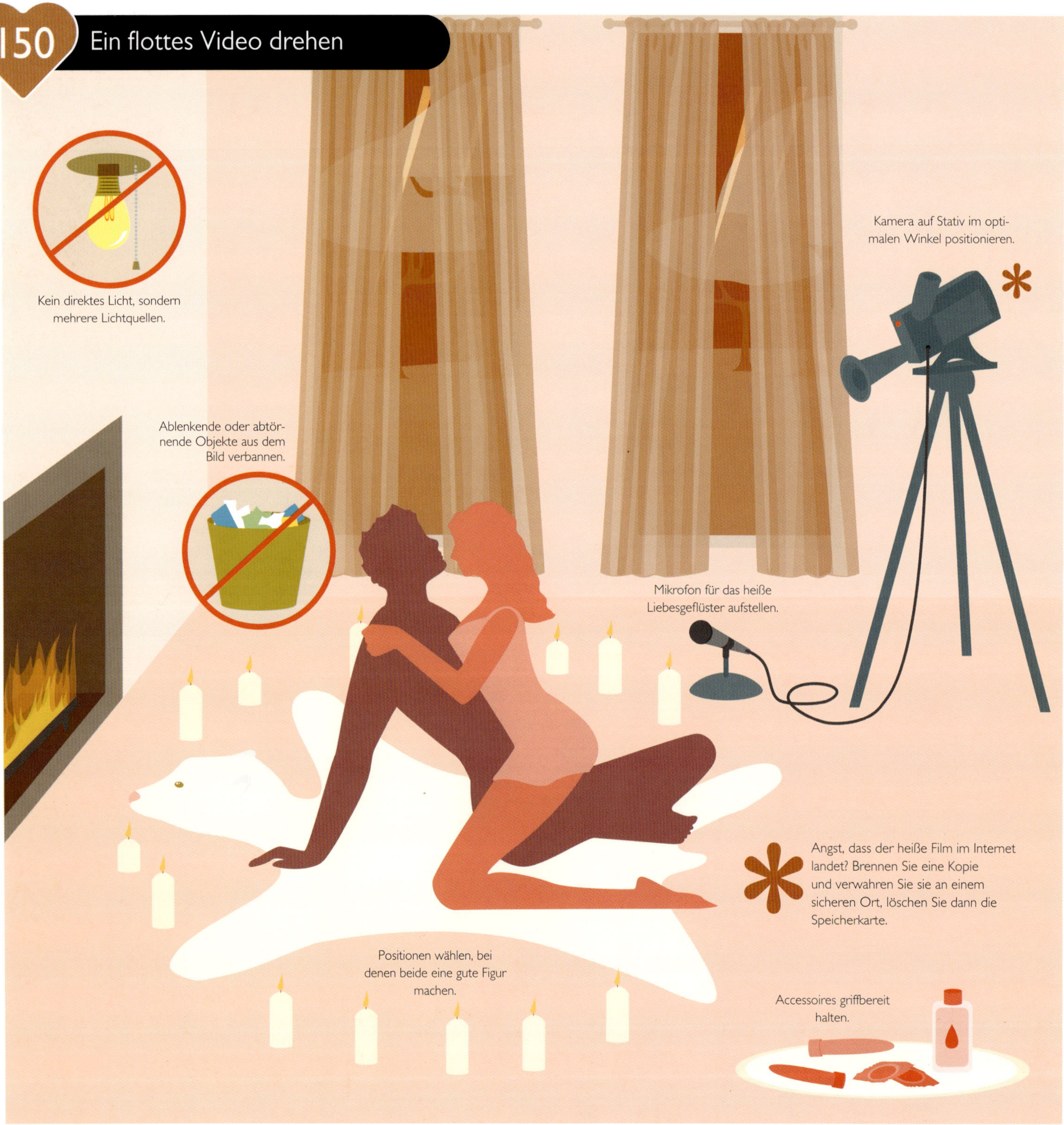

Ein heißes Fotos schießen 151

Richtig wachsen 106

Störende Objekte entfernen.

Von vorn belichten.

Auf Schulterhöhe schießen.

Interessante Winkel ausprobieren.

Den fremden Verführer spielen 152

Vereinbaren Sie Details aus Ihren Fantasien.

Kleiden Sie sich dementsprechend.

Kommen Sie getrennt.

Flirten Sie mit den Augen.

Schicken Sie Ihrem
Herzblatt einen Drink.

Stellen Sie sich vor.

Setzen Sie die
Verführung fort.

Verbringen Sie die Nacht
in einem Hotel.

153 Sich in einem Boot lieben

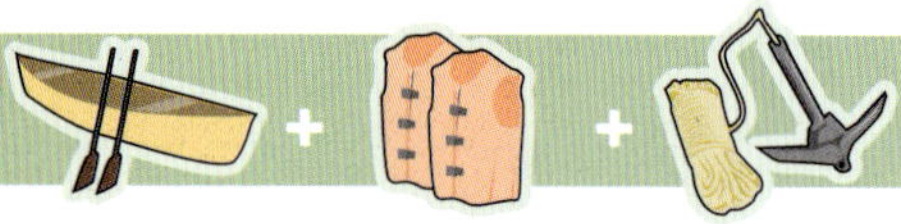

Gefährliche Gegenstände entfernen.

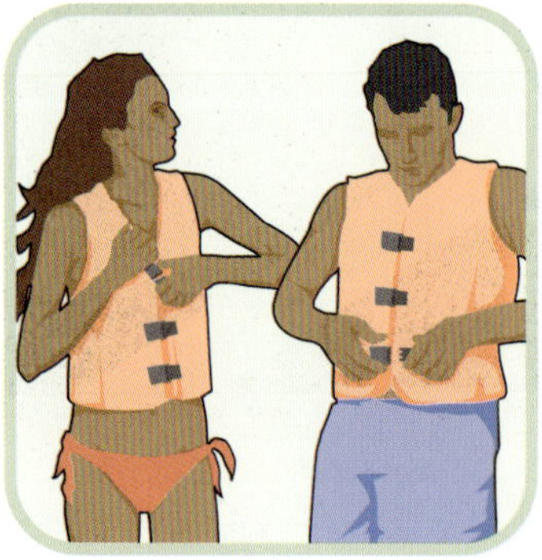

Für Sicherheit sorgen.

Weit weg vom Ufer paddeln; Anker werfen.

Nicht zu stürmisch!

154 Rückwärts einparken

Auto sauber machen.

An einem entlegenen Ort parken.

Alle Lichter ausmachen.

Radio leiser schalten.

Auf den Beifahrersitz wechseln.

Sitz leicht nach hinten verstellen.

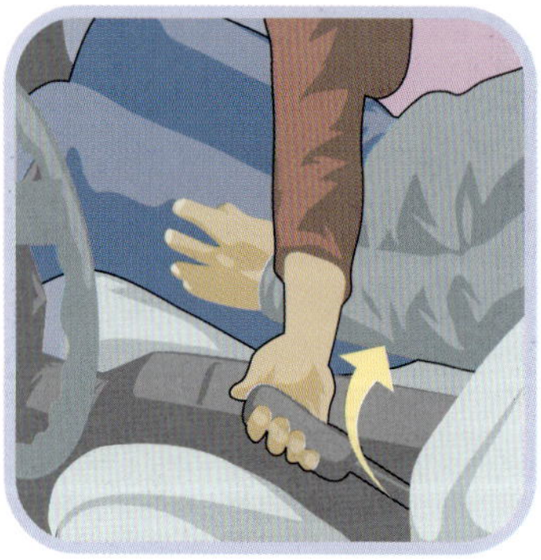

Handbremse anziehen.

Zeit, in Fahrt zu kommen.

Liebe im Aufzug machen 155

Kleidung anziehen, die das Unterfangen erleichtert.

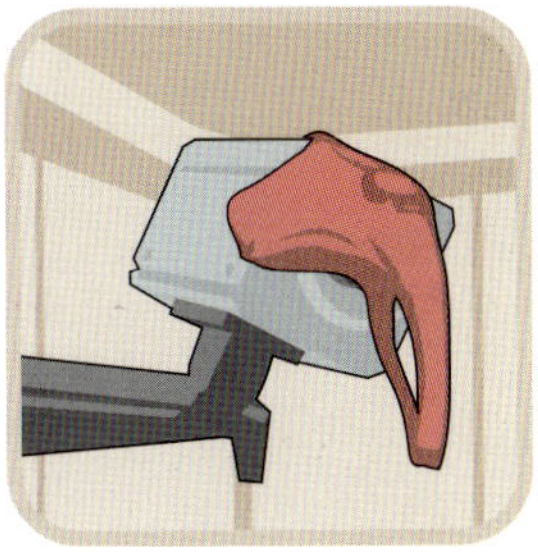

Sicherheitskamera abdecken.

Zwischen den Stockwerken auf Stopp drücken.

Schnell sein.

So tun, als ob nichts passiert wäre.

Zu Höhenflügen starten 156

Nachtflüge eignen sich besonders gut.

Einen der hinteren Sitzplätze wählen.

Unter der Decke loslegen.

Warten, bis übrige Passagiere abgelenkt sind.

Türe verriegeln.

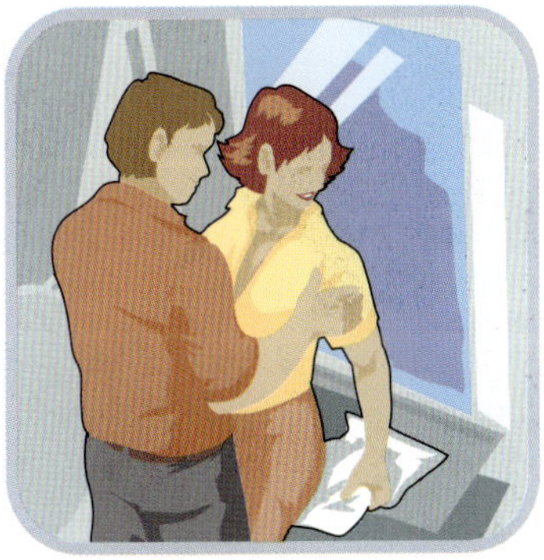

Papierhandtücher auflegen.

Schnell sein.

Willkommen im Club!

157 Aphrodisiaka auswählen

Aufgrund ihres anregenden Geschmacks (oder ihrer sinnlichen Form) gelten diese Speisen in verschiedenen Kulturen der Welt als Aphrodisiaka, während andere als absolut abtörnend empfunden werden. Bon appétit!

158 Supersexy Sushi servieren

159 Eine süße Verführung sein

348 Erdbeeren einkochen

Eine zarte Versuchung sein 160

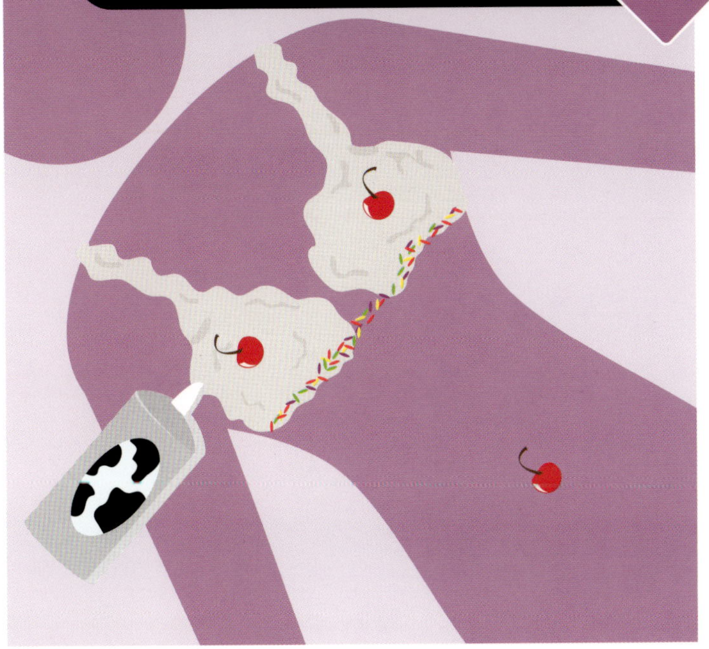

Ein einmaliges Frühstück bieten 161

Essbare Slips zaubern 162

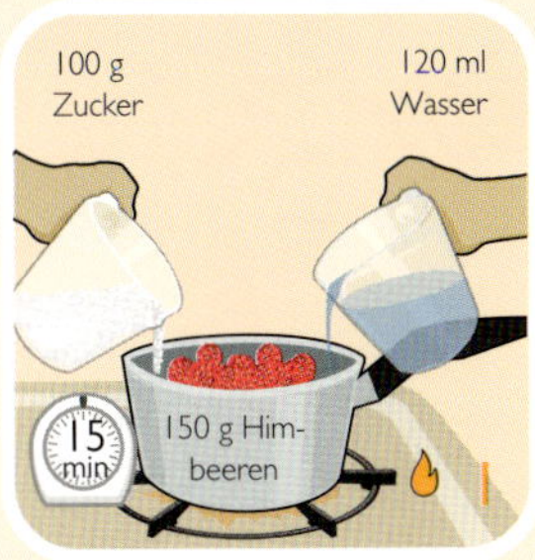

Topf zudecken und köcheln lassen.

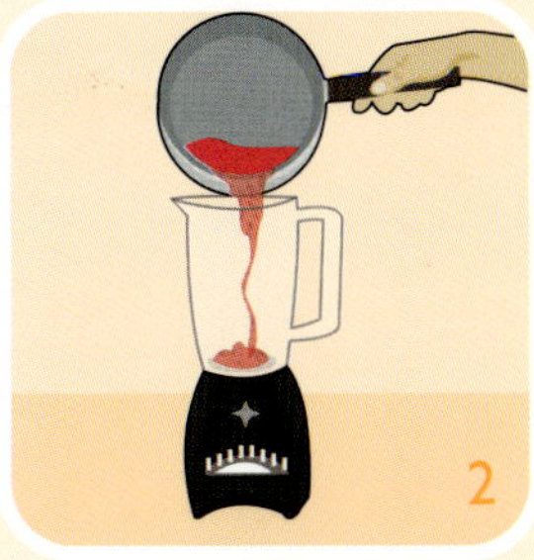

Pürieren.

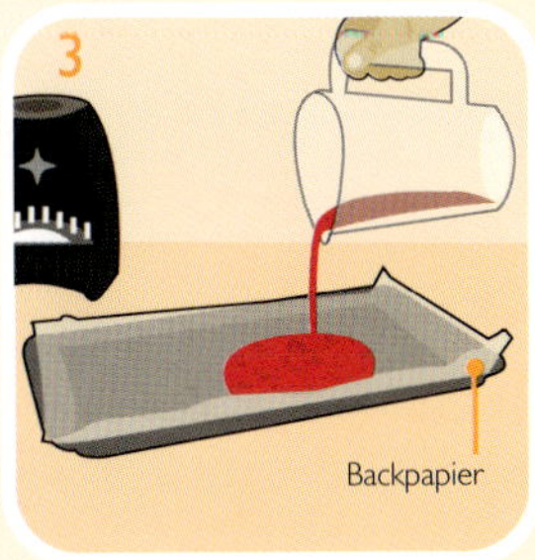

Auf mit Backpapier ausgelegtes Backblech gießen.

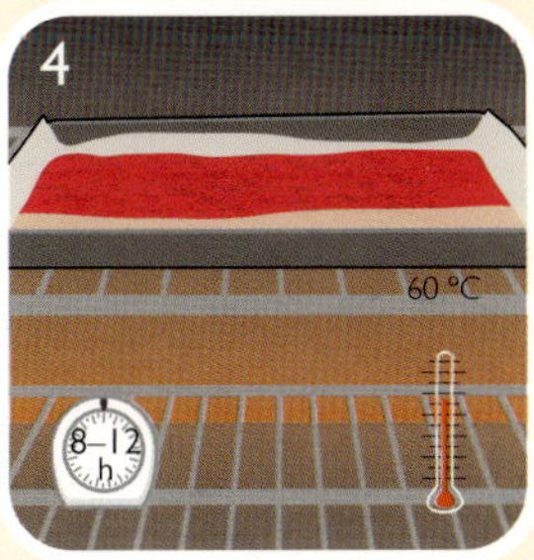

Backen.

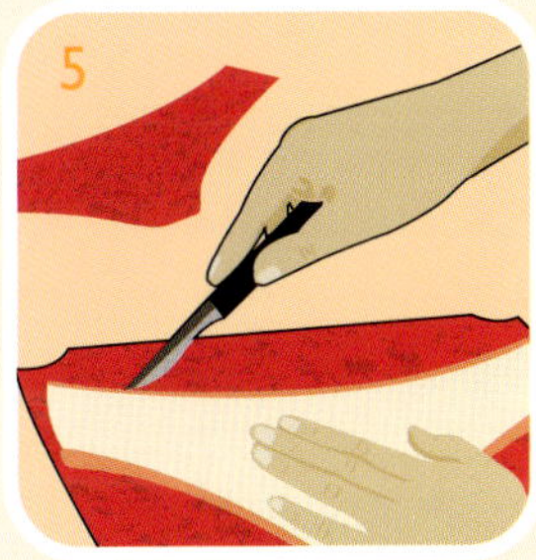

Slip als Vorlage verwenden.

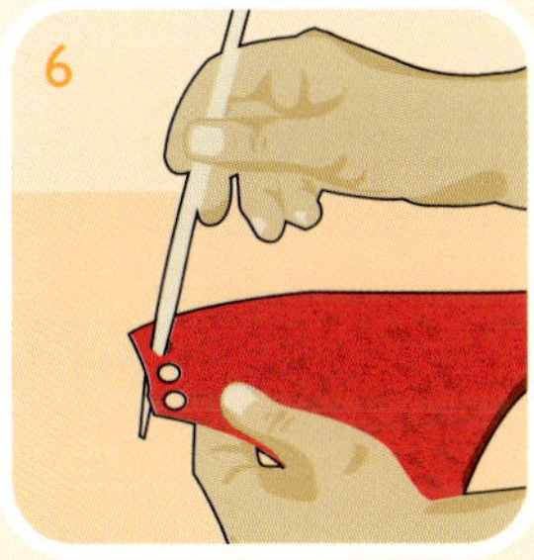

Mit Essstäbchen durchbohren.

Mit Lakritzschnüren zusammenbinden.

Sofort servieren!

163 Das ideale Brautkleid wählen

Egal welche Figur oder welchen Stil Sie haben, für jede Braut findet sich das passende Ensemble, um sie am schönsten Tag ihres Lebens einfach atemberaubend aussehen zu lassen.

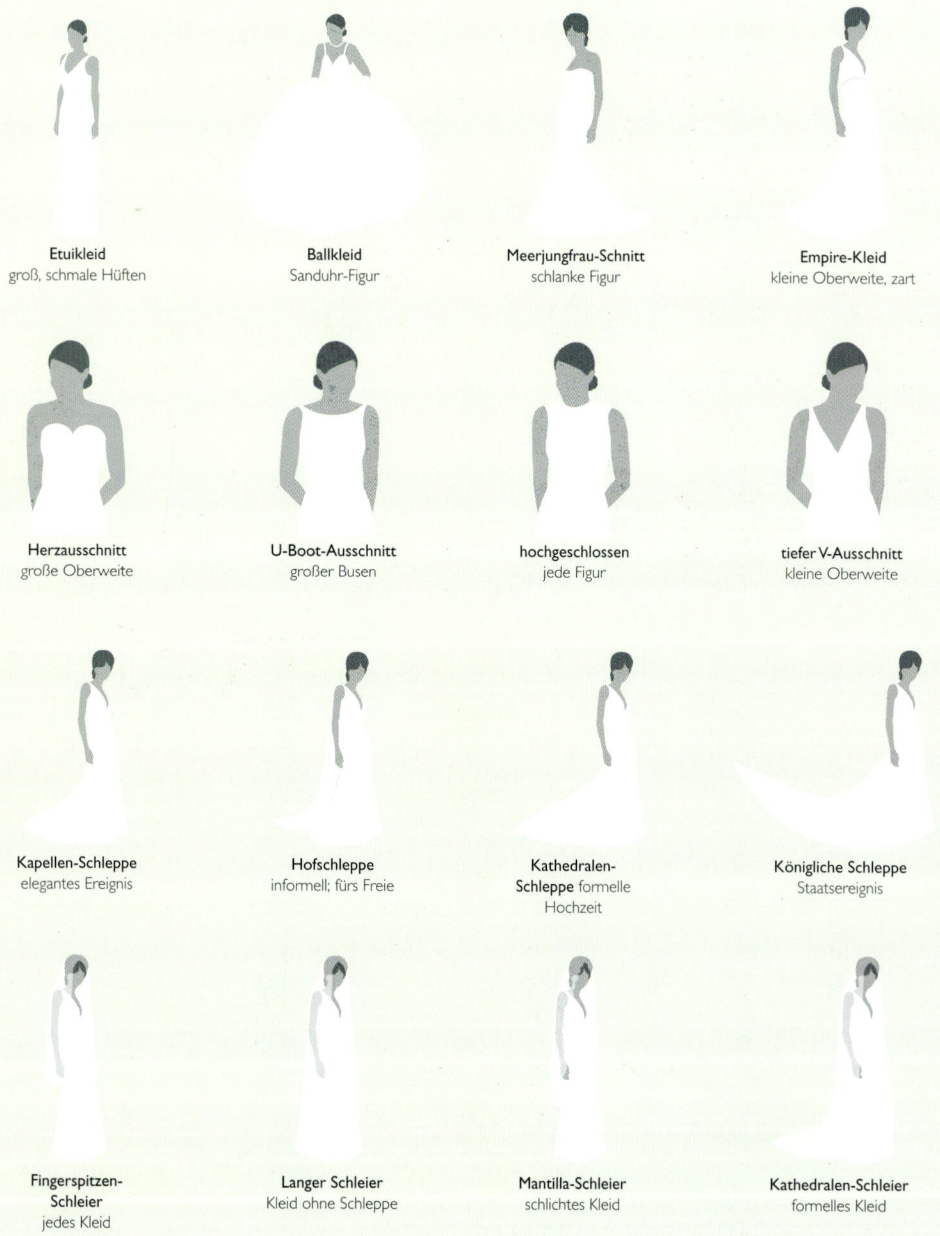

Sie können sich nicht entscheiden, was Sie anziehen sollen? Zum Glück schränken Ort und Stil der Zeremonie die Auswahl für Sie vorab schon ein wenig ein.

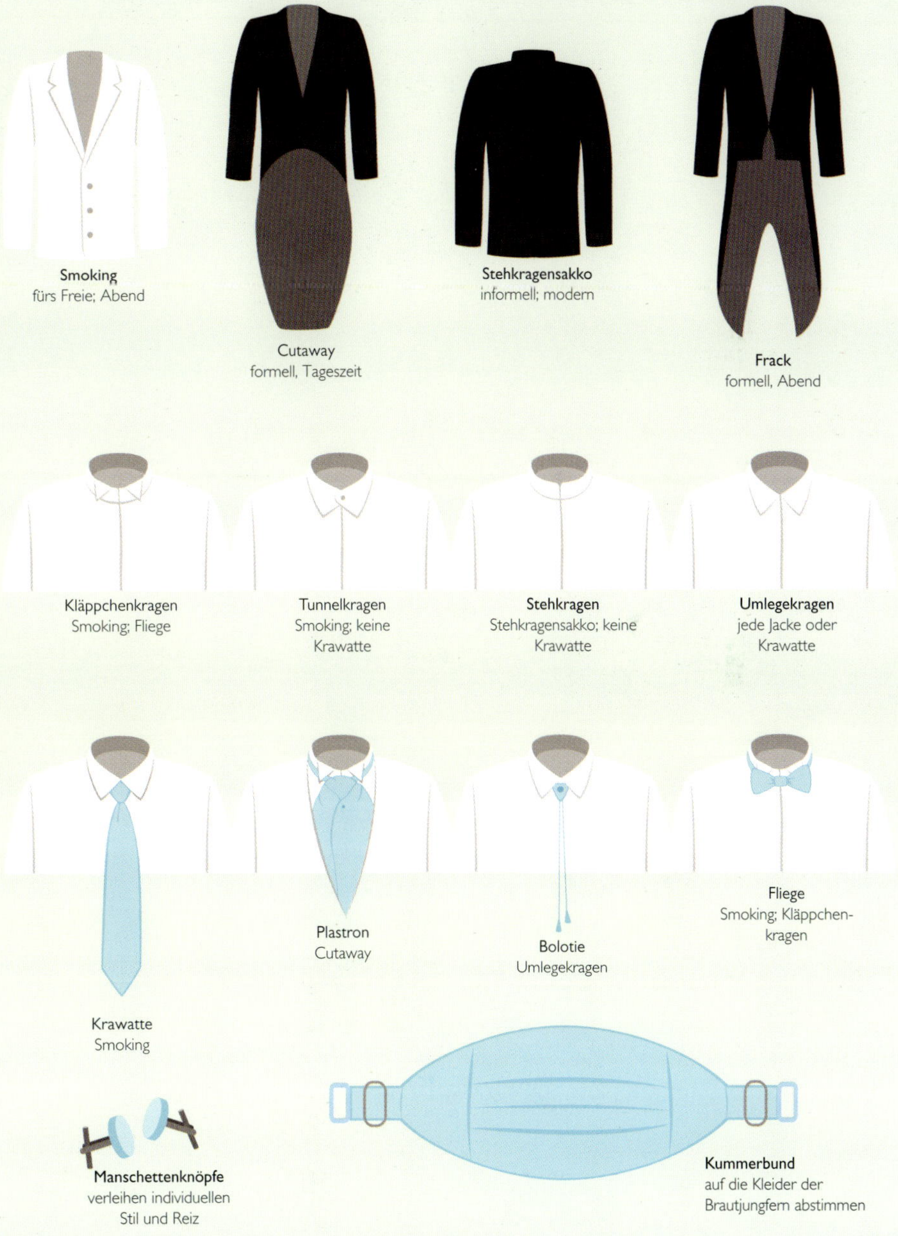

165 Auf Italienisch „Ja“ sagen

166 In Vegas vor den Traualtar treten

167 Auf den Philippinen heiraten

168 Den heiligen Bund in China schließen

306 Chinesisches Neujahr feiern

169 Hochzeitsglocken in Kuba hören

170 Sich in Ungarn trauen lassen

171 Sich in Nigeria das Jawort geben

172 Eine persische Hochzeit feiern

wohnen

173 Eine schleifende Türe reparieren

Zeitungen unter die Tür legen.

Scharnier aus der Wand drehen.

Holzstäbchen einsetzen.

Stäbchen kürzen, sodass sie mit der Wand abschließen.

Scharnier an die Wand bohren.

* Eine Tür schleift, wenn das Holz rund um eine Scharnierschraube ausleiert. Wird das Loch mit Bambusstäbchen gefüllt, kann sich die Schraube in eine feste Fläche bohren.

174 Eine kaputte Fliese ersetzen

Mit Schleifmaschine den Fugenkitt entlang schneiden.

Die kaputte Fliese abschlagen.

Das Mörtelbett säubern.

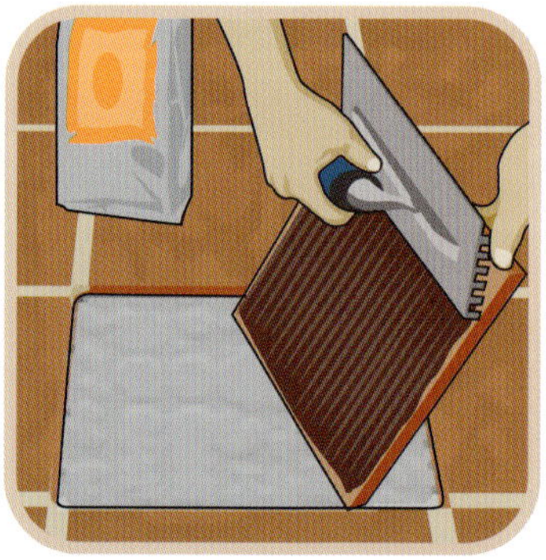

Mörtel auf neue Fliese auftragen.

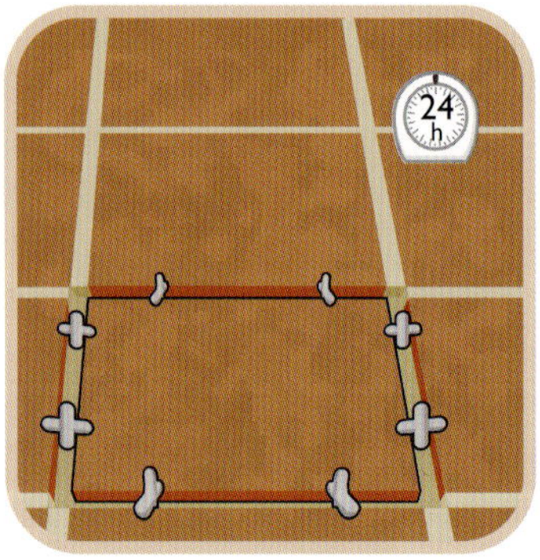

Zwischenstücke einsetzen; trocknen lassen.

Fliese mit Fugenkitt fixieren.

Überschüssigen Kitt abwaschen; über Nacht trocknen lassen.

Versiegelungsmittel auftragen.

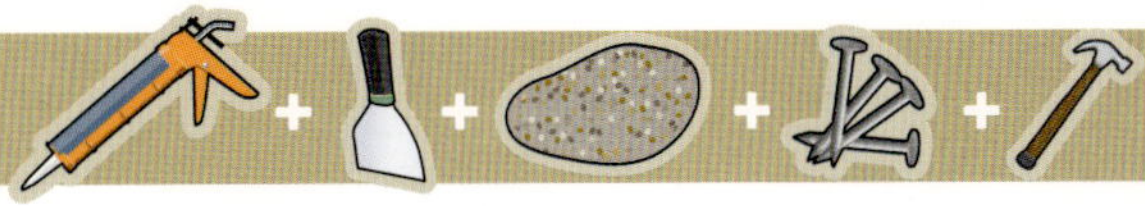

Gebrochene Schindeln reparieren 175

Gebrochene Schindel suchen.

Dachzement auftragen.

Riss mit Zement bestreichen.

Kies aus der Dachrinne darüberstreuen.

Ränder festnageln.

Eine Regenrinne ausbessern 176

Riss in der Rinne säubern.

Mit Dachzement bestreichen.

Glasfasergewebe darüber legen.

Ein Stück Plastik darüber legen.

Mit Dachzement bestreichen.

Mit Fugenmasse abdichten 177

Fläche reinigen, trocknen lassen.

Mehr Fugenmasse als nötig auftragen.

Eine perfekte Glasur zaubern 358

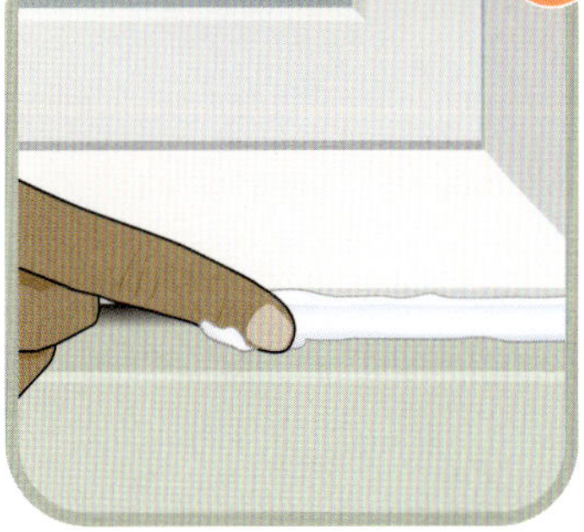

Mit feuchtem Finger verstreichen.

Mit feuchtem Schwamm glatt streichen.

178 Drähte abziehen und verbinden

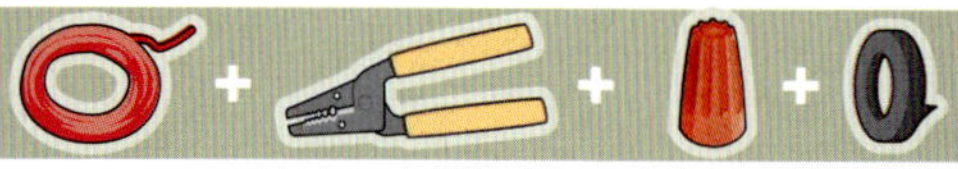

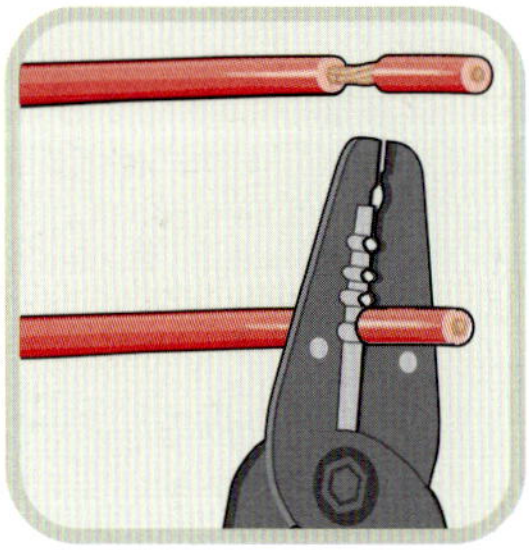

Isolierung durchschneiden.

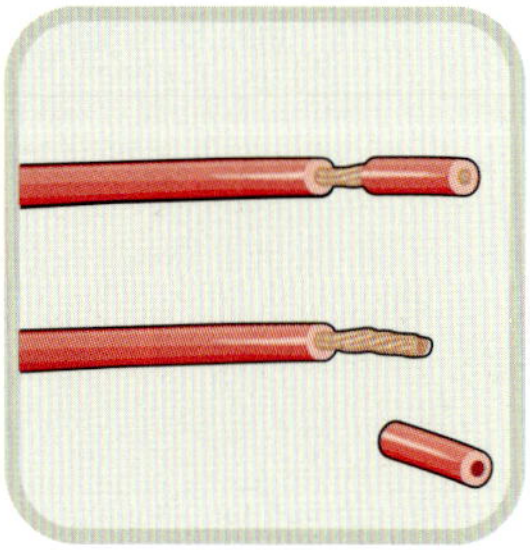

Entfernen, Drähte freilegen.

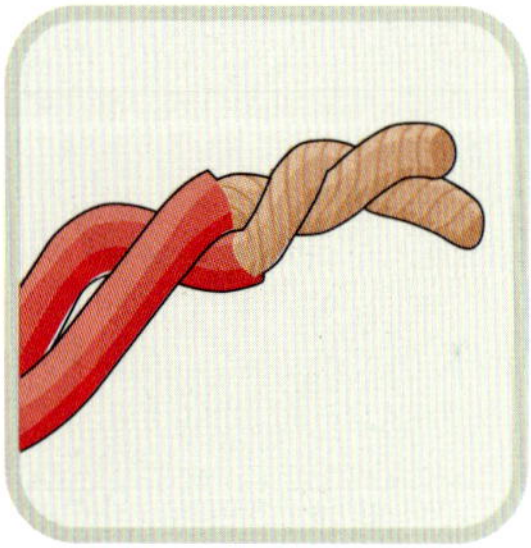

Drähte miteinander verdrehen.

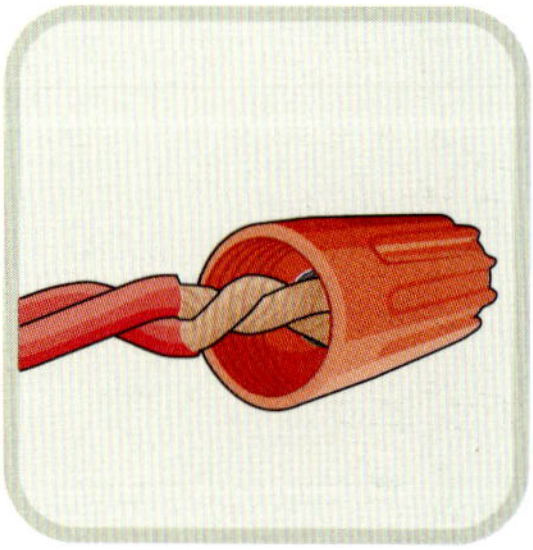

In den Schnellverbinder schieben.

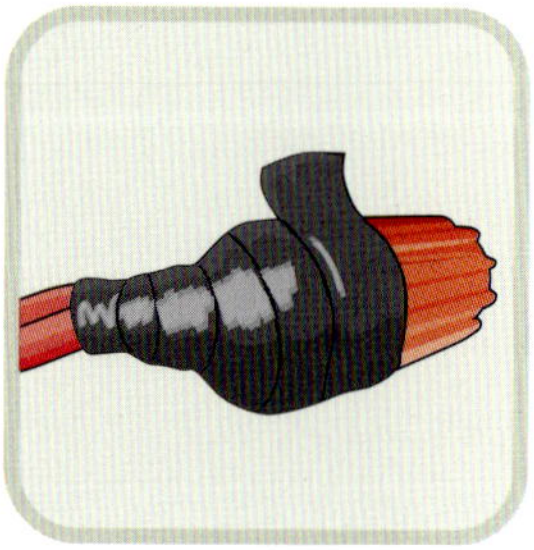

Mit Isolierband umkleben.

179 Eine Hängeleuchte aufhängen

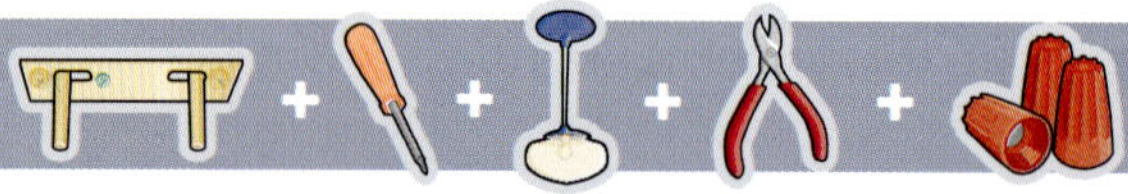

Entsprechende Sicherung abschalten.

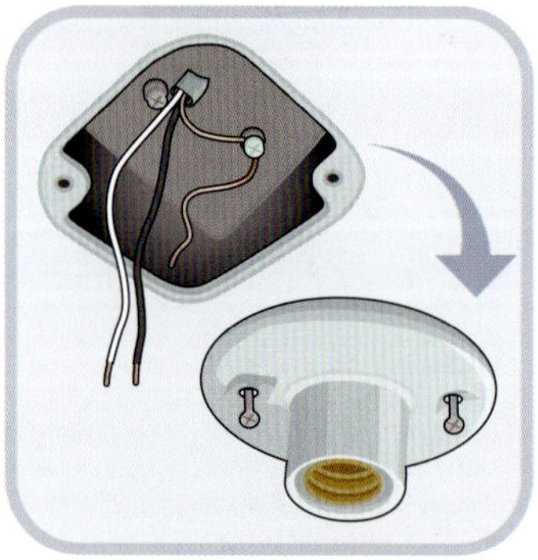

Alte Aufhängevorrichtung entfernen.

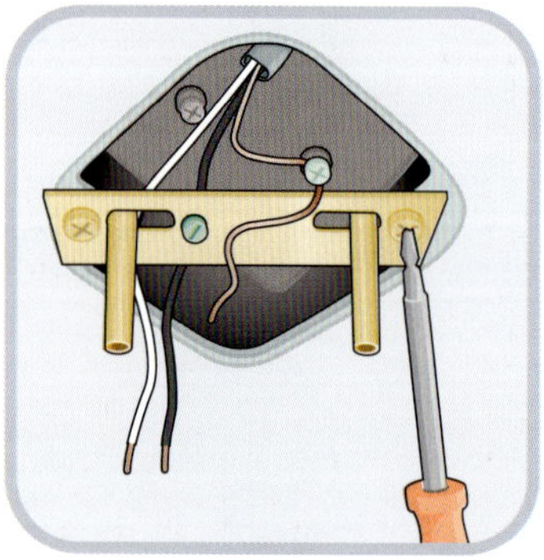

Halterung montieren.

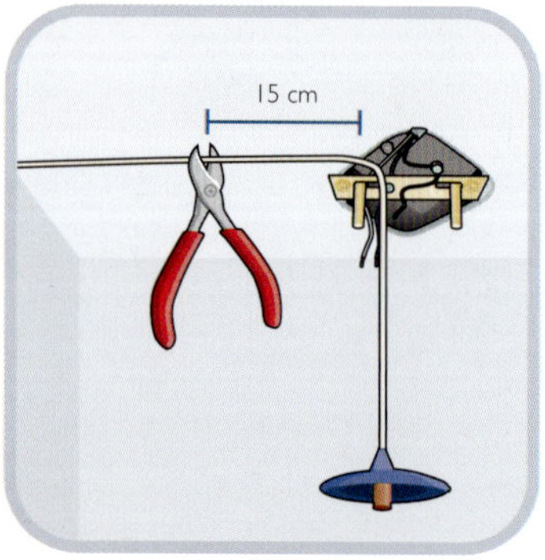

Länge abmessen; ein wenig dazugeben; abschneiden.

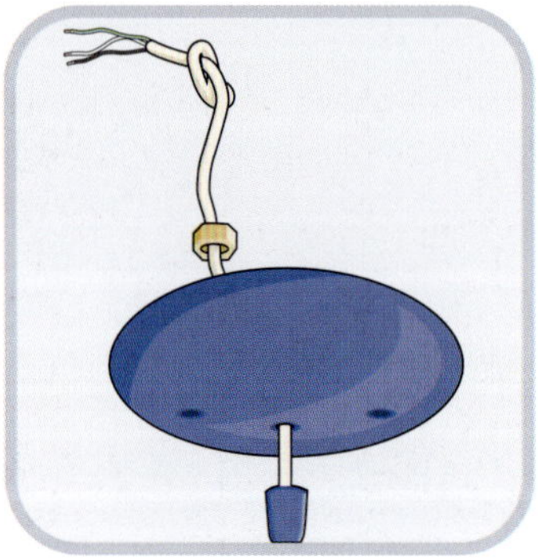

Draht durch den Sockel ziehen; Ende verknoten.

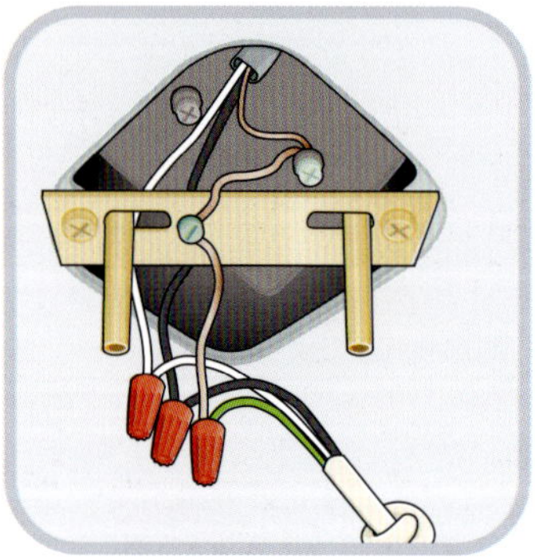

Drähte abziehen und verbinden.

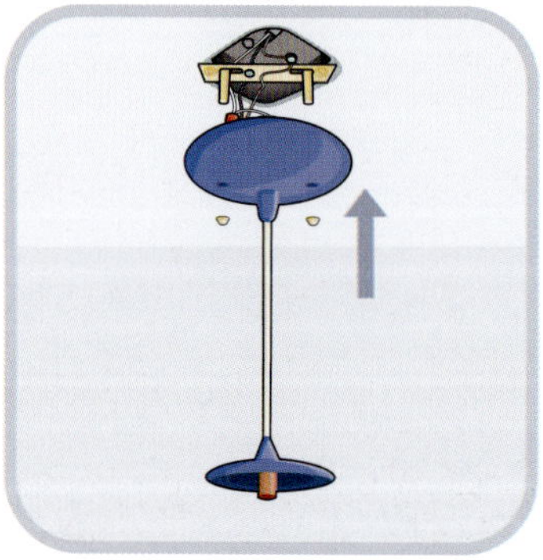

Lampensockel an der Halterung befestigen.

Glühbirne einschrauben, Lampenschirm montieren.

180 Energiesparen im Wohnzimmer

Zugluftstopper vor Türen legen.

Fenster abdichten.

Warme Luft mit einem Deckenventilator verteilen.

Einen programmierbaren Thermostat installieren.

Mehrfachstecker benutzen, wo immer es geht.

181 Energiesparen in der Küche

Kühlschlangen reinigen.

Speisen abkühlen lassen, bevor sie in den Kühlschrank kommen.

Pfannen mit Flachboden sparen Hitze.

Mehrere Speisen zugleich zubereiten.

Geschirrspüler ganz befüllen.

182 Energiesparen im Wirtschaftsraum

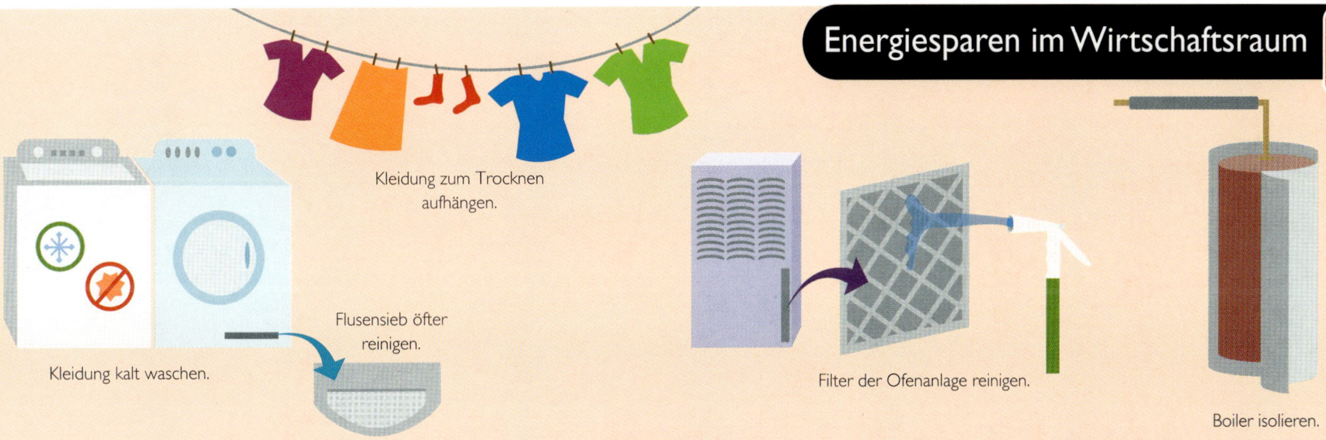

Kleidung zum Trocknen aufhängen.

Kleidung kalt waschen.

Flusensieb öfter reinigen.

Filter der Ofenanlage reinigen.

Boiler isolieren.

183 Einen Jeansteppich flechten

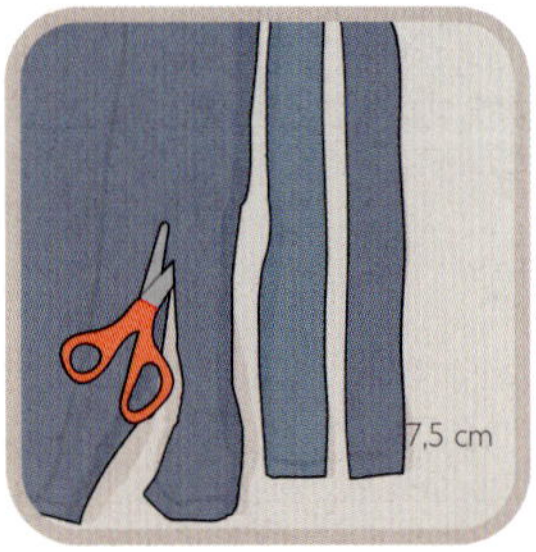

Alte Jeans in Streifen schneiden.

Streifen einfalten.

Kanten fixieren.

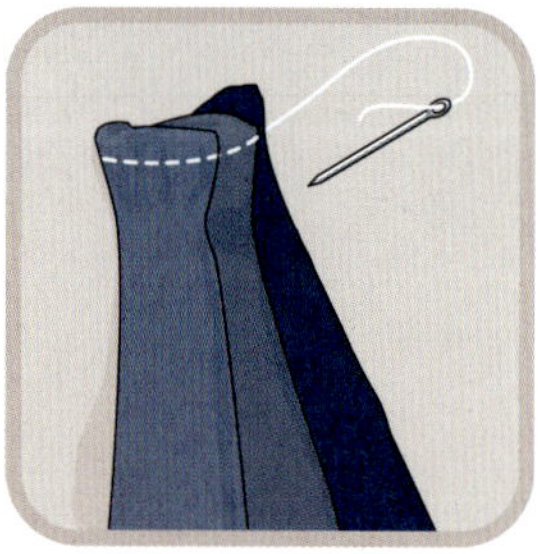
Drei Streifen zusammennähen.

336 Einen Maitanz vollführen

Flechten.

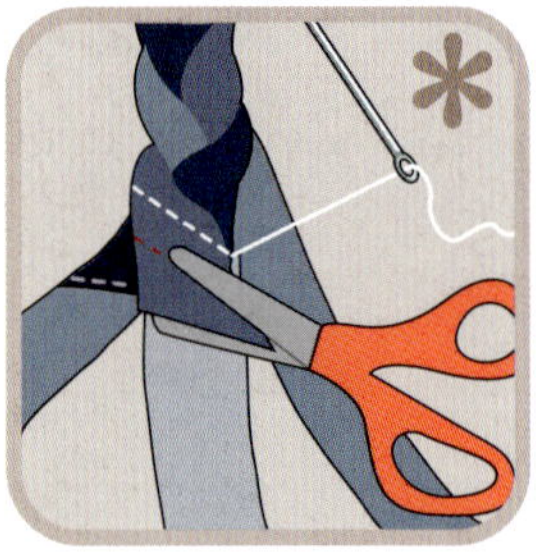
Neue Streifen hinzufügen.

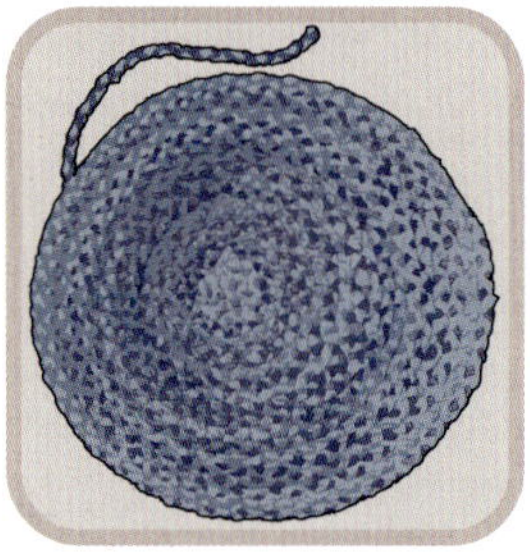
In gewünschte Größe wickeln.

Reihen zusammennähen.

Einen kleinen Flicken nähen.

Das Ende mit dem Flicken säumen.

* Am Ende eines Streifens einen neuen mit diagonalen Stichen annähen. Dadurch sieht der Saum beim Falten nicht uneben aus. Nicht genügend Jeans parat? Wolldecken sind eine kuschelweiche Alternative.

184 Eine Paillettenwand aufhängen

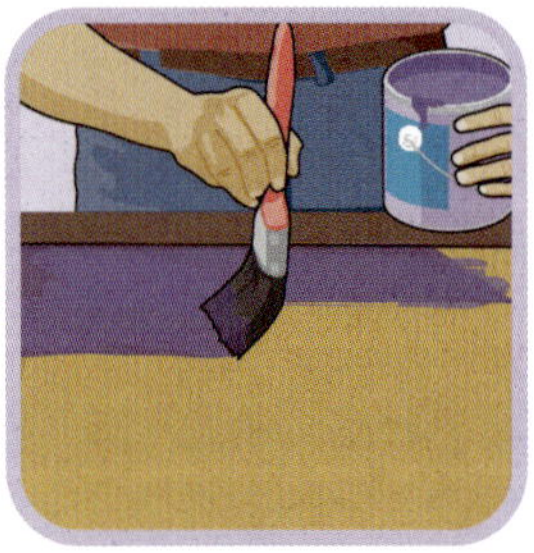
Eine Korkplatte in der Farbe der Wand streichen.

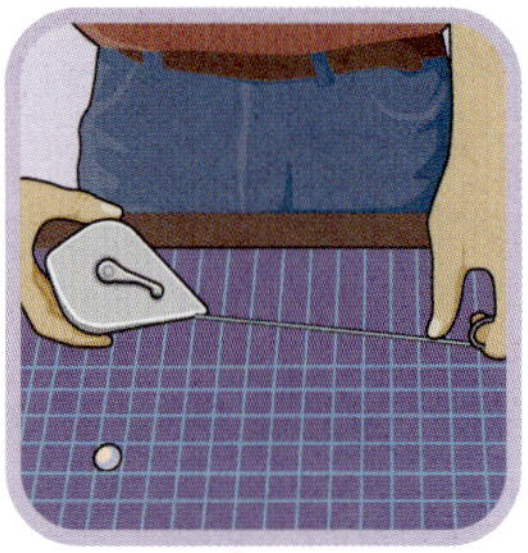
Trocknen lassen; mit einer Schlagschnur Raster skizzieren.

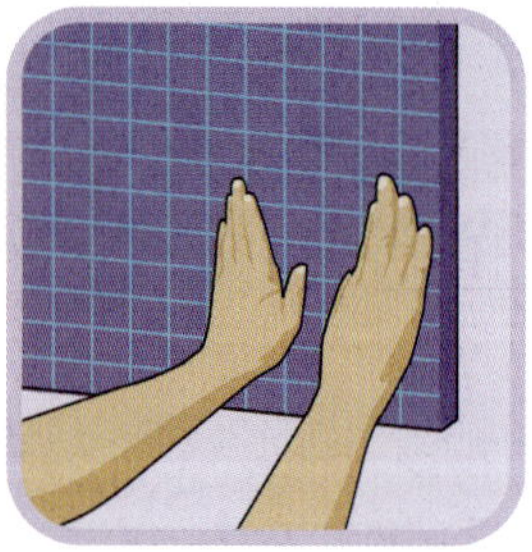
Korkplatte an der Wand montieren.

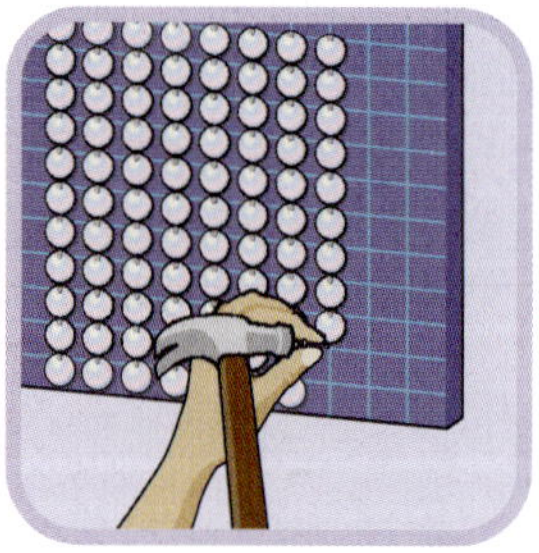
Pailletten auf das Raster nageln.

In leuchtendem Glanz erstrahlen.

Eine Liege aus Karton bauen 185

1 Form der Liege aus Karton ausschneiden.

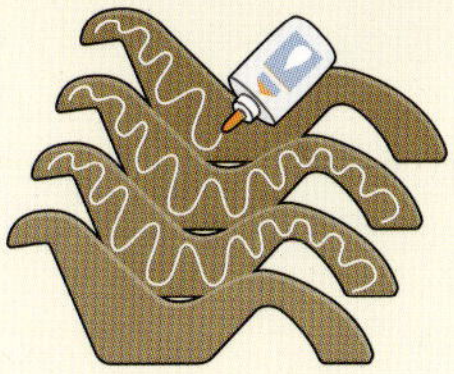

2 Jeweils vier Teile zusammenkleben.

3 Vierersets einzeln festklemmen; trocknen lassen.

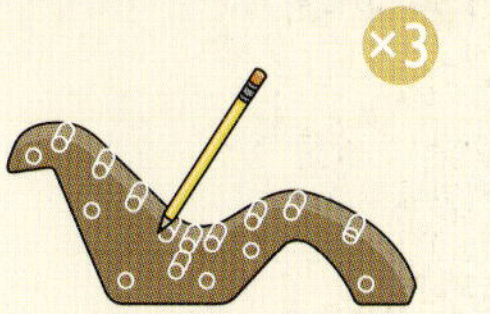

4 In jedem Set Kerben und Löcher einzeichnen.

5 Jedes Set zurechtschneiden.

6 Sets aneinanderreihen; Kartonröhren aufkleben.

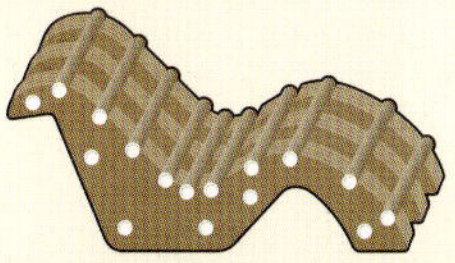

7 Trocknen lassen.

Einen Küchenstuhl neu beziehen 186

Sitz entfernen.

Stoff vom Rahmen entfernen.

Alten Stoff nachfahren; zuschneiden.

Stoff straff am Rahmen festheften.

Sitz wieder montieren.

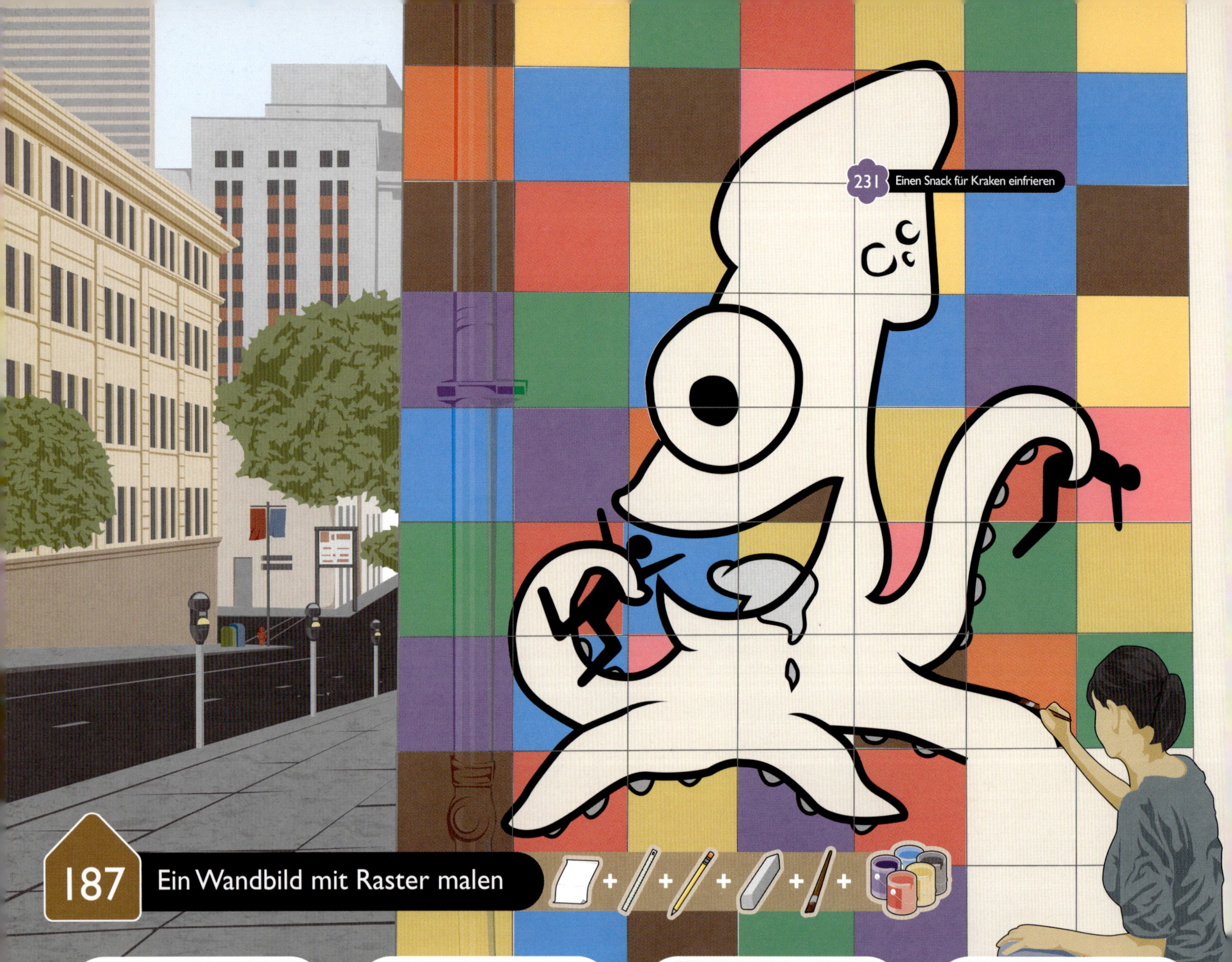

187 Ein Wandbild mit Raster malen

Bild malen und Raster darüber zeichnen.

Einen Raster auf die Wand zeichnen.

Jedes Quadrat auf die Wand übertragen.

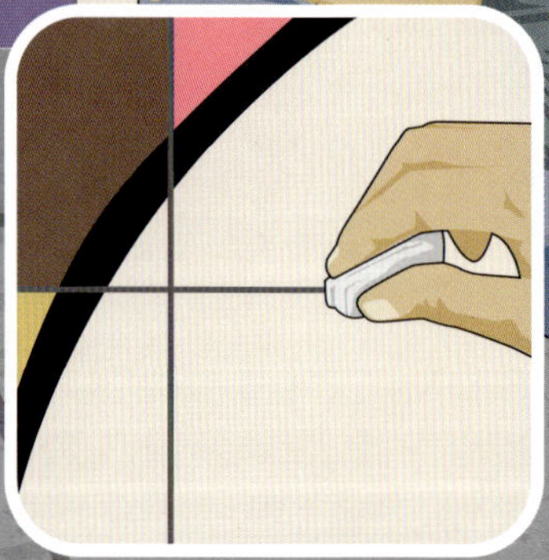
Raster entfernen.

Ein Kopfende aus Tapete basteln 188

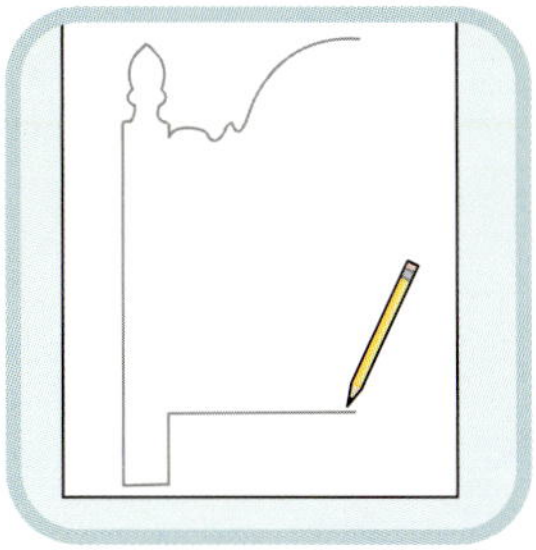

Form zur Hälfte vorzeichnen.

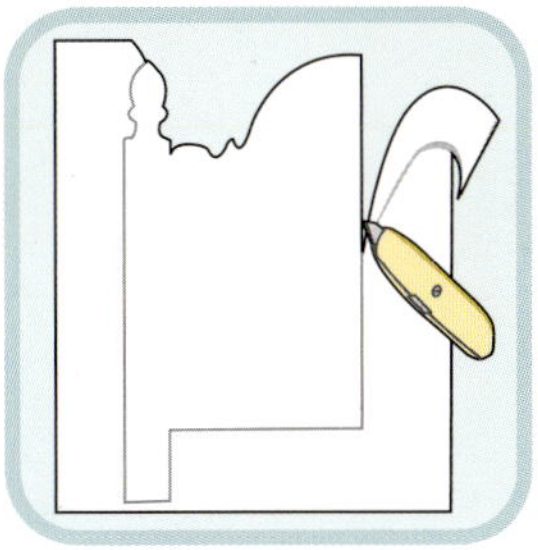

Vorlage ausschneiden.

Zweimal auf der Tapete vorzeichnen.

Ausschneiden.

Tapete nach Anleitung anbringen.

Möchten Sie Ihr Bett ungewöhnlich gestalten? Verwenden Sie diese Silhouetten als Inspiration.

Tapeten-Silhouetten ausschneiden 189

Für die Tapetenformen einen Raster über ein Bild zeichnen oder eine der Vorlagen hier verwenden. Auf der Rückseite der Tapete einen größeren Raster zeichnen und das Original Rahmen für Rahmen kopieren. Dann ausschneiden und nach Anleitung anbringen.

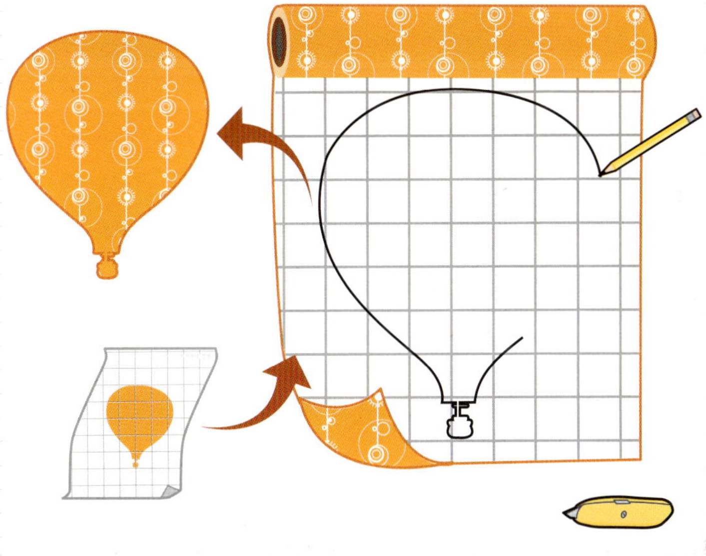

190 Tisch mit Découpage verzieren

Vorgesehene Fläche säubern.

Bilder ausschneiden.

Bilder anordnen.

Aufkleben.

Glätten;
trocknen lassen.

Découpage-Lack auftragen;
trocknen lassen.

Abschmirgeln.

Wiederholen, bis die Fläche glatt ist.

* So lange Lack auftragen und abschleifen, bis die Oberfläche ganz glatt ist.

191 Holzmaserungseffekte erzeugen

Grundieren.

Lasur mit Wasser vermengen.

Einen Streifen Lasur
auftragen.

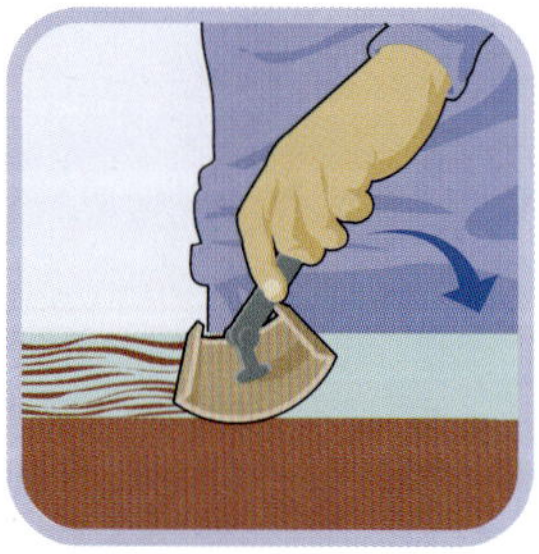

Kipp- und Wippbewegungen
mit dem Maserierer machen.

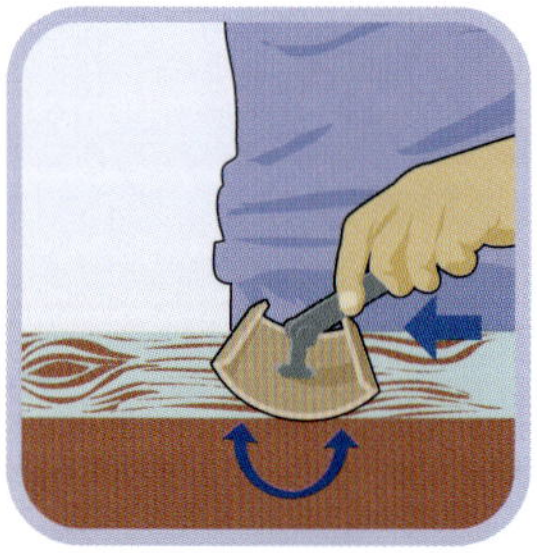

Wiederholen, damit das
Muster uneinheitlich wird.

Eine Glasplatte ätzen 192

Klebefolie auf Glas legen.

Kohlepapier darüber legen.

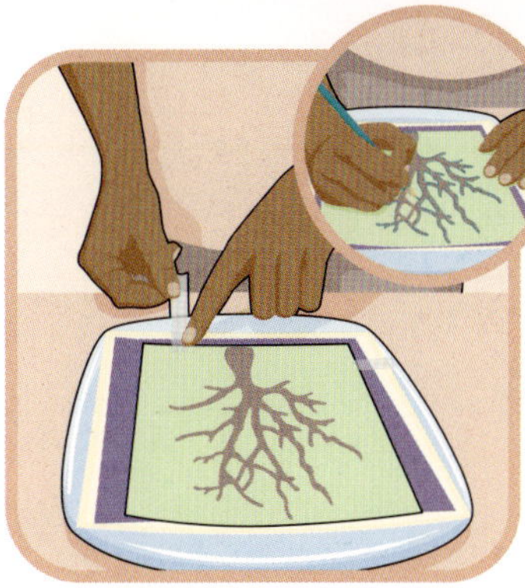

Bild aufkleben und nachfahren.

Kohlepapier entfernen.

Motiv aus der Klebefolie ausschneiden.

Glasätzpaste auf Motiv verteilen; warten.

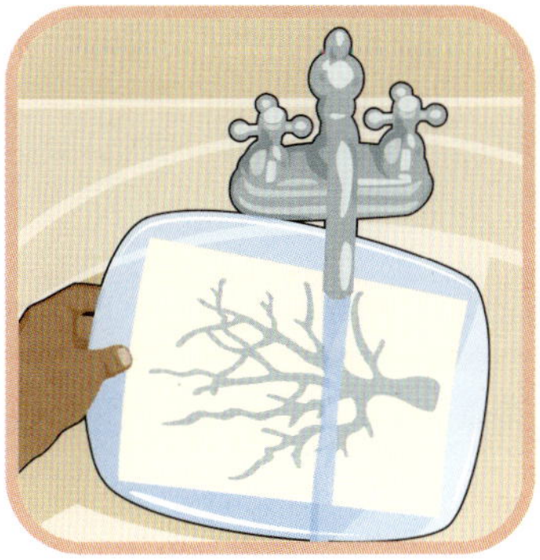

Abspülen.

Klebefolie entfernen; erneut abspülen.

Einen alten Bilderrahmen vergolden 193

Anlegemilch für Blattgold auftragen; trocknen lassen.

Blattgold überlappend aufbringen.

Mit weichem Pinsel glatt streichen.

Überschüssiges Material wegblasen; warten.

Mit Polyurethanlack versiegeln.

194 Stofftapeten anbringen

Wand waschen.

Abmessen.

Abmessen; Überhang dazurechnen.

Flüssigstärke in eine Wanne gießen.

Stärke mit Pinsel auftragen.

Stoff aufkleben, Überhang berücksichtigen.

Wand tapezieren; trocknen lassen.

Überschüssigen Stoff wegschneiden.

* Sobald es Zeit für eine Veränderung des Dekors ist, können Sie den Stoff einfach von der Wand schälen – es bleiben keine Rückstände und die Wand wird nicht beschädigt.

195 Eine Schüssel aus Spitze basteln

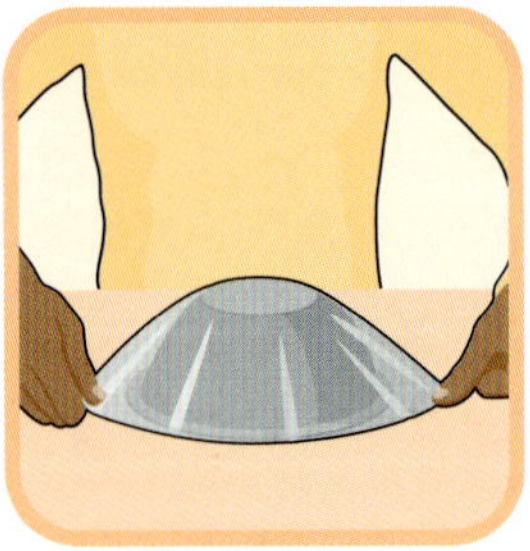

Schüssel mit Frischhaltefolie abdecken.

Spitzendeckchen über die Schüssel legen.

Flüssige Stärke aufstreichen; trocknen lassen.

Schüssel entfernen; Innenseite stärken.

Trocknen lassen; aufstellen.

196 Ein Kissen auswählen

197 Ein Kissen neu beziehen

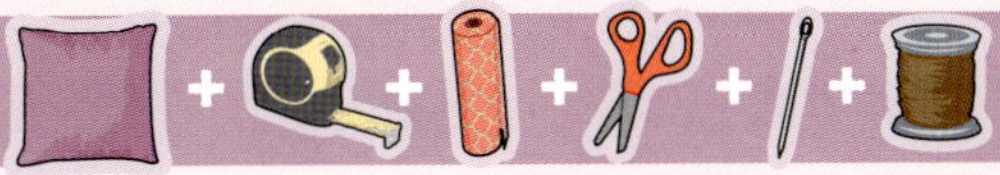

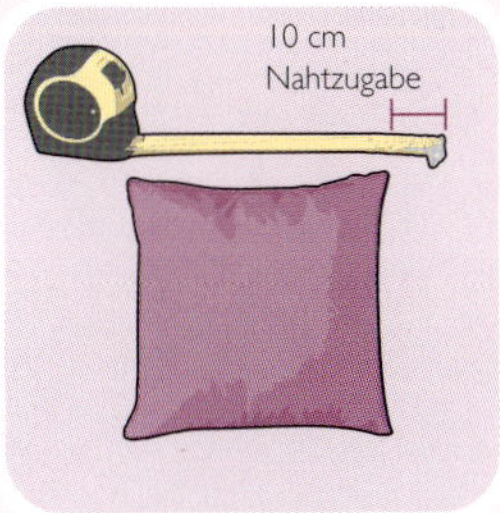

Kissen abmessen; Nahtzugabe dazugeben.

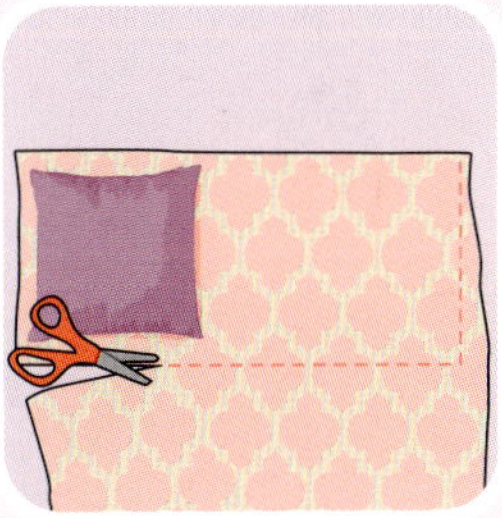

Doppelte Länge zuschneiden.

Kürzere Seiten einsäumen.

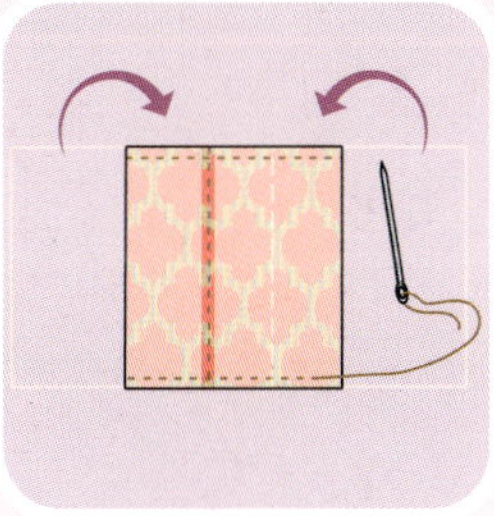

Übereinanderschlagen; offene Seiten zusammennähen.

Bezug wenden; Kissen beziehen.

198 Ordnung im Wohnzimmer

199 Platz in der Speisekammer

200 Ordnung in der Küche

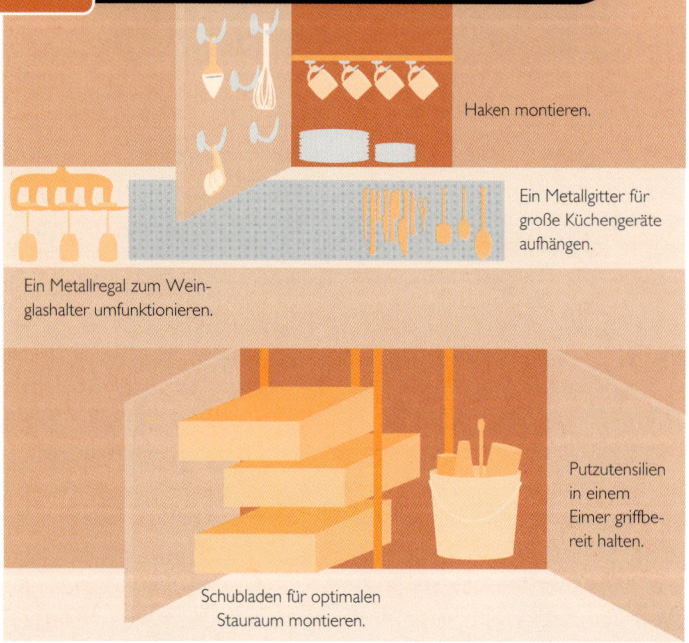

201 Stauraum für Kleidung

Am Frisiertisch Ordnung halten 202

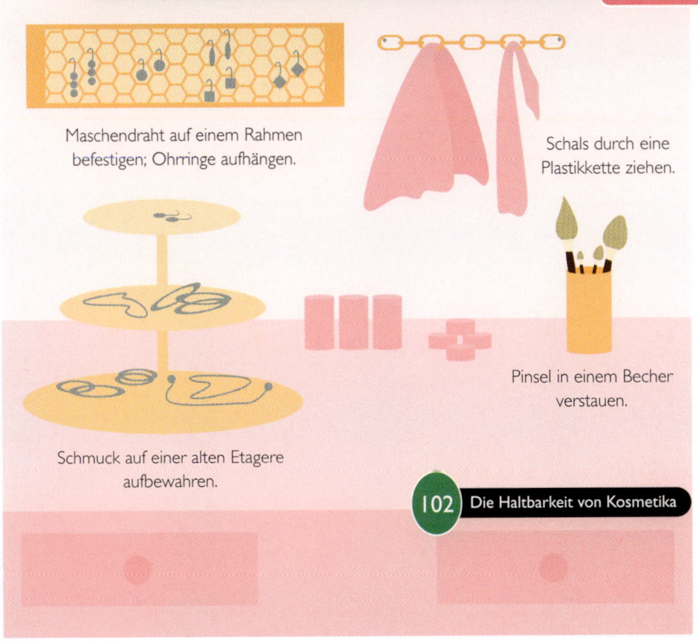

102 Die Haltbarkeit von Kosmetika

Einen Arbeitsraum ausstatten 203

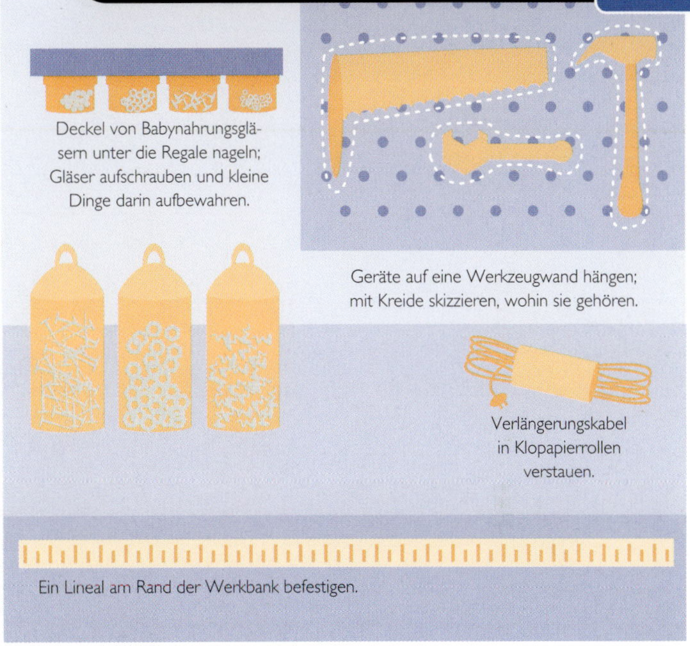

Ein Badezimmer verschönern 204

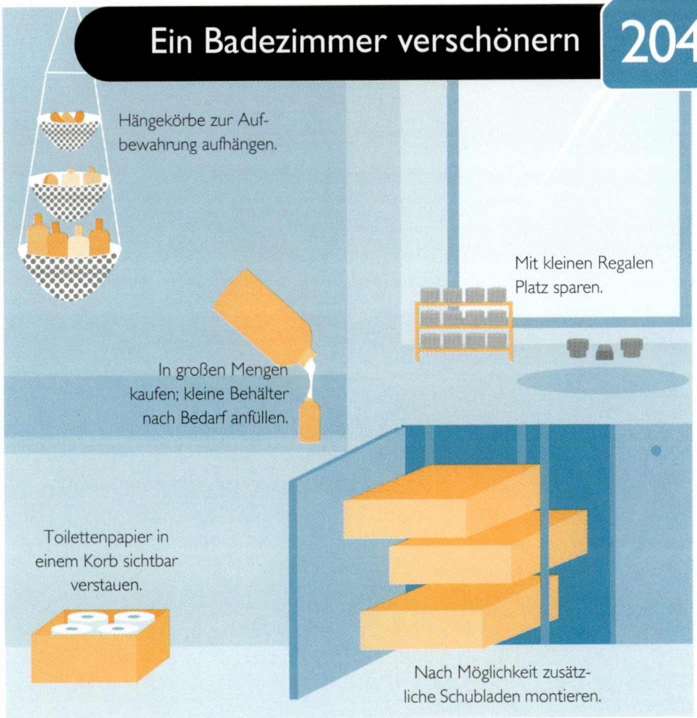

Ein Heimbüro einrichten 205

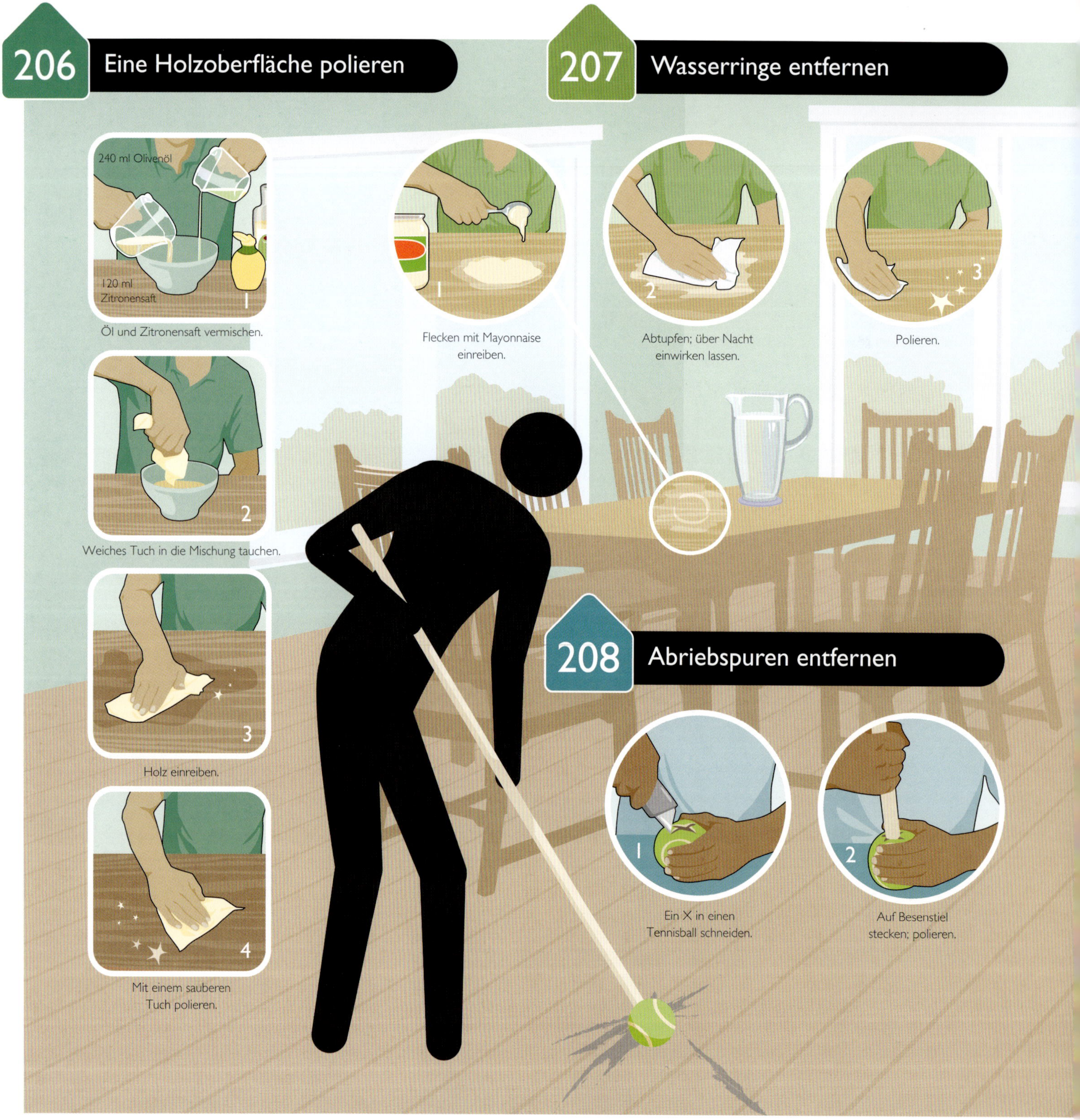

206 Eine Holzoberfläche polieren

1. Öl und Zitronensaft vermischen.
2. Weiches Tuch in die Mischung tauchen.
3. Holz einreiben.
4. Mit einem sauberen Tuch polieren.

207 Wasserringe entfernen

1. Flecken mit Mayonnaise einreiben.
2. Abtupfen; über Nacht einwirken lassen.
3. Polieren.

208 Abriebspuren entfernen

1. Ein X in einen Tennisball schneiden.
2. Auf Besenstiel stecken; polieren.

Kratzer im Leder entfernen 209

Olivenöl auf ein Tuch geben.

In kreisenden Bewegungen einreiben.

Wachs vom Teppich entfernen 210

Bügeleisen auf niedrigste Stufe stellen.

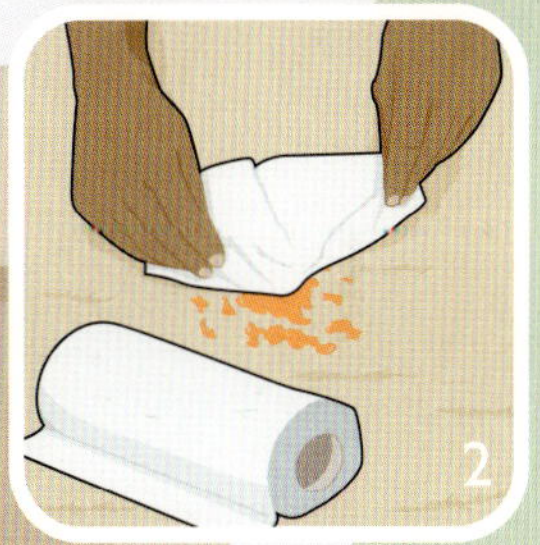

Mit Küchenrolle abdecken.

Papier vorsichtig bügeln.

Wiederholen, bis das Wachs verschwunden ist.

Abdrücke im Teppich entfernen 211

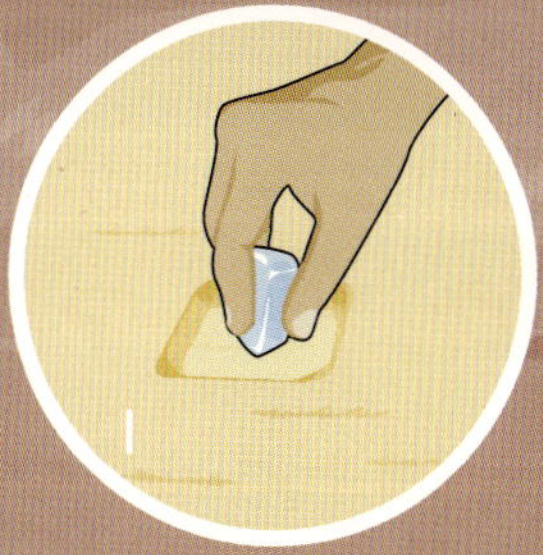

Eiswürfel in die Abdrücke legen.

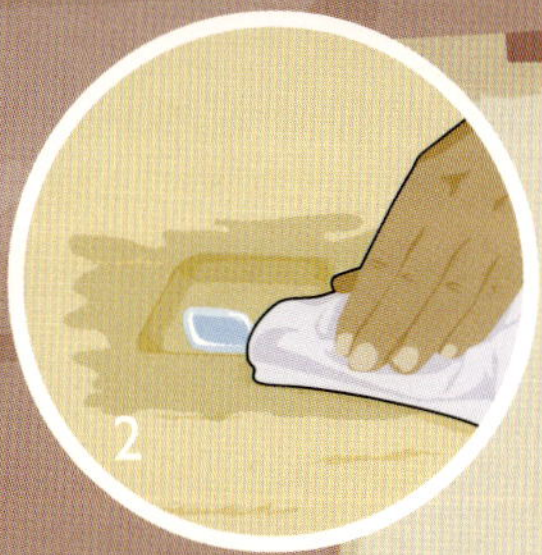

Schmelzen lassen; Wasser abtupfen.

Teppich mit einer Gabel aufplustern

212 Wasser im Haushalt sparen

1500 l Ersparnis im Monat
Lebensmittelfarbe in den Tank geben. Färbt sich die Klomuschel, gibt es eine undichte Stelle.

375 l Ersparnis im Monat
Tiefgefrorenes über Nacht auftauen lassen – kein heißes Wasser verwenden.

850 l Ersparnis im Monat
Eine mit Kies gefüllte Flasche im Wassertank platzieren.

222 Ein Komposthaufen im Hinterhof

4000 l Ersparnis im Monat
Mulch, Hackschnitzel oder Kies rund um Pflanzen und Bäume streuen.

500 l Ersparnis im Monat
Wasser beim Zähneputzen oder Rasieren abdrehen.

1250 l Ersparnis im Monat
Ein Spülbecken mit Lauge und das andere mit klarem Wasser zum Spülen füllen. Wasser nicht laufen lassen.

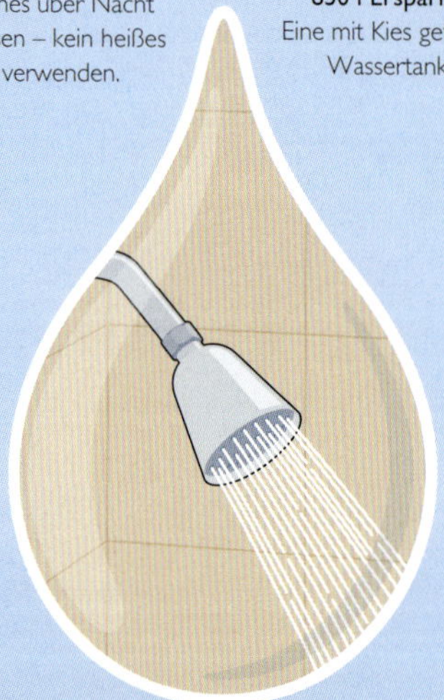

2500 l Ersparnis im Monat
Einen Niederdruck-Brausekopf montieren.

750 l Ersparnis im Monat
Gemüse in einer Wasserschüssel statt unter dem Wasserhahn waschen.

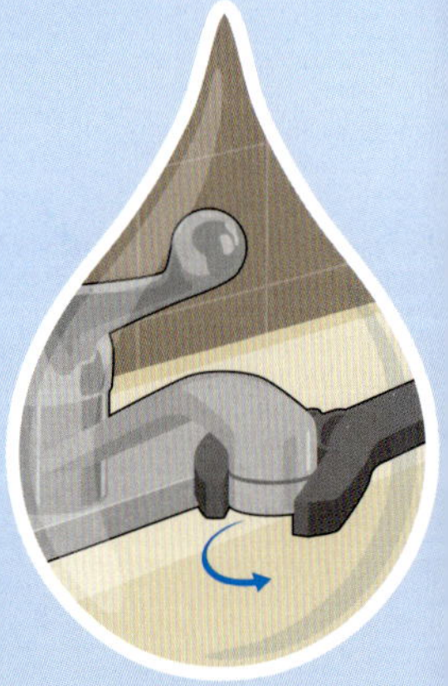

1750 l Ersparnis im Monat
Tropfende Wasserhähne reparieren.

4500 l Ersparnis im Monat
Auto mit einem Eimer Waschlauge einseifen, danach kurz mit dem Wasserschlauch abspritzen. Wasser nicht die ganze Zeit laufen lassen.

2250 l Ersparnis im Monat
Einfahrten und Gehsteige nicht abspritzen, sondern kehren.

3750 l Ersparnis im Monat
Swimmingpool abdecken, um Verdunstung zu vermeiden.

213 Ein eingefrorenes Rohr auftauen

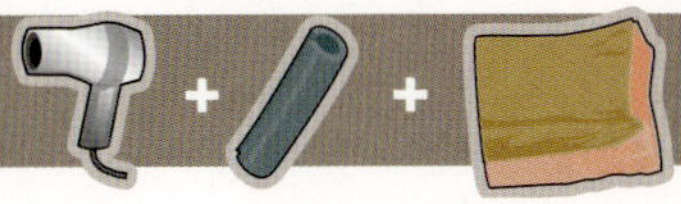

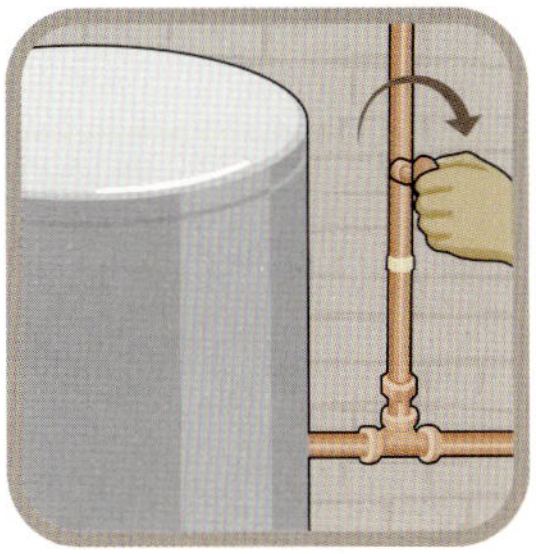

Wasserzufuhr abdrehen.

Sicherstellen, dass das eingefrorene Rohr intakt ist.

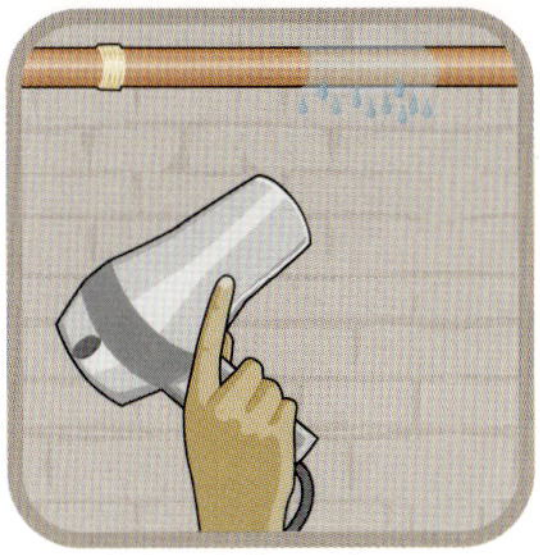

Rohr mit Fön auftauen.

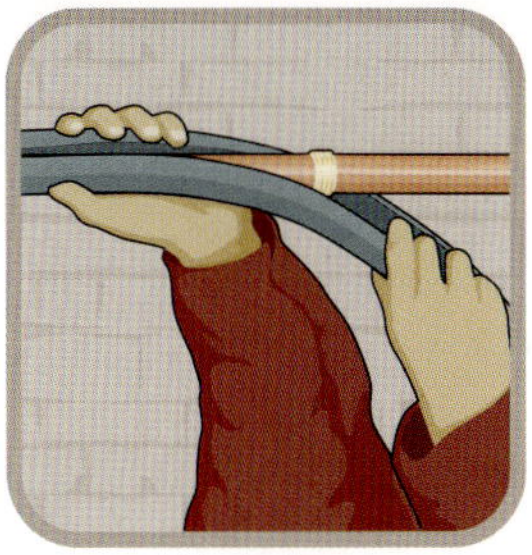

Rohr isolieren.

Wände in der Nähe isolieren.

* Wenn das Rohr gebrochen ist, sofort einen Fachmann rufen. Nicht auftauen, es sei denn, Sie möchten einen eiskalten Swimmingpool im Keller haben!

214 Einen Wasserhahn austauschen

Wasserzufuhr abdrehen.

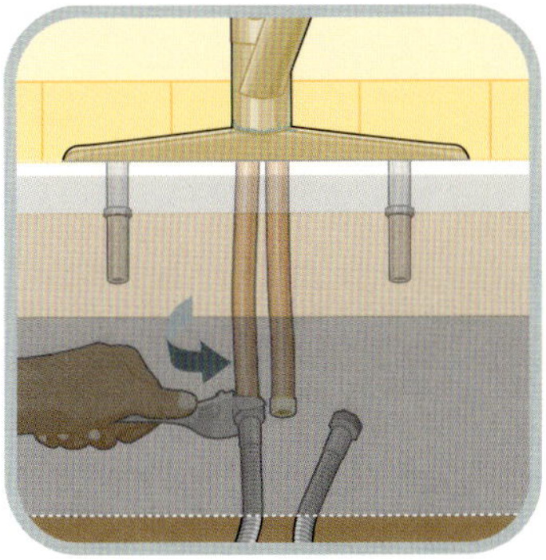

Wasserhahn vom Wasseranschluss abmontieren.

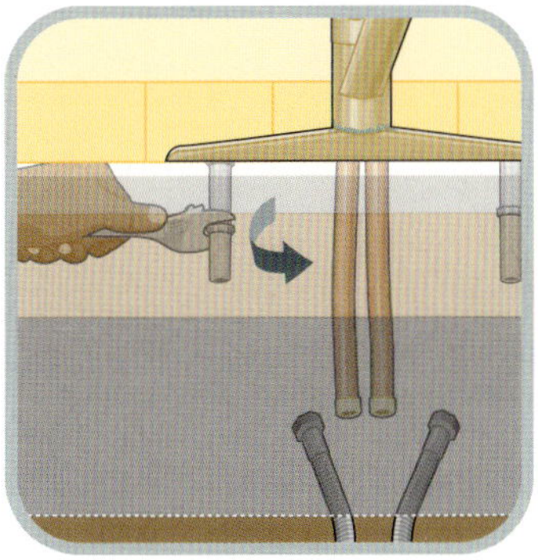

Dichtungsringe abschrauben.

Wasserhahn entfernen.

Neuen Wasserhahn einsetzen.

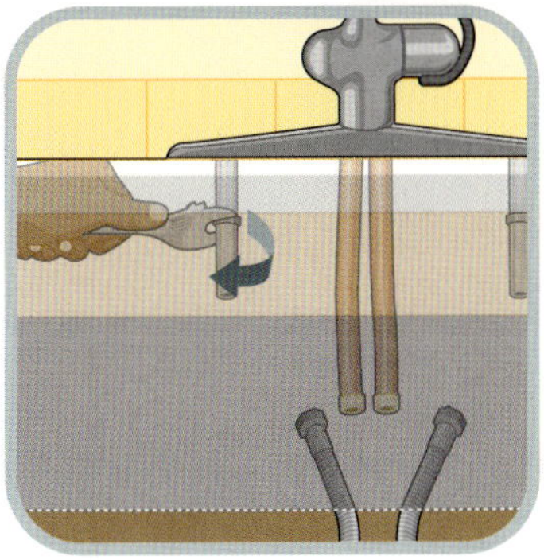

Neue Dichtungsringe montieren.

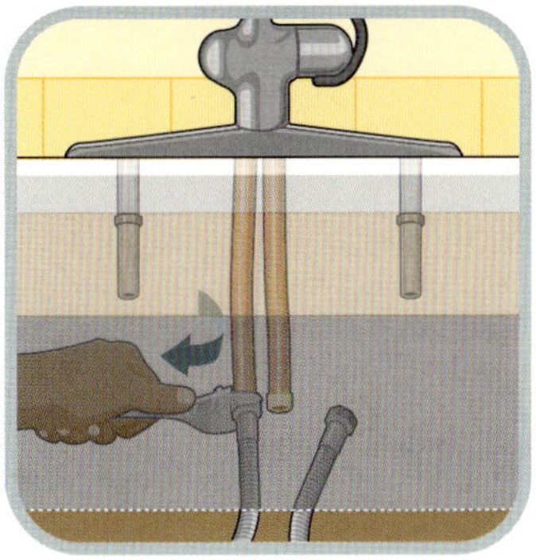

Wasseranschluss wiederherstellen.

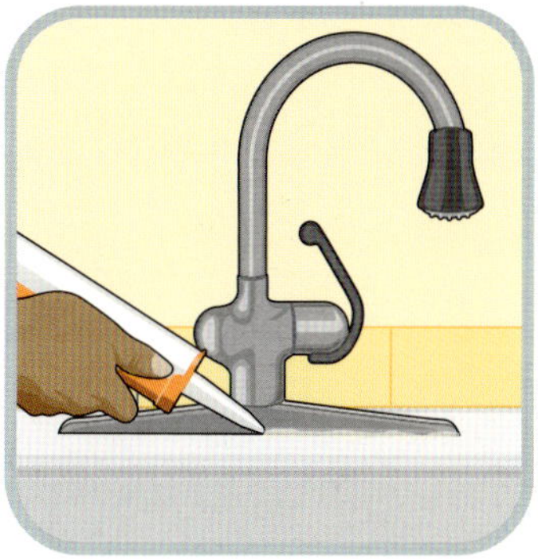

Wasserhahnsockel abdichten.

wachsen

215 Einen Blumenkasten bauen

Fenster abmessen.

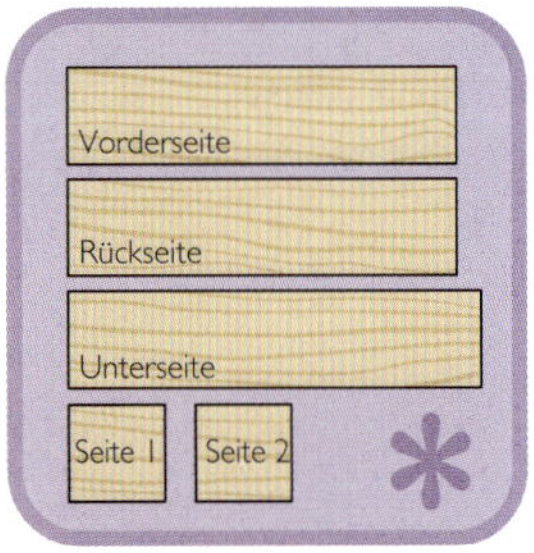

Auf passende Größe zuschneiden.

Seite 1 an Vorderseite ankleben.

Festnageln.

Auf allen Seiten wiederholen.

Unterseite festkleben und annageln.

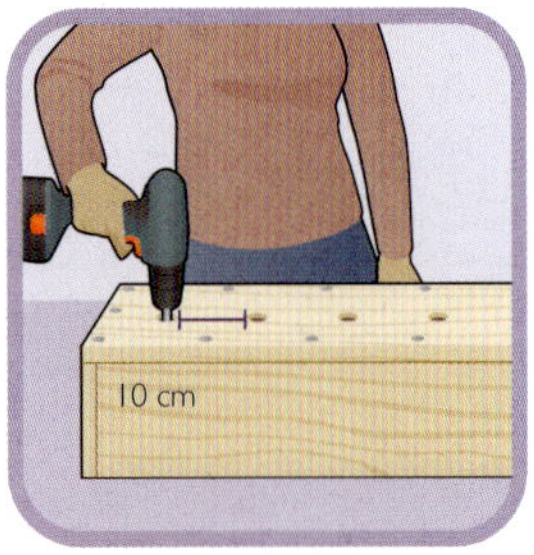

Abflusslöcher bohren.

Kasten grundieren; trocknen lassen.

Anmalen; trocknen lassen.

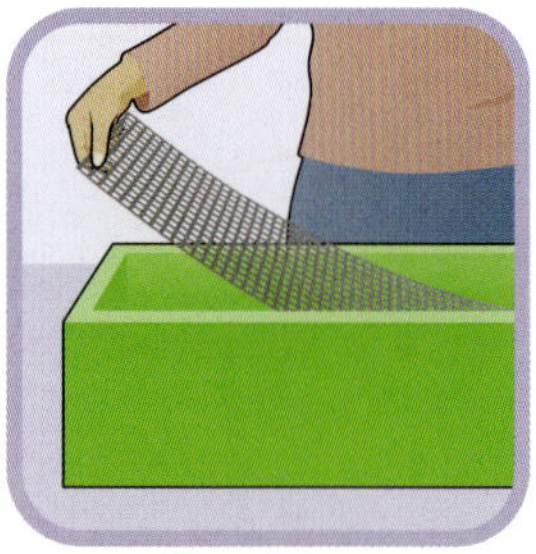

Gitter einlegen.

* Für die richtige Länge der Vorder- und Rückseite die Dicke des Bretts abmessen. Die Zahl verdoppeln und das Ergebnis von der Länge der Unterseite abziehen. Die Länge von Seite 1 und 2 sollte der Breite der Unterseite entsprechen.

216 Einen Blumenkasten befestigen

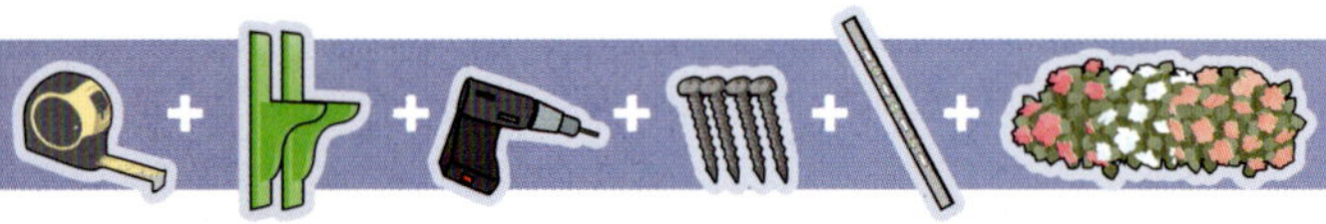

Höhe des Blumenkastens einzeichnen.

Loch bohren; Winkel an die Wand schrauben.

Zweiten Winkel waagrecht montieren.

Kasten an Halterung befestigen.

Blumen pflanzen.

217 Tomaten ziehen

Tomaten, die auf dem Boden wachsen, sind ein leichte Beute für Schädlinge und verfaulen leicht. Mit einem Rankgitter können Sie dies einfach vermeiden.

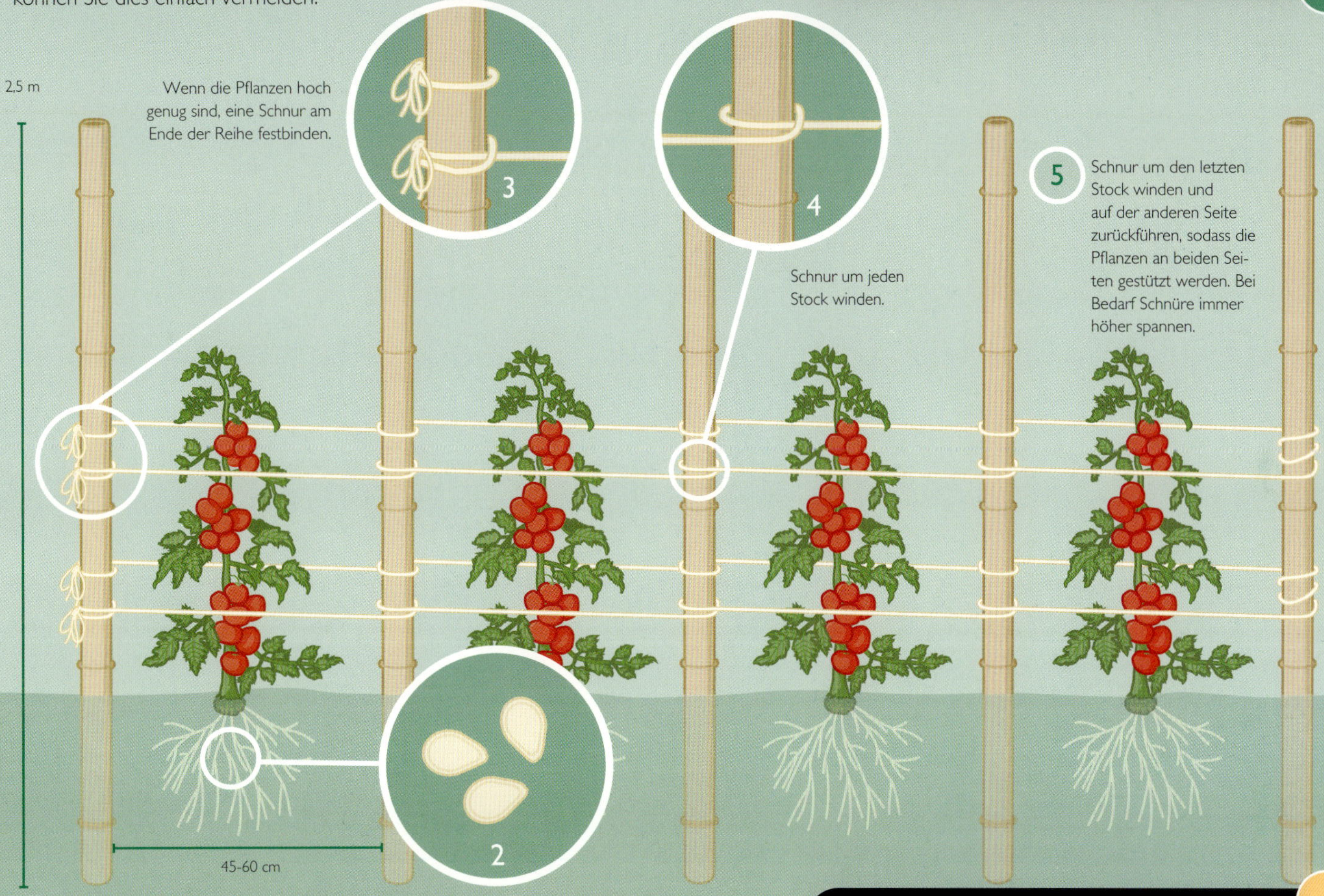

1 Bambusstöcke in den Boden stecken.

2 Zwei bis drei Tomatensamen zwischen jedem Stock pflanzen.

3 Wenn die Pflanzen hoch genug sind, eine Schnur am Ende der Reihe festbinden.

4 Schnur um jeden Stock winden.

5 Schnur um den letzten Stock winden und auf der anderen Seite zurückführen, sodass die Pflanzen an beiden Seiten gestützt werden. Bei Bedarf Schnüre immer höher spannen.

218 Schädlinge bekämpfen

Kräuter schneiden 343

Wasser mit einem Schuss mildem Spülmittel gegen Blattläuse aufsprühen.

Gelbe Pflanzen unweit der Tomaten pflanzen. Sie lenken Baumwanzen von den Tomaten ab.

Dill zieht Tabakschwärmer an. Man kann sie dann leicht von der Dillpflanze abklauben.

Erdraupen werden ferngehalten, wenn man den Stamm mit Alufolie umwickelt.

219 Eine Samenbombe säen

Samen über Kompost verteilen.

Mit Lehm vermischen.

Wasser einrühren.

Vermischen.

Murmelgroße „Bomben“ rollen

In der Sonne trocknen.

Vor einem Regenguss werfen.

Ergebnis bewundern.

220 Samenpapier säen

Papier zerstückeln.

Wasser und Papier zu gleichen Teilen in einen Mixer geben.

Bei geringer Stufe vermischen.

58 Eine Papierringelblume falten

Samen einrühren.

221 Moos-Graffiti entwerfen

Moos zerkrümeln; Wasser zugeben.

Wasserabsorber hinzugeben.

Buttermilch dazugeben.

Schaumig mixen.

In einen Kübel gießen.

Auf Holz oder Ziegel malen.

Einmal pro Woche befeuchten.

Dem Kunstwerk beim
Wachsen zusehen.

* Dank Wasserabsorber, der in Blumengeschäften erhältlich ist, gedeihen Pflanzen auch an unwirtlichen Orten wie einer Mauer.

Brei auf einem Gitter ausrollen.

Mit einem Ventilator die
Trocknungszeit verkürzen.

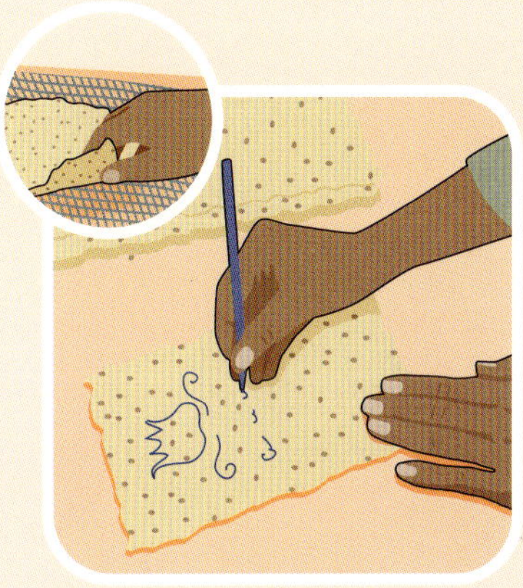

Getrocknetes Papier ablösen; verzieren.

Viel Spaß mit der
pflanzbaren Grußkarte!

222 Ein Komposthaufen im Hinterhof

Dank einem Komposthaufen im Hinterhof landen organische Abfälle nicht auf der Deponie und Ihre Pflanzen erhalten einen vorzüglichen Dünger. Abfälle wie in der Abbildung schichten, wässern und Luft zuführen. Die Abfälle haben sich vollkommen zu nährstoffreichem Dünger zersetzt, wenn keine Stückchen mehr darin erkennbar sind.

Diese Abfälle locken Ungeziefer an. Kompostieren auf eigenes Risiko!

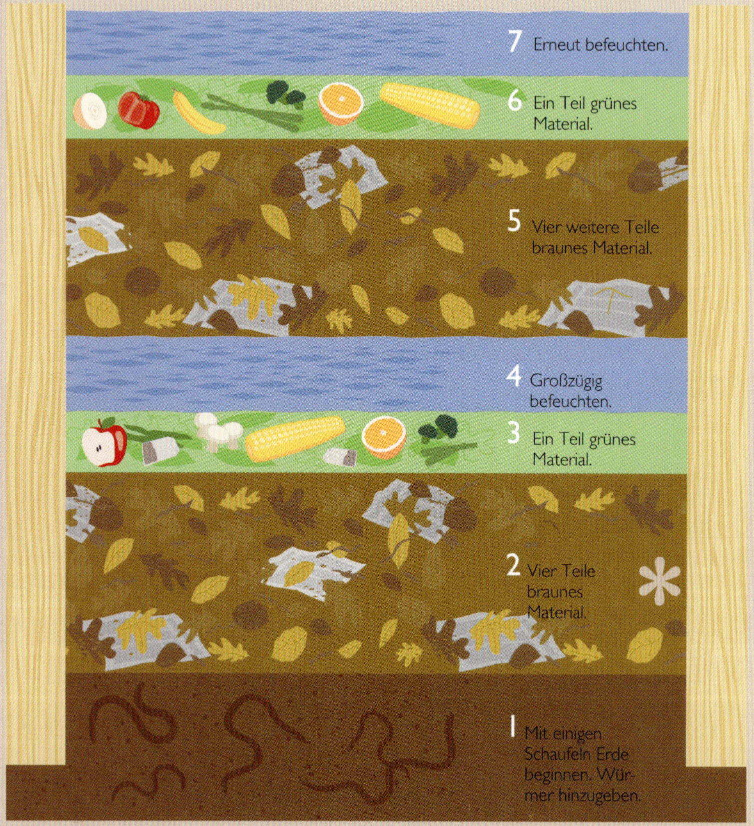

Den Haufen einmal pro Woche befeuchten.

Nach Bedarf durchmischen, um Luft zuzuführen.

* Braunes Material ist idealerweise reich an Kohlenstoff: alte Blätter, etwas Zeitungspapier, Holz und Sägemehl. Grünes Material enthält viel Stickstoff und besteht aus Abfällen wie Gemüse, Eiern, Pflanzenblättern und Tee. Lecker!

223 Kompostee brauen

Kompost in Leinensack geben.

An einem Stock festbinden.

367 Einen Kräutertee brauen

In Wasser tauchen.

Gießkanne mit „Tee" füllen.

Pflanzen gießen.

Bougainvillea ranken lassen 224

Stock nahe dem Rankgitter platzieren.

Drei Setzlinge in der Nähe des Stocks pflanzen.

Stängel um den Stock winden.

Zweige zurechtstutzen.

Weiterhin winden und zurechtstutzen.

Enden abzwicken, drei Blätter übrig lassen.

Mit einer Schnur am Gitter befestigen.

Nach Bedarf zurechtstutzen.

Durch das Zurechtstutzen der Bougainvillea fördern Sie das Wachstum einer einzelnen Kletterpflanze, die das Rankgitter emporklettert, anstatt vieler unbändiger Zweige und Knospen.

Eine Bromelie zum Blühen bringen 225

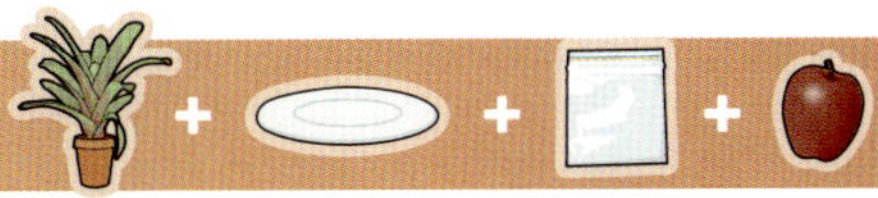

Pflanze trockenlegen.

Mit einem Apfel in Plastiktüte geben; warten.

Tagsüber warm halten.

Nachts kühl halten.

Bis zur Blüte warten.

226 Ein Fledermaushaus bauen

227 Schmetterlinge anlocken

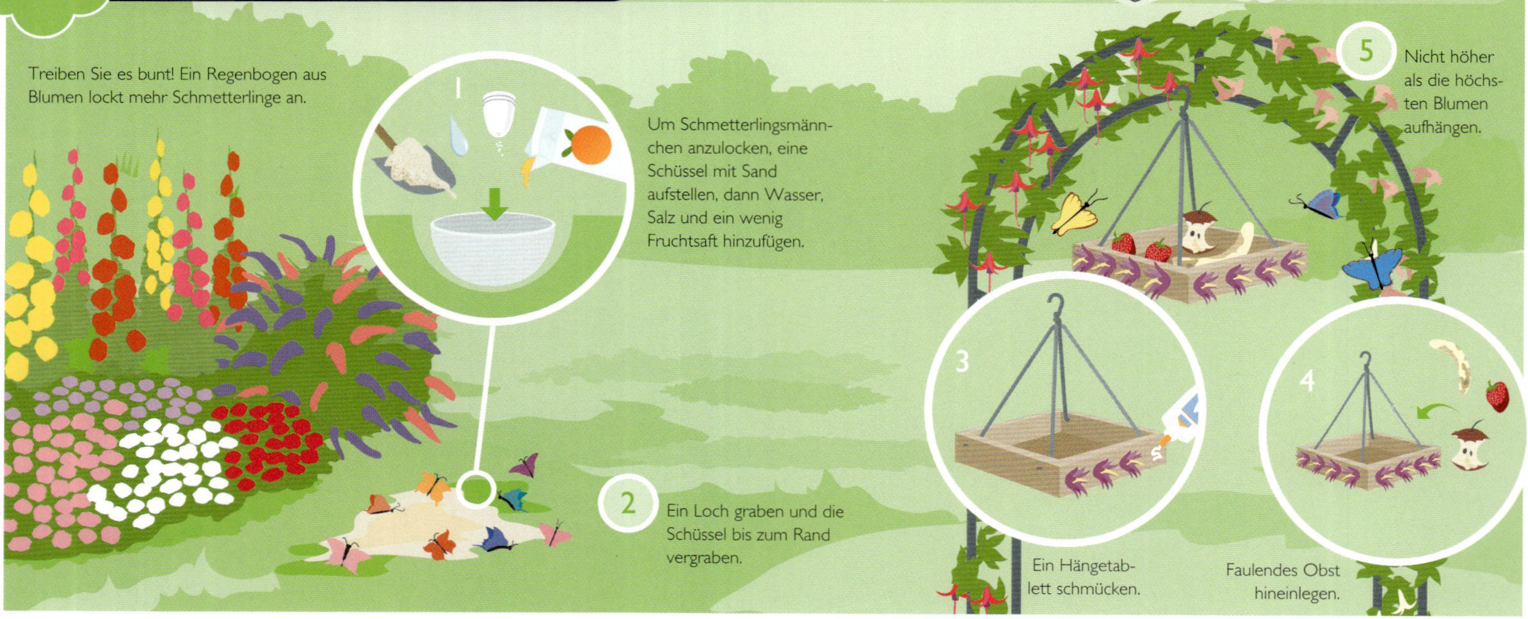

228 Einen Bienenstock basteln

229 Ein Eidechsenrefugium errichten

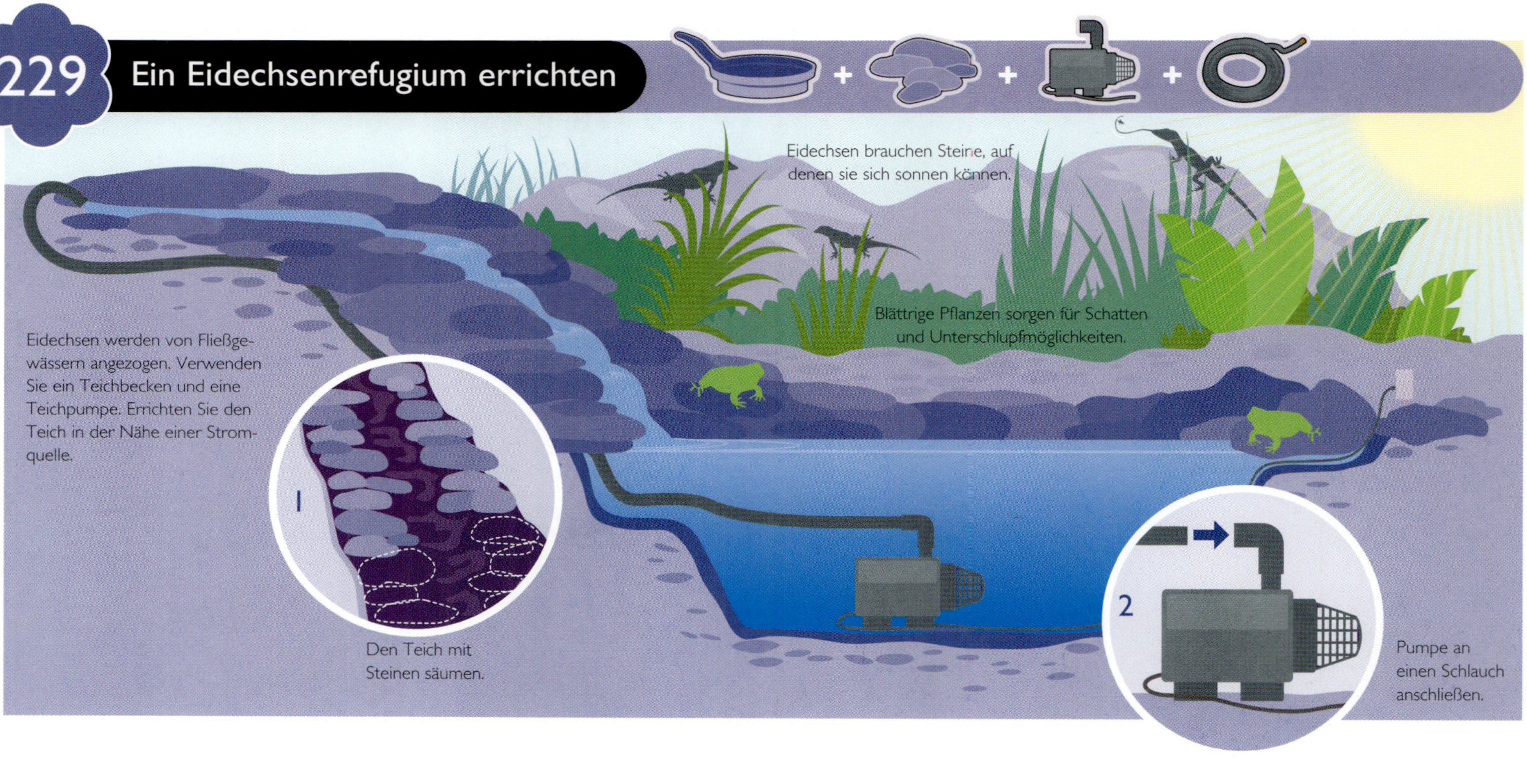

230 Ein spuckendes Lama erkennen

Zurückgelegte Ohren.

Hochgezogene Nase.

Gestreckter Hals.

Klumpen wandert den Hals hoch.

In Deckung!

231 Einen Snack für Kraken einfrieren

Eine halbe Garnele in Eis einfrieren.

Umdrehen; mehr Wasser hinzugeben.

Erneut einfrieren.

Ins Aquarium werfen.

Stundenlanger Spaß garantiert!

232 Einer Schlange beim Häuten helfen

* Eine schlechte Häutung weist darauf hin, dass die Temperatur oder der Feuchtigkeitsgehalt im Terrarium nicht passt. Fragen Sie einen Schlangenexperten um Rat.

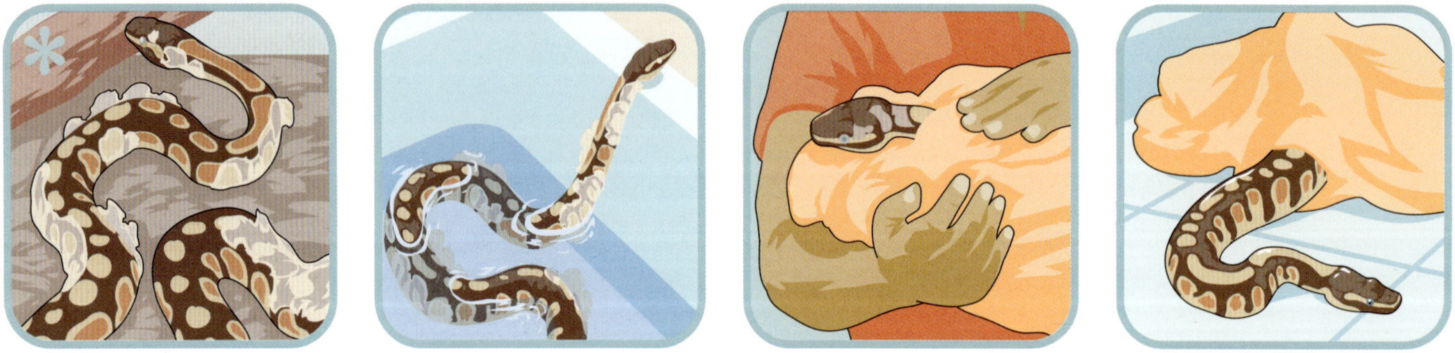

Schlechte Häutung erkennen.

In lauwarmes Wasserbad setzen.

In feuchtes Handtuch wickeln.

Schlange herauskriechen lassen.

233 Kaninchen-Duos zusammenbringen

Was ist besser als ein Kaninchen? Zwei! Doch bedenken Sie, dass nicht jede Kombination in Freundschaft endet – manche Duos werden Revierkämpfe ausfechten, andere werden gleichgültig reagieren. Sehen Sie hier, wer mit wem zusammenpasst.

Um die Tiere vorsichtig miteinander bekanntzumachen, eine neutrale, unbekannte Umgebung wie die Badewanne wählen!

234 Hasen miteinander vertraut machen

In neutrale Umgebung setzen.

Zeit zum Kennenlernen lassen.

Ein Bad zum Liebesglück 140

Aggressives Verhalten mit Wasser stoppen.

Hoffen, dass sie sich gut vertragen.

235 Katzenminzöl herstellen

In ein sauberes Konservenglas geben; verschließen.

Auf einer sonnigen Fensterbank stehen lassen.

Abseihen; Öl in ein sauberes Konservenglas gießen.

Katzenminze wegwerfen.

Ein paar Tropfen auf den Kratzbaum. . .

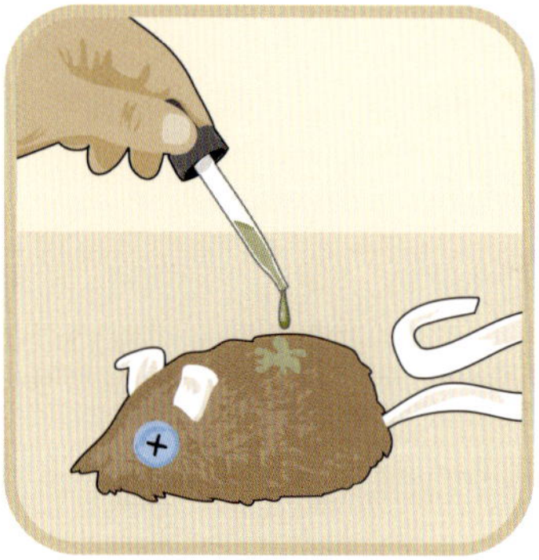

. . . Spielzeug . . .

62 Einen Seifenblasendruck herstellen

. . . oder ungiftige Seifenlauge träufeln.

Öl kühl und trocken lagern.

236 Ein Katzenklo verbergen

Auf der Suche nach einem diskreten, aber gut zugänglichen Versteck für das Katzenklo? Wie wäre es mit einem dieser unkonventionellen Orte?

Für ein antikes Flair eine Öffnung in eine alte Holztruhe schneiden.

Eine Öffnung in einen großen Blumentopf schneiden und mit Seidenblumen bestücken.

Kunstliebhaber können ein Podest umfunktionieren.

Das Innere einer Kommode bietet Stauraum und Platz fürs Katzenklo zugleich.

237 Ein Hundebett machen

Zum Waschen die offene Seite aufmachen, Schaumstoff herausnehmen und den Überzug in die Waschmaschine geben.

Maße des Hundes ermitteln.

Schaumstoff in passender Größe zuschneiden.

Eine rockige Decke nähen 65

Auf eine alte Decke legen.

Darüberschlagen; zurechtschneiden.

Abgeschnittenen Rand einsäumen.

Klettbandstreifen annähen.

Klettband schließen; offene Seiten zunähen.

Süße Träume!

238 Ein Festmahl für Bello zubereiten

Für ein ausgewogenes Festmahl für Ihren Liebling wählen Sie Zutaten aus den Spalten von unten. Mit ½ Teelöffel Jodsalz und 2 Esslöffel Pflanzenöl vermischen. Guten Appetit!

vier Teile Protein
Fleisch in Wassser kochen; Knochen entfernen und in kleine Happen zerteilen.

drei Teile Obst und Gemüse
Weichkochen; pürieren.

drei Teile Stärke
Weichkochen.

239 Ein Kinderzimmer einrichten

Ein Neugeborenes hochheben 240

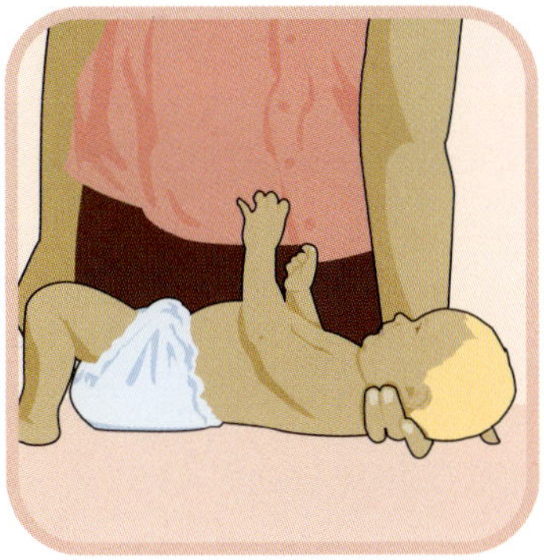
Nacken des Babys stützen.

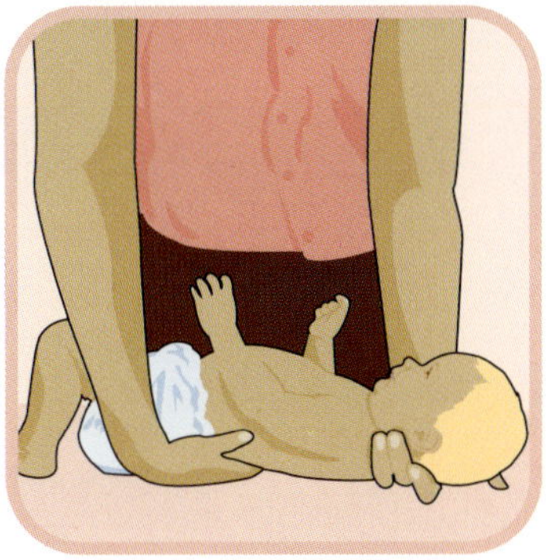
Andere Hand unter die Hüften schieben.

Vorsichtig zur Schulter heben.

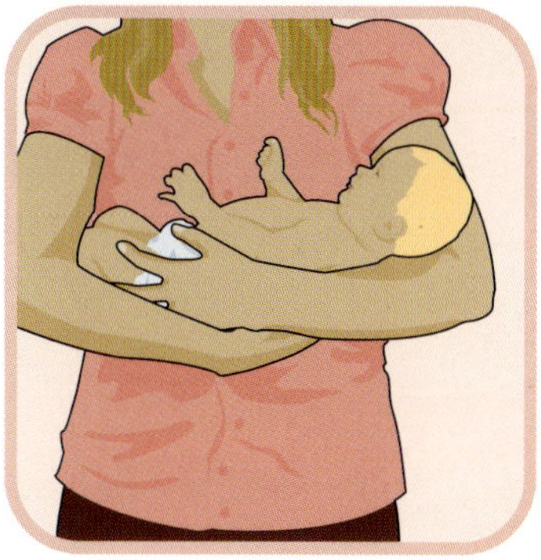
Im Arm wiegen.

Beim Zahnen helfen 241

Kamillentee kochen.

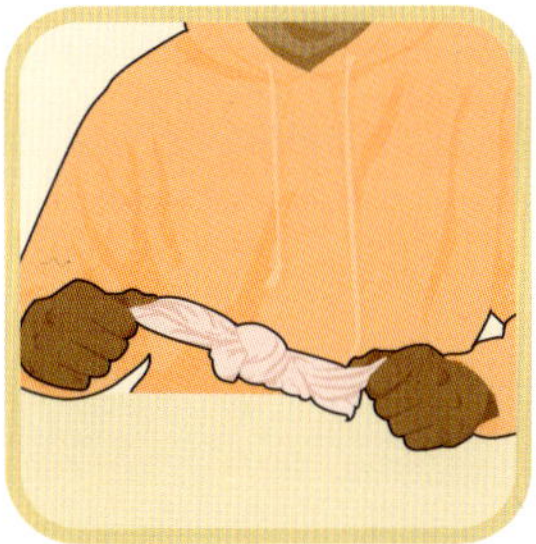
Waschlappen verknoten.

Knoten in Tee tunken.

Einfrieren.

Obstschlecker einfrieren 363

Dem zahnenden Baby geben.

Übelkeit im Auto verhindern 242

Öfter Pausen für Spaziergänge einlegen.

Für frische Luft sorgen.

Auf gesunde Snacks achten.

Nach vorn blicken lassen.

Ingwer- oder Minzbonbons probieren.

243 Mit einem Stoffhasen besänftigen

1 Sauberen Waschlappen nehmen.

2 Diagonal aufrollen.

3 Rolle in der Mitte falten.

4 Mit einem Gummiband fixieren.

244 Mit einem Baby spielen

Bei diesen einfachen, netten Beschäftigungen geht es nicht nur ums Spielen und den Spaß – Ihr Baby erwirbt dabei auch eine Reihe essentieller Fähigkeiten.

0–3 Monate

282 Mit einem Baby fliegen

Flugzeugspiele erleichtern Koliken; Hals und Schultern werden gestärkt

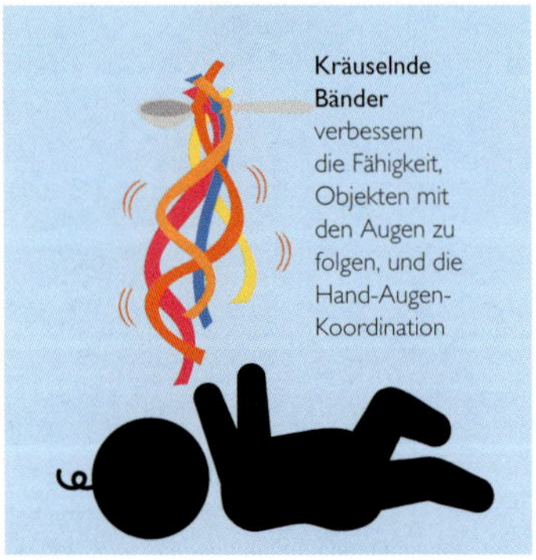

Kräuselnde Bänder verbessern die Fähigkeit, Objekten mit den Augen zu folgen, und die Hand-Augen-Koordination

3+ Monate

Hängematten fördern das Gleichgewicht; stärken Rücken und Nacken

Geräuscherzeuger fördern die Fähigkeit, Geräusche zu lokalisieren; lehren Ursache und Wirkung

6+ Monate

Bälle rollen fördert das Gleichgewicht, die Bewegung und die Koordination

Spaziergänge in der Natur regen die Sinne an

9+ Monate

Bauklötze umwerfen verfeinert motorische Fähigkeiten; fördert die Fähigkeit, Formen zu erkennen

Kissen-Parcours fördert das Körperbewusstsein; stärkt Augen-Fuß-Koordination

* Wenn Ihr Kind jünger als sechs Jahre ist, die Kulleraugen und das Puschelschwänzchen weglassen – Erstickungsgefahr!

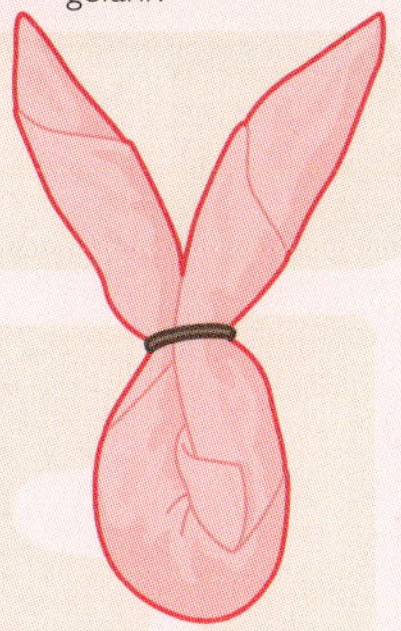

5 Die „Ohren" zurechtzupfen.

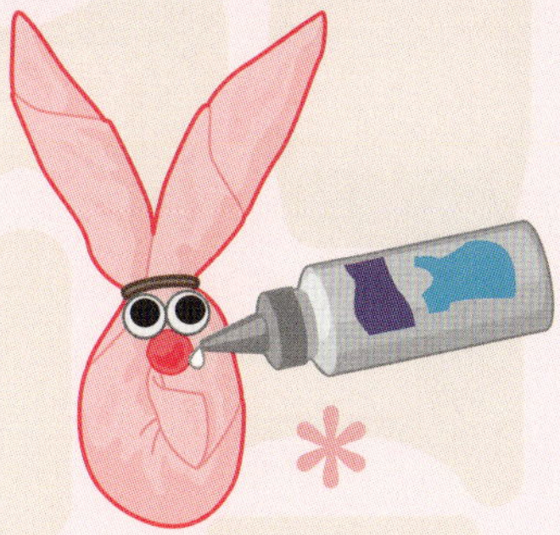

6 Gesicht aufkleben.

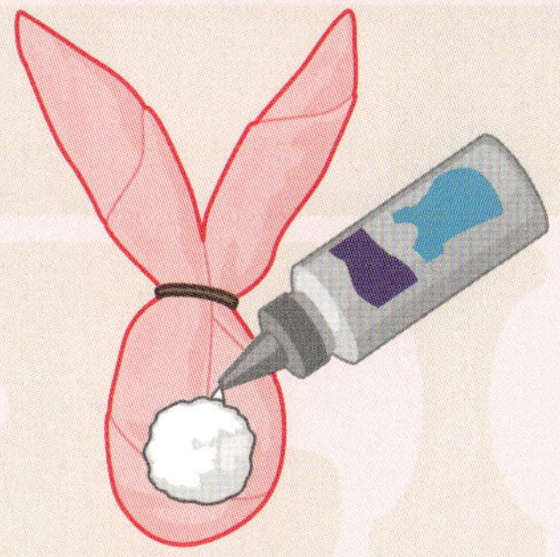

7 Schwanz befestigen.

8 Eiswürfel hineinstecken.

12+ Monate

Blasen jagen
fördert Hand-Augen-Koordination; sorgt für taktile Stimulation

Nachahmung
fördert das Sozialverhalten und das Körperbewusstsein

18+ Monate

Sandkiste
fördert die Feinmotorik; sorgt für taktile Stimulation

Rasseln
fördern das Rhythmusgefühl und die kreative Bewegung

24+ Monate

Puppenspiel nach Anleitung des Kindes
fördert Fantasie, Sprachentwicklung und soziale Fähigkeiten

Wasser gießen
fördert Problemlösungskompetenzen und die Feinmotorik

30+ Monate

Lupe
lehrt Ursache und Wirkung; bereichert die sinnliche Erfahrung

Verkleiden
fördert Kreativität und soziale Fähigkeiten

246 Einen Drachen steigen lassen

In Windrichtung stehen.

Drachen einer Freundin geben.

Leine abrollen, während die Freundin zurückgeht.

Die Freundin hält den Drachen in die Höhe.

Die Freundin lässt den Drachen los.

Mit hochgestreckten Armen dem Wind entgegengehen.

Leine abrollen, bis der Drachen hoch genug fliegt.

Am Ende Leine langsam einrollen.

247 Eine Leintuchfestung errichten

Kulisse errichten.

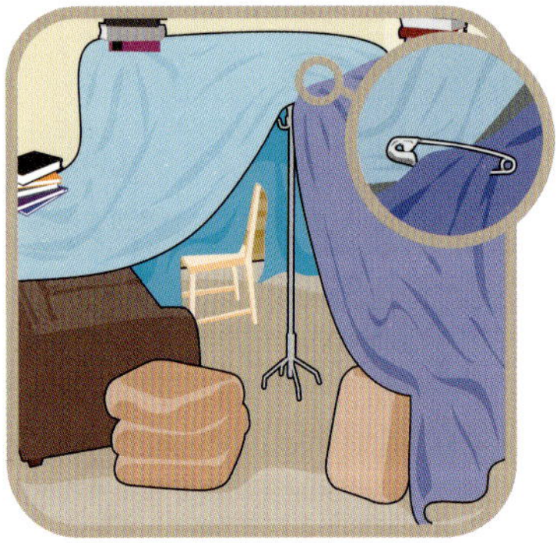

Leintücher überwerfen und befestigen.

Einen Eingang errichten.

Dekorieren und ausstatten.

Eine verlorene Kultur ausgraben 248

Eine Gruppe von Kindern in zwei Teams aufteilen. Ein Team wählt (oder erfindet) eine verlorene Kultur und vergräbt Objekte, die die Gesellschaft benutzt hätte. Das andere Team gräbt die Artefakte aus und macht sich ein Bild vom Leben in der verlorenen Stadt – wie echte Archäologen.

Ein antikes Fundstück fälschen 47

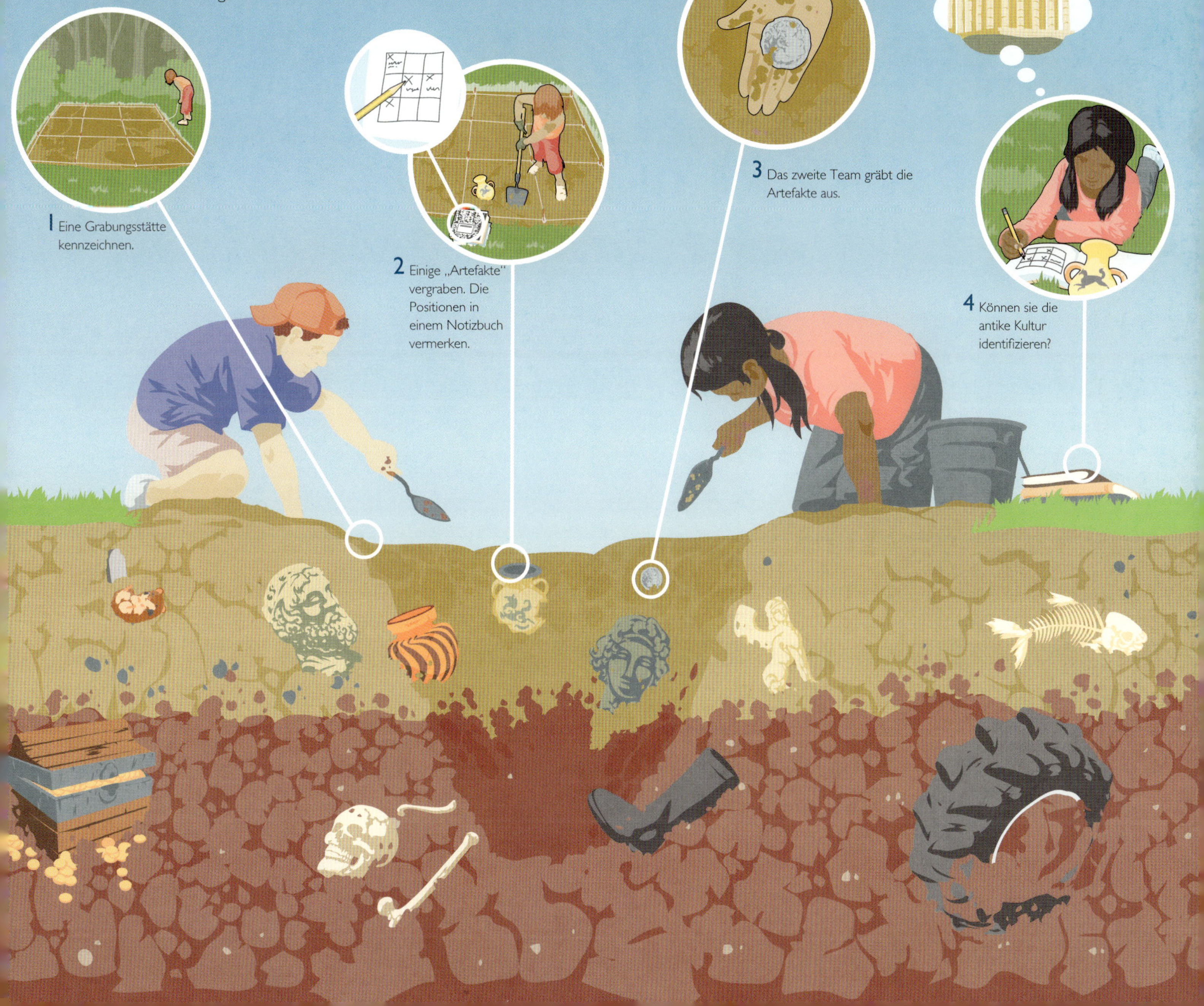

1 Eine Grabungsstätte kennzeichnen.

2 Einige „Artefakte“ vergraben. Die Positionen in einem Notizbuch vermerken.

3 Das zweite Team gräbt die Artefakte aus.

4 Können sie die antike Kultur identifizieren?

249 Die Pubertät überstehen

Die Pubertät gleicht mitunter einem strategischen Spiel mit vielen Herausforderungen und Fallen, aber auch Tricks, die einem zum Sieg verhelfen. Ob sich die Interessen nun auf Sport, Musik, Kreatives oder Computer konzentrieren – mithilfe dieses Schummelzettels findet sich jeder Teeneager im Irrgarten der Pubertät etwas besser zurecht.

Spielfigur wählen.
Start
Ohrlöcher zu Hause stechen
Ohrläppchen betäuben.
Haut sterilisieren.
Sicherheitsnadel sterilisieren.
Nadel einführen; hinten einen Korken unterlegen.
Befestigen; nach ein paar Stunden durch Stecker ersetzen.
Krämpfe behandeln
Hinlegen und Beine hochlagern.
Wärmflasche auflegen.
Ingwertee trinken.
Eine Zahnspange pflegen
Nicht wegwerfen.
Nachts in Mundwasser einlegen.
Zweimal täglich bürsten.
Zum Essen herausnehmen.
Eine Laufmasche stoppen
Löchrige Strümpfe vorsichtig anziehen.
Stück Papier unter das Loch schieben.
Durchsichtigen Nagellack auftragen; Papier entfernen.
Abhauen
Sich an Bewegungsmeldern vorbeischleichen.
Achtung vor bellenden Hunden.
Nach Glocken-Alarmanlagen Ausschau halten.
Fenstergitter aufbrechen.
Dornige Hürden überwinden.

helfen

250 Sich auf einen Notfall vorbereiten

Örtliche Gefahrenquellen ermitteln.

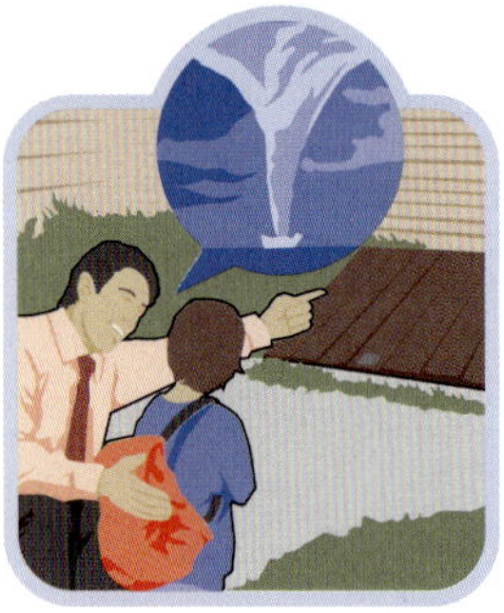

Verhaltensweisen üben.

Eine Kontaktperson für den Notfall wählen.

Einen Treffpunkt wählen.

Notrufnummern einspeichern.

* Wählen Sie einen Freund oder Verwandten, der an einem anderen Ort lebt und den sie für den Fall kontaktieren können, dass Ihre Familie in einer Notsituation getrennt wird. Vergewissern Sie sich, dass jeder die Telefonnummer hat.

251 Häuser vor Einbrechern schützen

Eine Nachbarschaftswache initiieren.

Ein Alarmsystem installieren.

Bewegungsmelder installieren.

Baumäste stutzen.

203 Einen Arbeitsraum ausstatten

Leitern und Mülltonnen drinnen verwahren.

Garagentüren geschlossen halten.

Schiebefenster mit Stäben sichern.

Vor dem Öffnen der Tür stets nachsehen.

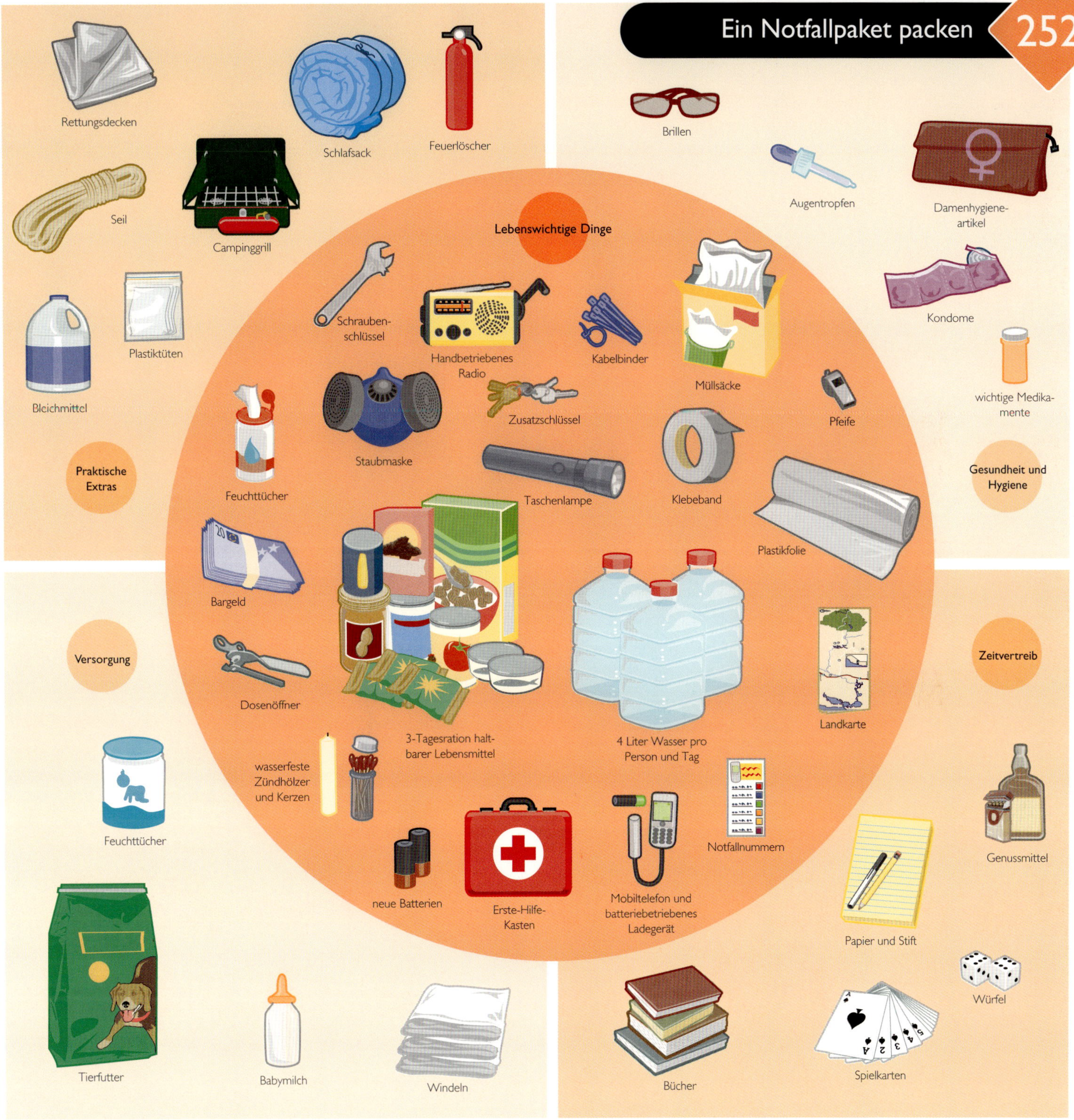
Lebenswichtige Dinge
Praktische Extras
Gesundheit und Hygiene
Versorgung
Zeitvertreib
Rettungsdecken
Schlafsack
Feuerlöscher
Seil
Campinggrill
Bleichmittel
Plastiktüten
Brillen
Augentropfen
Damenhygiene-artikel
Kondome
wichtige Medika-mente
Schrauben-schlüssel
Handbetriebenes Radio
Kabelbinder
Müllsäcke
Pfeife
Zusatzschlüssel
Staubmaske
Feuchttücher
Taschenlampe
Klebeband
Plastikfolie
Bargeld
Dosenöffner
3-Tagesration halt-barer Lebensmittel
4 Liter Wasser pro Person und Tag
Landkarte
wasserfeste Zündhölzer und Kerzen
neue Batterien
Erste-Hilfe-Kasten
Mobiltelefon und batteriebetriebenes Ladegerät
Notfallnummern
Feuchttücher
Genussmittel
Papier und Stift
Würfel
Tierfutter
Babymilch
Windeln
Bücher
Spielkarten

253 Garten vor Bränden schützen

Wenn Sie in einer trockenen Region leben, sollten Sie daran denken, sämtliche Gefahrenquellen für einen Brand in der Umgebung Ihres Hauses auszuschalten. Hier finden Sie ein paar Tipps dazu.

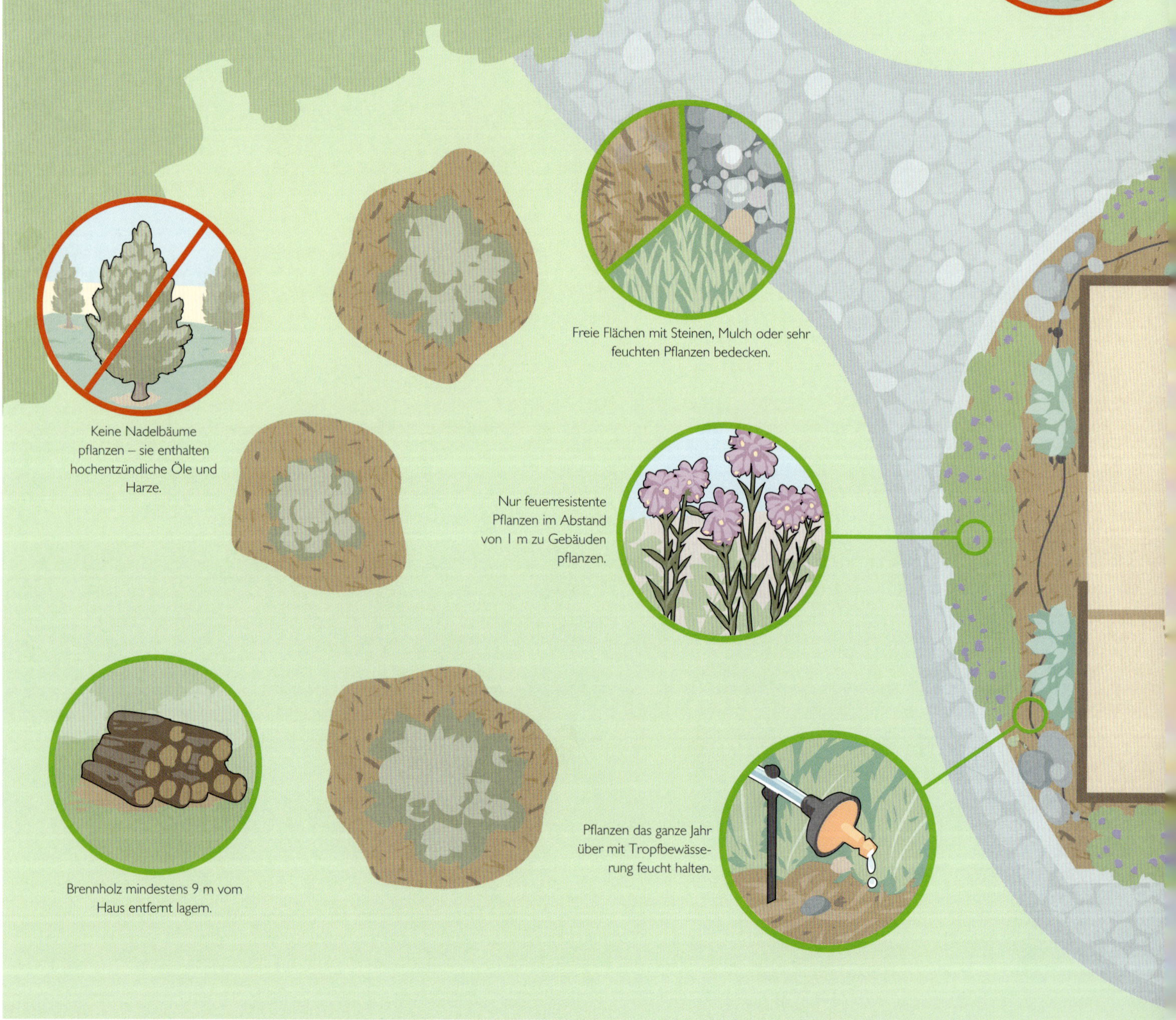

Sich auf einen Brand vorbereiten 254

Vorbereitung ist essentiell, damit man im Falle eines Brandes die Ruhe bewahrt. Üben Sie die richtigen Verhaltensweisen mit Ihrer Familie, damit jedes Familienmitgleid weiß, was im Notfall zu tun ist.

Einen Funkenfänger am Rauchfang installieren.

Kriechen und feuchtes Tuch vor den Mund halten.

Feuerleitern in Fensternähe griffbereit aufbewahren.

Ein Neugeborenes hochheben 240

Öfter prüfen, ob sich alle Fenster öffnen lassen.

Bei der Flucht über das Fenster zuerst Kinder in Sicherheit bringen.

Korridore frei halten.

Einen Fluchtplan mit zwei Fluchtrouten aus jedem Zimmer erstellen. Regelmäßig die Flucht proben.

Jede Tür vor dem Öffnen berühren. Wenn sie heiß ist, andere Route wählen.

Rauchmelder zweimal pro Jahr testen und Batterien nach Bedarf austauschen.

Nicht versuchen, den Brand selbst zu löschen.

Lüftungsgitter mit einem feinen Metallgitter abdecken, sodass keine glimmende Asche von Waldbränden ins Haus geblasen wird

Einen Treffpunkt nach der Flucht vereinbaren.

255 Einem Hurrikan trotzen

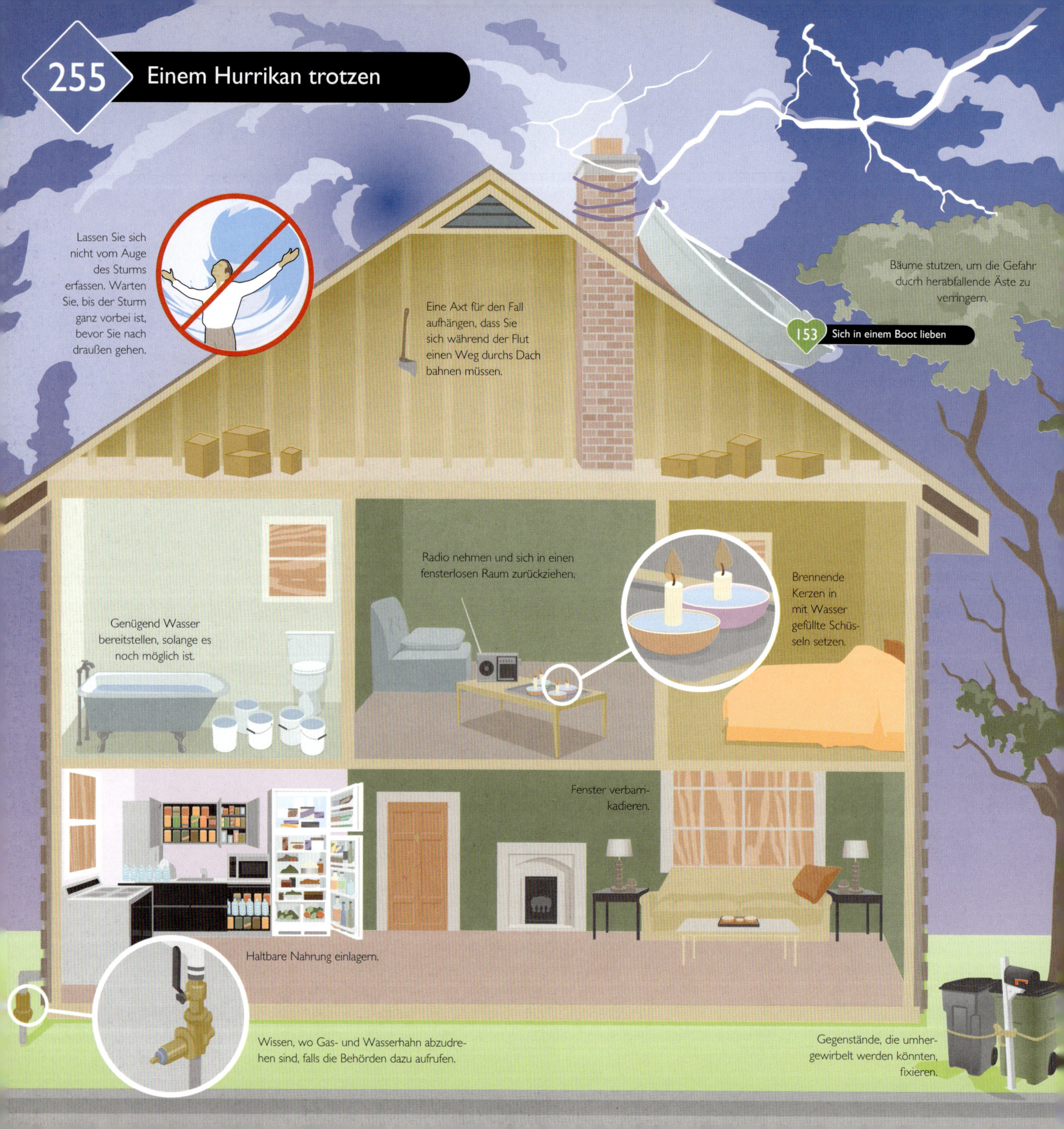

153 Sich in einem Boot lieben

256 Eine Hitzewelle überstehen

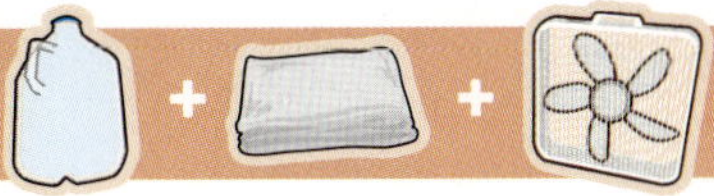

Sehr viel Wasser trinken.

Unnötiges Licht abschalten.

Fenster mit Leintüchern abdecken.

Für Luftzirkulation im Haus sorgen.

Klimatisierte Orte aufsuchen.

257 Stromausfälle im Winter

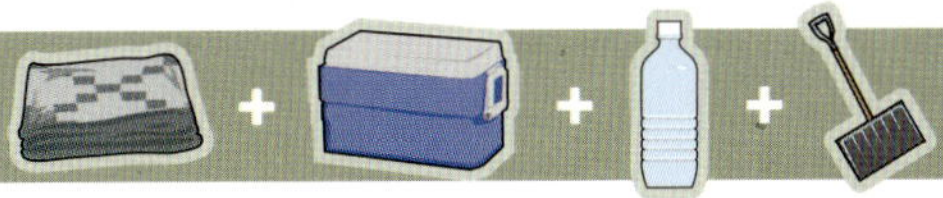

Ein eingefrorenes Rohr auftauen 213

Kinder und Haustiere ins Haus holen.

Zugige Türen isolieren.

In der Nähe einer Feuerstelle zusammen schlafen.

Rollos in der Nacht herunterlassen.

Tageslicht als Wärmespender hereinlassen.

Verderbliche Nahrung im Freien lagern.

Wasser trinken.

Sich beim Schneeschaufeln abwechseln.

258 Eine Lawine überleben

Verschüttetensuchgerät tragen.

Versuchen, über die Bruchlinie zu springen.

Quer zur Schneemasse bewegen.

Sich an einem Baum oder Stein festhalten.

Auf dem Schnee „schwimmen“.

Wenn Sie verschüttet werden, Gesicht bedecken.

Wenn der Schnee langsamer wird, ein Luftloch graben.

Ruhe bewahren und auf Hilfe warten.

259 Schneeblindheit verhindern

Klebebandstreifen abschneiden; falten.

Einen langen Schlitz einschneiden.

Mit Klebeband um den Kopf befestigen.

Wangen mit Ruß einschwärzen.

Schneemassen und entwurzelte Bäume weisen auf eine kurz zuvor abgegangene Lawine hin – Vorsicht vor erneuten Abgängen!

Lawinengefahren erkennen 260

Meiden Sie lawinengefährdete Gebiete in den zwei Tagen nach einem Unwetter oder Tauwetter. Wenn Sie die Gefahr nicht abhalten kann, packen Sie eine Klappschaufel, eine Sonde und ein Lawinenverschüttetensuchgerät ein.

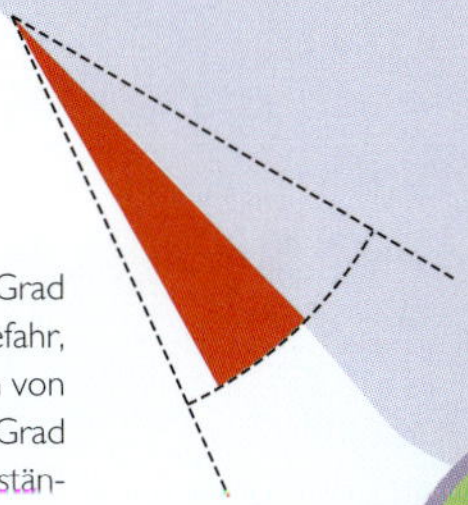

Auf Abhängen von 30–45 Grad herrscht große Lawinengefahr, doch selbst auf solchen von unter 25 und mehr als 60 Grad können unter gewissen Umständen Lawinen abgehen.

Glatte Grasabhänge ohne Felsen oder Bäume sind extrem gefährlich.

Eine schwere, komprimierte Schneeschicht auf einer pulvrigen Schicht ist äußerst instabil.

* Jedes Mitglied Ihrer Gruppe sollte ein Verschüttetensuchgerät tragen. Sollten Sie jemanden in einer Lawine verlieren, können Sie ihr Suchgerät auf das Radiosignal des Verschütteten einstellen und ihn so rasch finden.

Ein Lager im Schnee aufschlagen 300

Einen Verschütteten finden 261

Zur Stelle der letzten Sichtung gehen.

Suchgerät einstellen.

Bergabwärts suchen.

Das Gerät führt zur Suchstelle.

Sonde einstechen.

Unterhalb des Opfers graben.

Zuerst Kopf freilegen.

Um Hilfe rufen.

262 Jemanden auf den Schultern tragen

* DIes ist in den meisten Situationen eine ausgezeichnete Methode, eine bewusstlose Person zu transportieren, doch ist sie nicht während eines Feuers geeignet – wie die englische Bezeichnung „fireman's carry“ irrtümlich vermuten lässt.

Opfer auf die Beine Stellen; Arm heben.

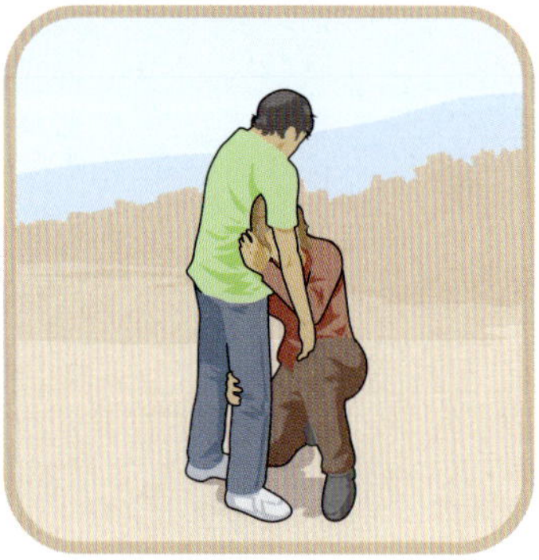

Hinknien; Opfer über die Schulter kippen.

Durch die Beine greifen; Arm des Opfers fassen.

Aufstehen.

263 Hyperventilation behandeln

Ursache für die Angstatta-cke ausschalten.

Zum langsamen Atmen auffordern.

Beine aufstellen; Kopf hochlagern.

Nase und Mund bedecken; atmen.

Wenn keine Besserung erkennbar ist, um Hilfe rufen.

264 Hilfe nach einem Unfall leisten

Besonnen reagieren.

Um Hilfe rufen.

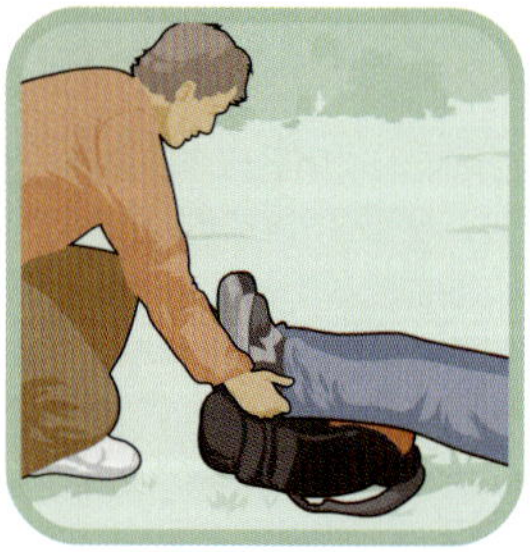

Beine hochlegen.

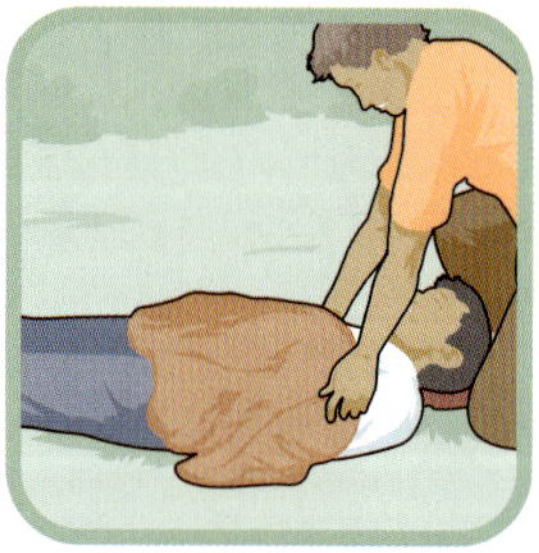

Temperatur stabilisieren.

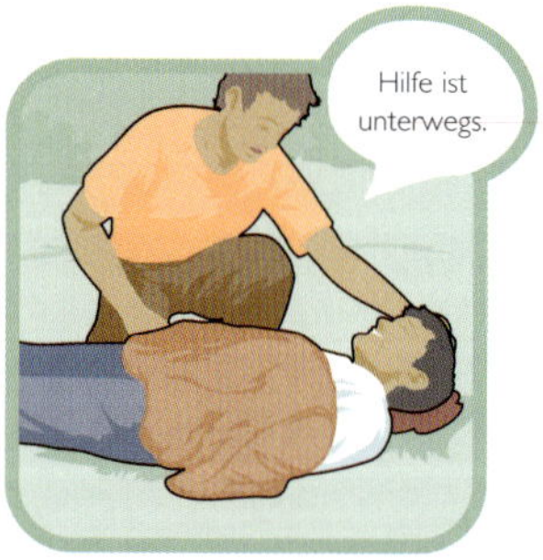

Beruhigend auf das Opfer einreden.

265 Einer Rippströmung entkommen

Eine Rippströmung ist eine sehr starke Strömung, die Wasser (und Schwimmer) rasant hinaus aufs offene Meer zieht. Rippströmungen sind selten mehr als 30 m breit, daher vermeidet man sie am besten, wenn man parallel zur Küste schwimmt.

Aufgewirbeltes Wasser vermeiden.

Wenn Sie von der Strömung erfasst wurden, Ruhe bewahren.

Parallel zum Strand schwimmen.

Sobald Sie aus der Strömung herausgerissen sind, zum Ufer schwimmen.

266 Einen Schwimmer retten

Kleidung oder Handtuch nehmen.

Hinausschwimmen.

Kurz davor anhalten; Handtuch zuwerfen.

Den Verunglückten festhalten lassen.

An Land schwimmen, den Verunglückten nachziehen.

267 Einen Sonnenstich lindern

Wenn die Körpertemperatur des Patienten über 40° C beträgt, sofort einen Arzt rufen.

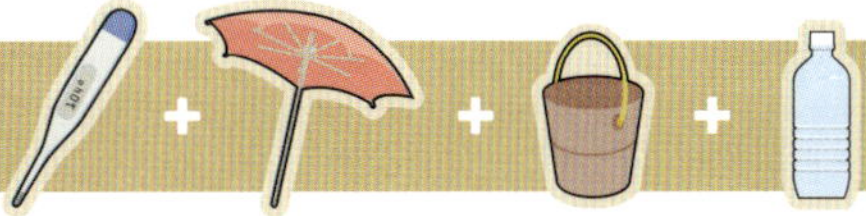

Temperatur des Patienten messen.

Patient in den Schatten bringen.

Kleidung ausziehen.

Mit kühlem Wasser abduschen.

Dem Patienten genügend zu trinken geben.

268 Einem wilden Gorilla begegnen

Zum Zeichen der Unterwerfung zusammenkauern.

Gorilla, wenn möglich, kraulen.

Sonst wegdrehen.

Augenkontakt vermeiden.

380 Einen Powerslam ausführen

Bei einer Attacke zusammenrollen.

269 Einen Quallenangriff überstehen

Mit Salzwasser abspülen.

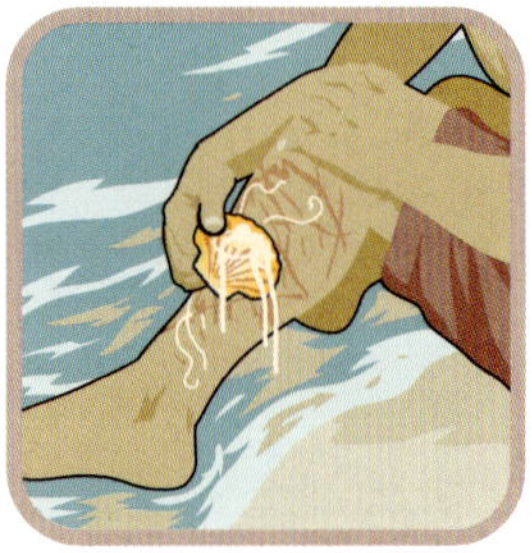
Tentakel abschaben.

Ibuprofen einnehmen.

Ein heißes Bad nehmen.

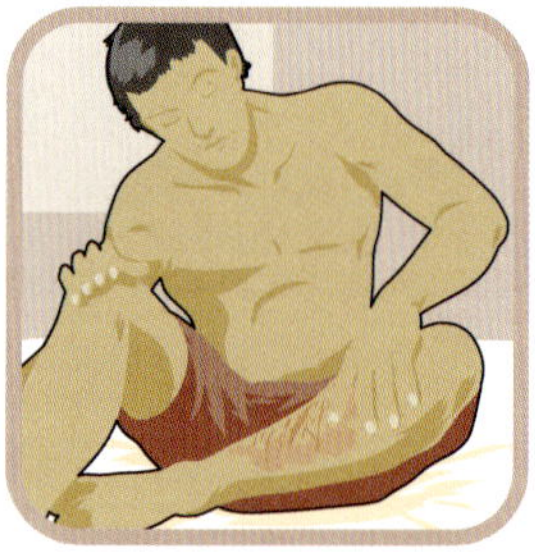
Auf allergische Reaktionen achten.

270 Eine Anakonda besiegen

Im seichten Wasser vorsichtig sein.

Tief einatmen; Atem anhalten.

So kräftig wie möglich in den Schwanz beißen.

Einen Stein nehmen; auf den Kopf schlagen.

271 Auf der Hut vor Bären sein

272 Bären voneinander unterscheiden

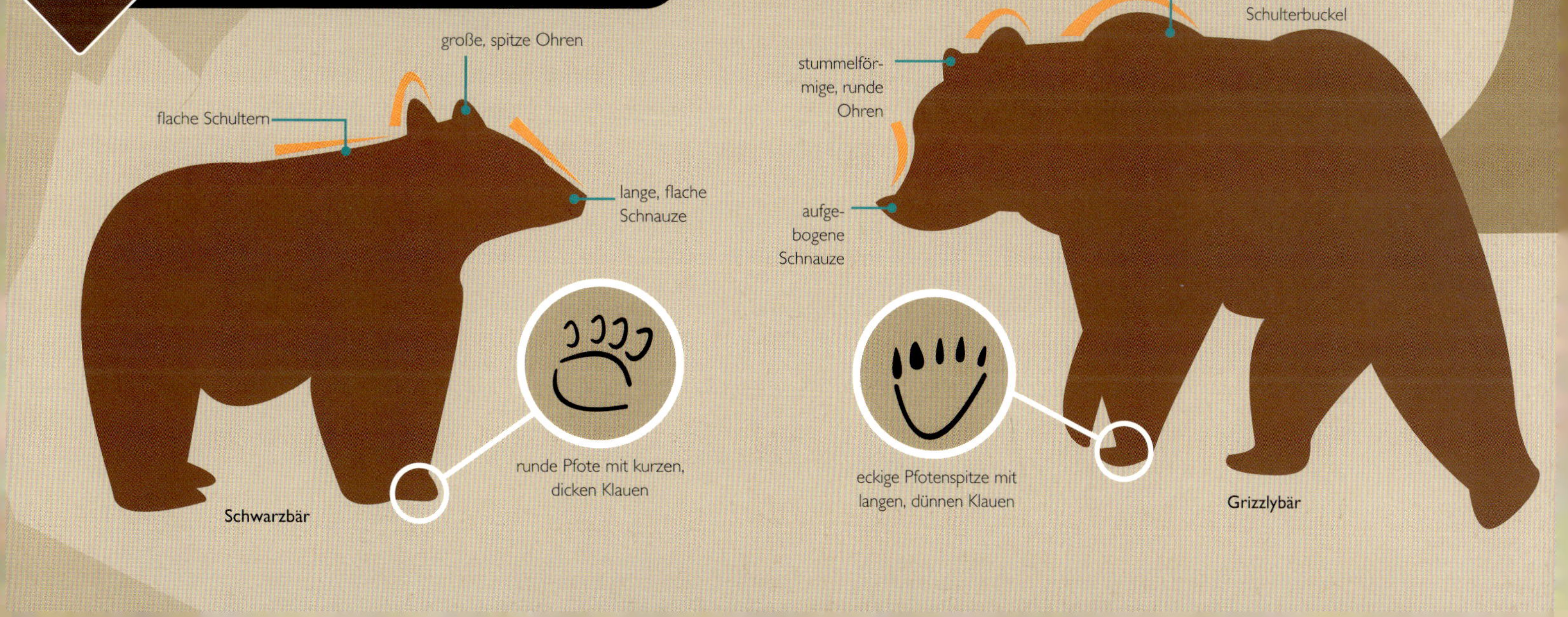

273 Einen Skorpion essen

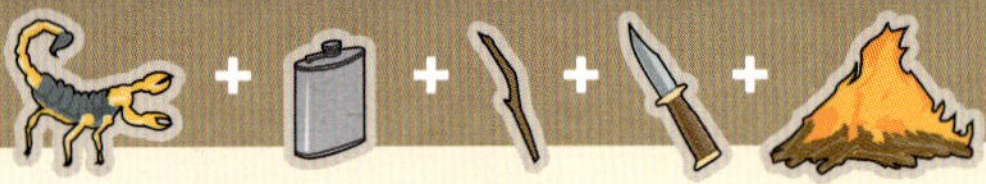

Wenn Sie sich in der Wüste ohne Nahrung wiederfinden, können Skorpione eine bekömmliche und proteinreiche Nahrung darstellen – nicht zu vergessen all die anderen essbaren Käfer!

Genießbaren Skorpion finden.

Mit Likör betäuben

Mit Stöckchen niederhalten.

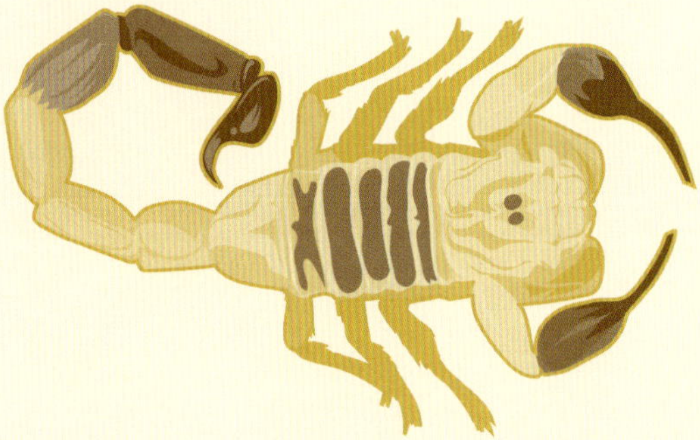

Riesenspaltenskorpion

Dickschwanzskorpion

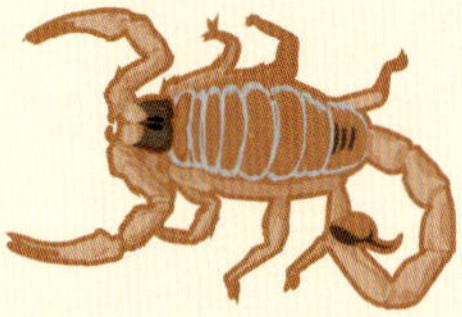

Indischer roter Skorpion

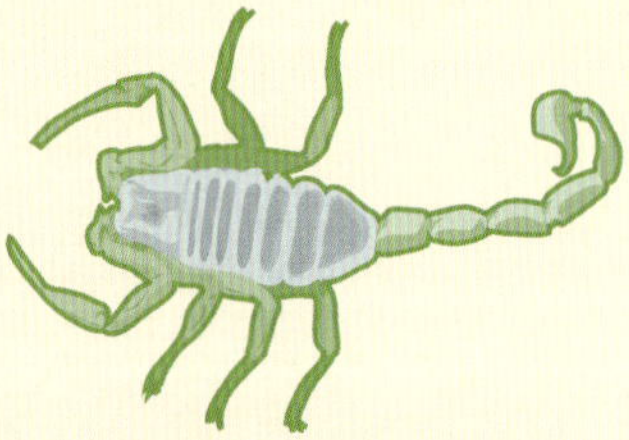

Gelber Mittelmeerskorpion

Scorpio maurus

Kaiserskorpion

218 Schädlinge bekämpfen

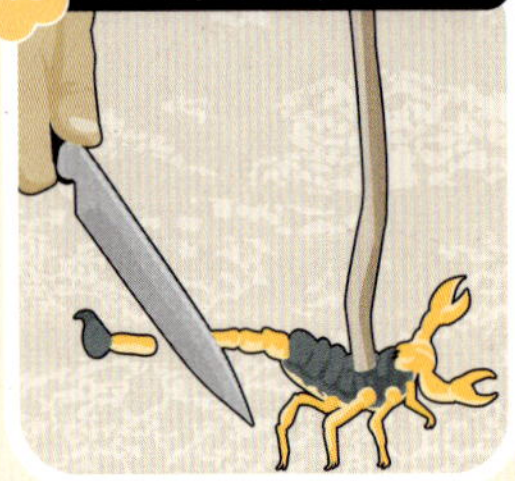

Stachel entfernen.

Aufspießen.

Knusprig grillen.

Auf einmal essen.

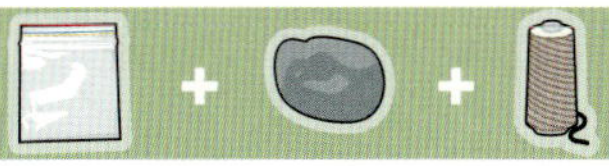

Wasser von einem Ast sammeln 274

Wasser im Haushalt sparen 212

Plastiktüte beschweren.

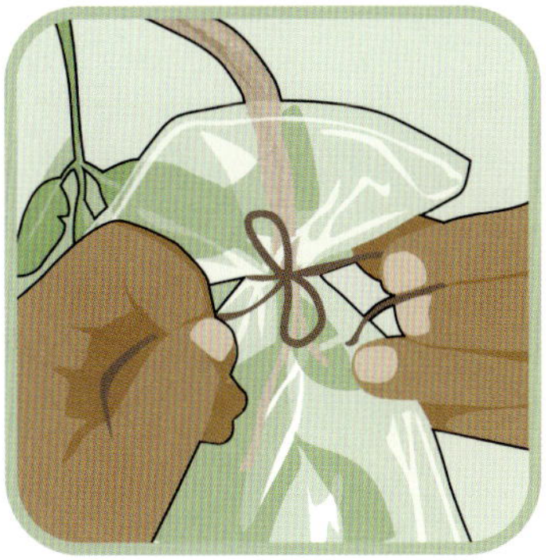

Über das Ende eines Zweiges stülpen; festbinden.

Warten.

Wasser sammeln; vor dem Trinken abkochen.

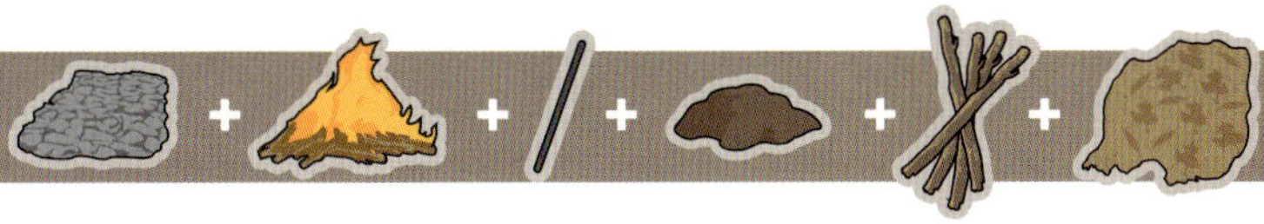

Ein Feuerbett errichten 275

Eine Schicht Steine auslegen.

Ein großes Feuer darauf entfachen.

Warten, bis das Feuer erlischt.

Kohlen über den Steinen verteilen.

Kohlen mit einer Schicht Erde bedecken.

Stämme über die Erde legen.

Mit Laub und Nadeln bedecken.

Erholsamen Schlaf!

276 Einen Angriff abwehren

Freien Arm zurückziehen.

Auf die Hand des Angreifers zielen.

Mitte treffen.

Davonlaufen.

277 Sich sicher im Parkhaus bewegen

Nicht zwischen zwei Vans parken.

Einen freien, gut beleuchteten Platz suchen.

In der Nähe des Ausgangs parken.

Den Aufzug statt die Treppen benutzen.

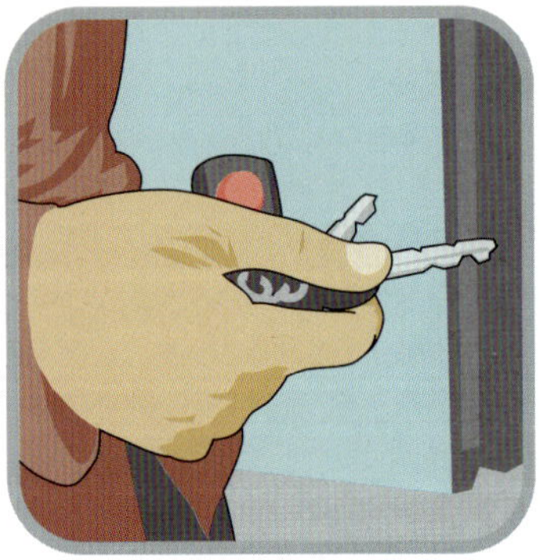

Schlüssel bereit halten.

Vor dem Einsteigen ins Auto blicken.

Türen sofort verriegeln.

Parkhaus sofort verlassen.

Einer Massenpanik entkommen 278

Ausschau nach alternativen Ausgängen halten.

Diagonal durch andere Personen hindurchzwängen.

Verlorene Schuhe zurücklassen.

Hinter unbeweglichen Objekten Zuflucht suchen.

Einer Rauferei entgehen 279

Versuchen, Konflikt zu vermeiden.

Den Verrückten spielen.

Etwas Unerwartetes machen.

Versuchen, größer zu wirken.

Mit voller Lautstärke schreien.

„Prost“ in allen Sprachen sagen 288

Getränk ins Gesicht des Gegners schütten.

Mit dem Barhocker bedrohen.

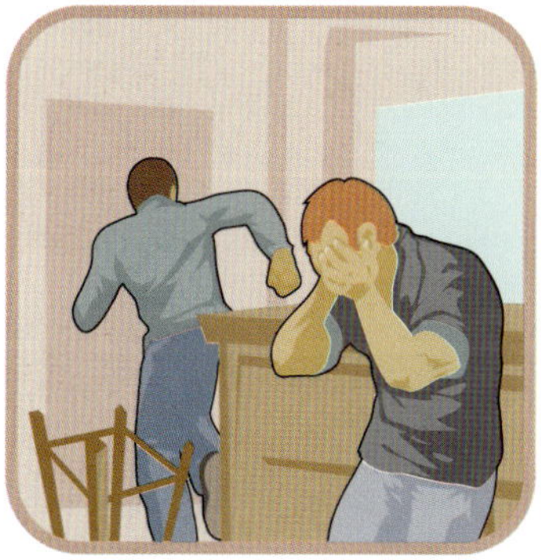

Flüchten.

reisen

280 Die perfekte Destination finden

Ob Sie nun auf der Suche nach dem ultimativen Adrenalinkick, viel Romantik, Spaß mit der Familie oder etwas Abenteuer sind, überall warten unzählige Destinationen auf Sie.

Europa

Afrika und Naher Osten

Asien

Ozeanien

Venedig, Italien

Seychellen

Pangkor, Malaysia

Vatulele Island, Fidschi

Billund, Dänemark

Merzouga, Marokko

Chiang Mai, Thailand

Gold Coast, Australien

Südwestküste, Island

Serengeti, Kenia

Tubbataha-Riff, Philippinen

Purnululu-Nationalpark, Australien

Haute Route, Schweiz

Gansbaai, Südafrika

Ausläufer des Himalaya, Burma

Waitomo-Distrikt, Neuseeland

Jakobsweg, Spanien

Petra, Jordanien

Almaty, Kasachstan

Goroka, Papua-Neuguinea

281 Reisevorbereitungen treffen

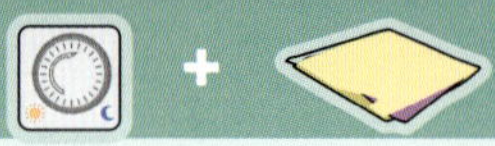

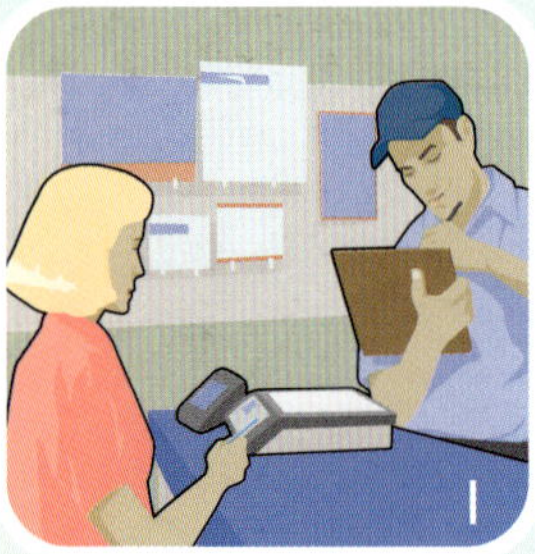

Postfach einrichten.

Timer bei der Beleuchtung einstellen.

Verderbliche Lebensmittel aufbrauchen.

251 Häuser vor Einbrechern schützen

Fenster verschließen.

Reiseinfos beim Nachbarn hinterlegen.

Geräte ausstecken.

Tropfende Wasserhähne stoppen.

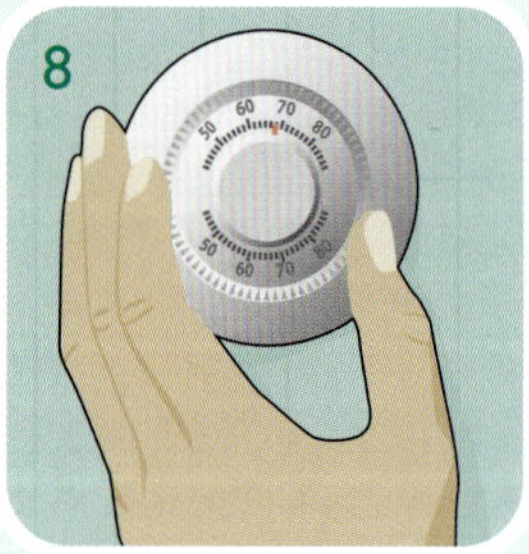

Thermostat einstellen.

282 Mit einem Baby fliegen

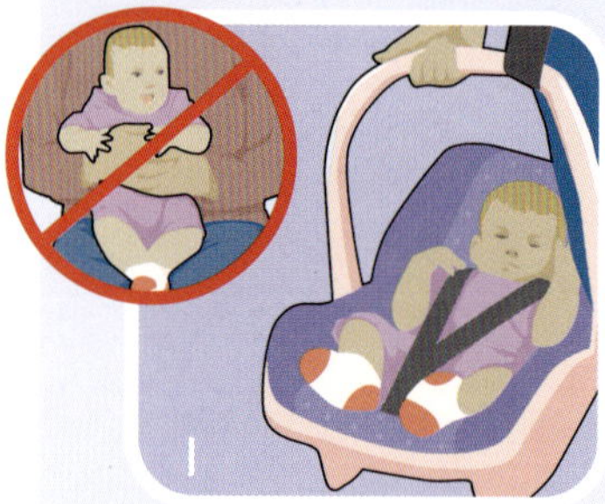

Einen geeigneten Autositz verwenden.

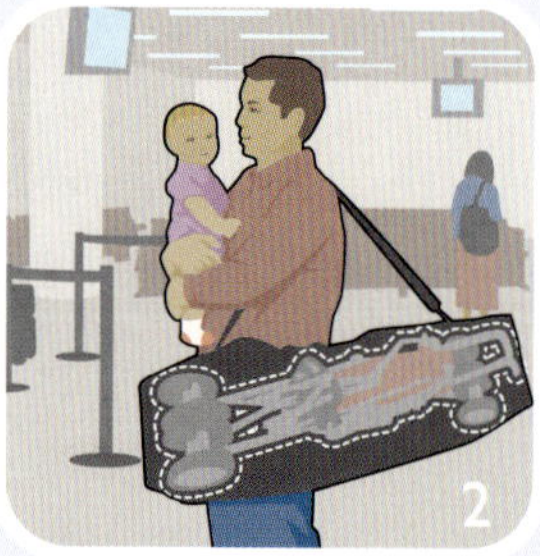

Kinderwagentasche mitnehmen.

Mehr als das Nötigste einpacken.

Beim Abheben Fläschchen geben.

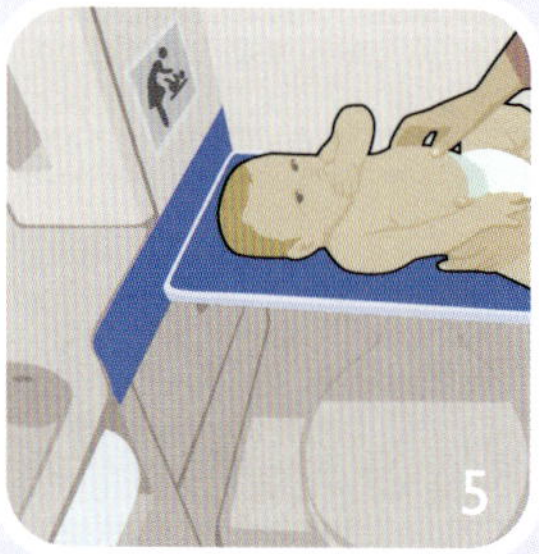

Im Waschraum Windel wechseln.

242 Übelkeit im Auto verhindern

Mit neuem Spielzeug ablenken.

Wenn das Baby weint, durch den Gang spazieren.

Fläschchen während der Landung geben.

Mit einem großen Hund fliegen 283

Beim Tierarzt untersuchen lassen.

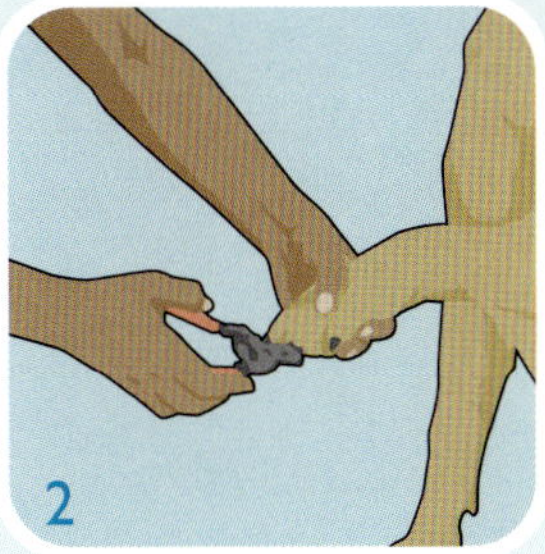

Krallen kürzen.

Direktflug buchen.

Wasserschüssel einfrieren.

Vor dem Flug gut füttern.

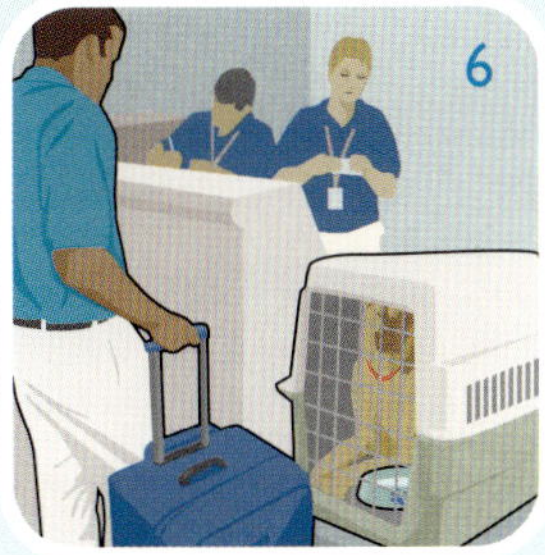

Mit Eisschüssel im Käfig einchecken.

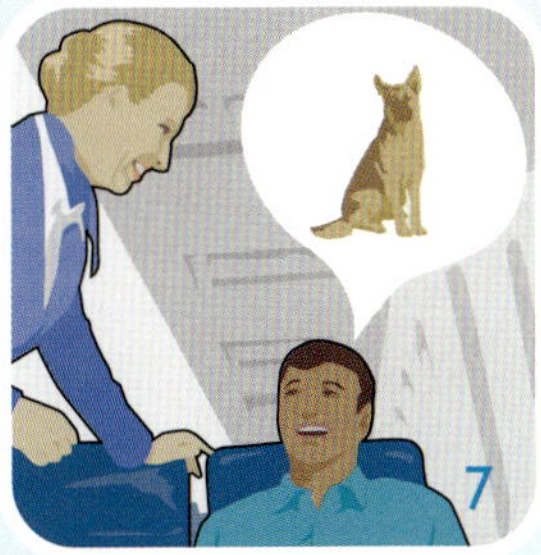

Stewardess bitten, nach dem Hund zu sehen.

Bei der Ankunft füttern.

Vorkehrungen für die Reise treffen 284

	Sechs Monate	Visa und Reisepass besorgen.
	Sechs Monate	Sich empfohlene Impfungen geben lassen.
	Drei Wochen	Ausreichend Medikamente für die Reise besorgen. Rezepte kopieren (auch für Brillen und Kontaktlinsen) und mitnehmen.
	Drei Wochen	Adapterstecker für jedes Land auf der Reiseroute besorgen.
	Zwei Wochen	Kreditkartenfirmen über die Reiseroute informieren.
	Zwei Wochen	Karten und Sprachführer besorgen; nützliche Phrasen lernen.
	Eine Woche	Wichtige Seiten aus dem Reiseführer herausreißen und zusammenheften.
	Eine Woche	Bargeld, Währung und Reiseschecks besorgen.
	Eine Woche	Freunde oder Verwandte als Kontaktpersonen im Notfall auswählen; ihre Kontaktdaten aufschreiben.
	Eine Woche	Reisepass, Tickets, Buchungsbestätigungen sowie Vorder- und Rückseite der Kreditkarten kopieren.
	Drei Tage	Kopien von Dokumenten und Kontaktdaten in den Koffer packen, mit dem Reisebegleiter austauschen und eine Kopie bei jemandem zu Hause hinterlegen.
	Zwei Tage	Sämtliches Gepäck mit Kontaktdaten auf einem Anhänger außen und einer Karte im Inneren versehen.

285 Ohne Worte fragen

Schon jemals in einer Stadt gewesen und dringend ein Kamel gebraucht, ohne zu wissen, wie man danach fragt? Mit dieser praktischen Grafik sind diese Zeiten vorbei. Halten Sie einfach nach einem Hotelangestellten oder einem freundlichen Einheimischen Ausschau und zeigen Sie auf das, was Sie brauchen.

Hotel

Unterhaltung

Essen

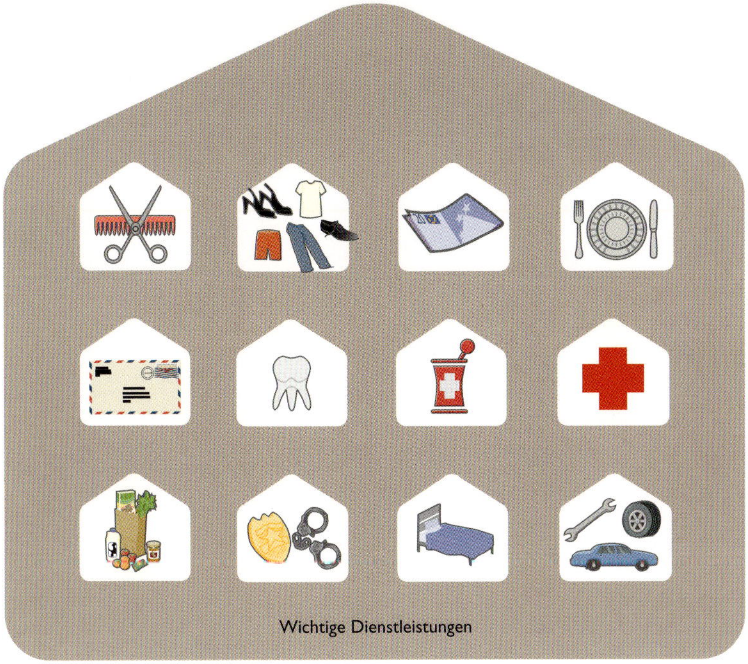

Wichtige Dienstleistungen

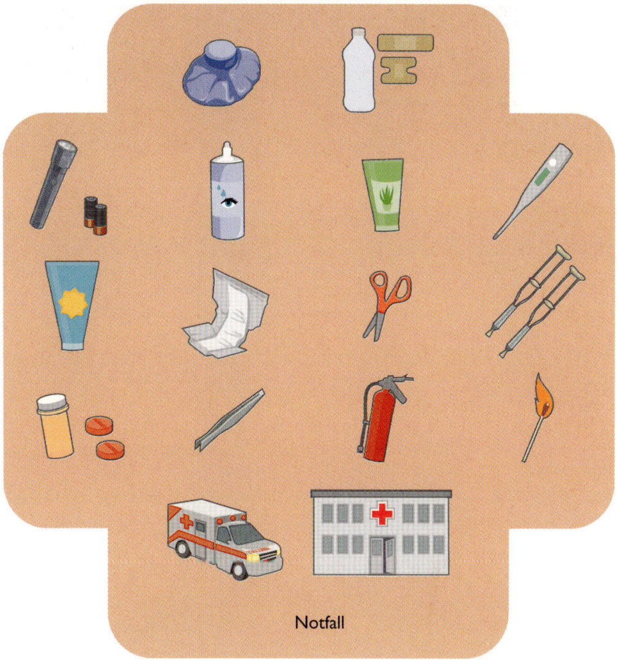

Notfall

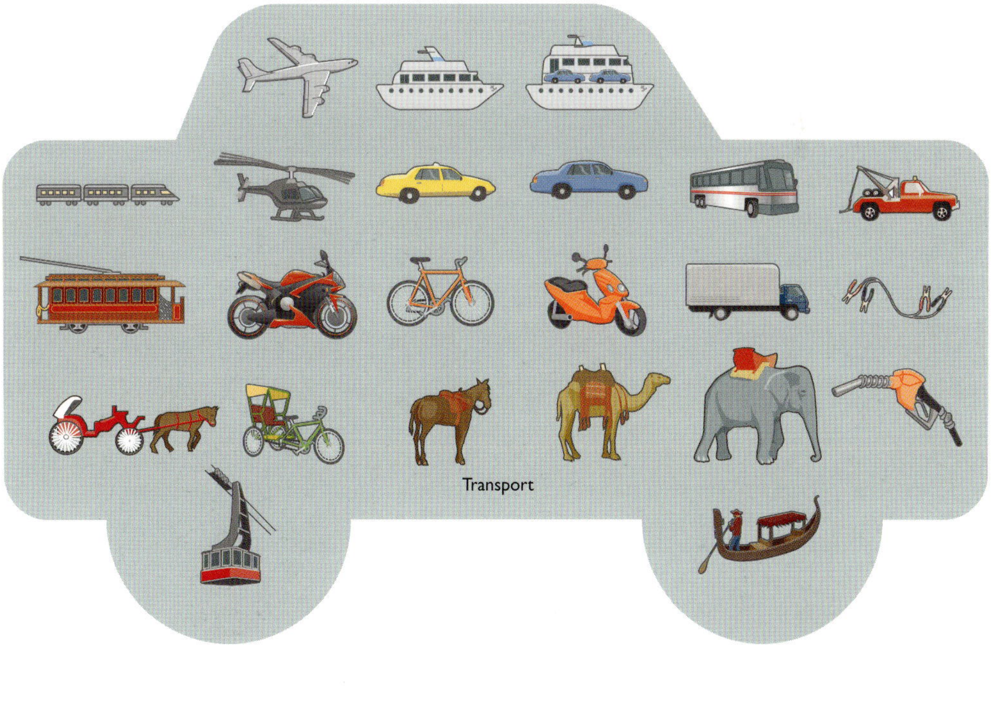

Transport

Kopieren!

286 Weltweit begrüßen

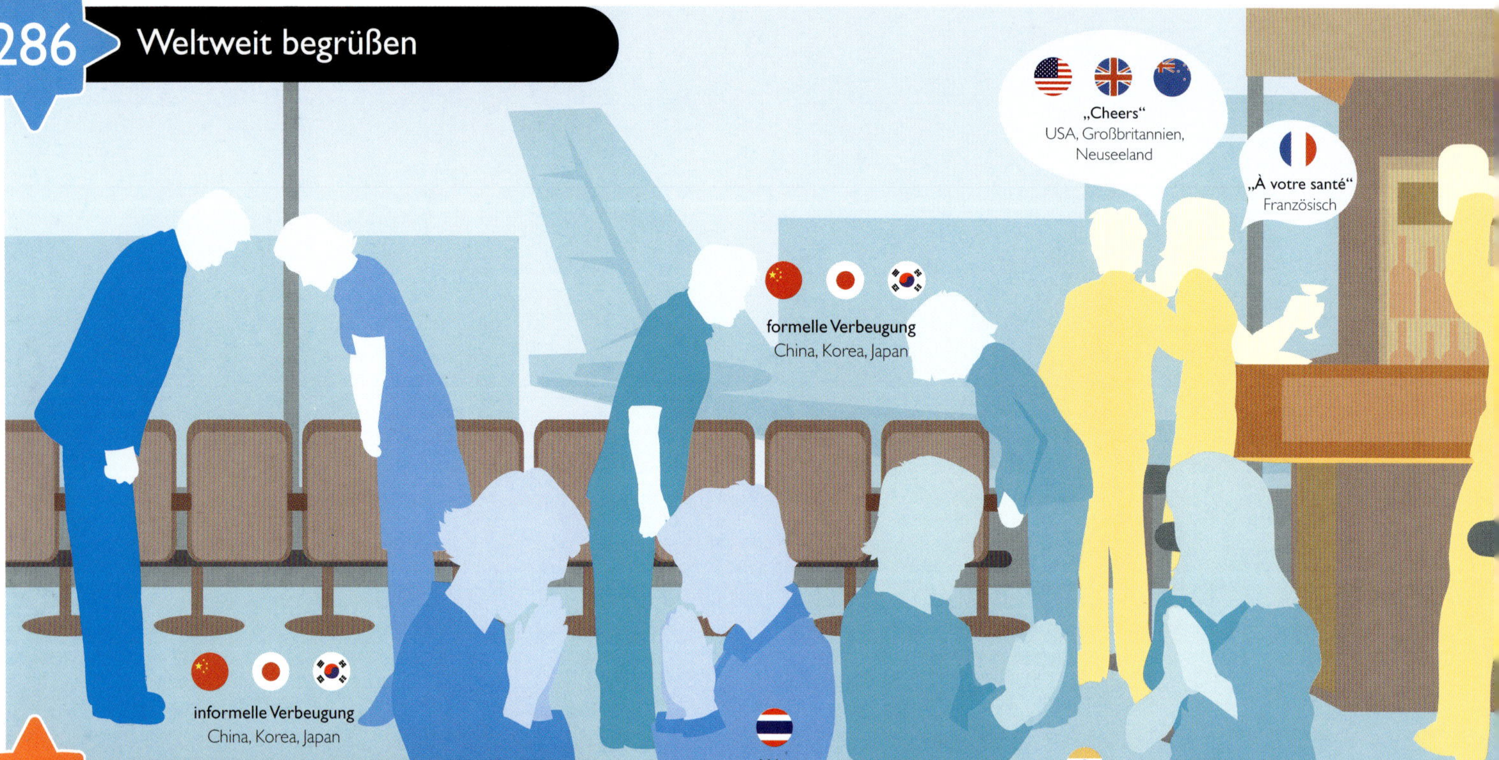

287 Beleidigende Gesten vermeiden

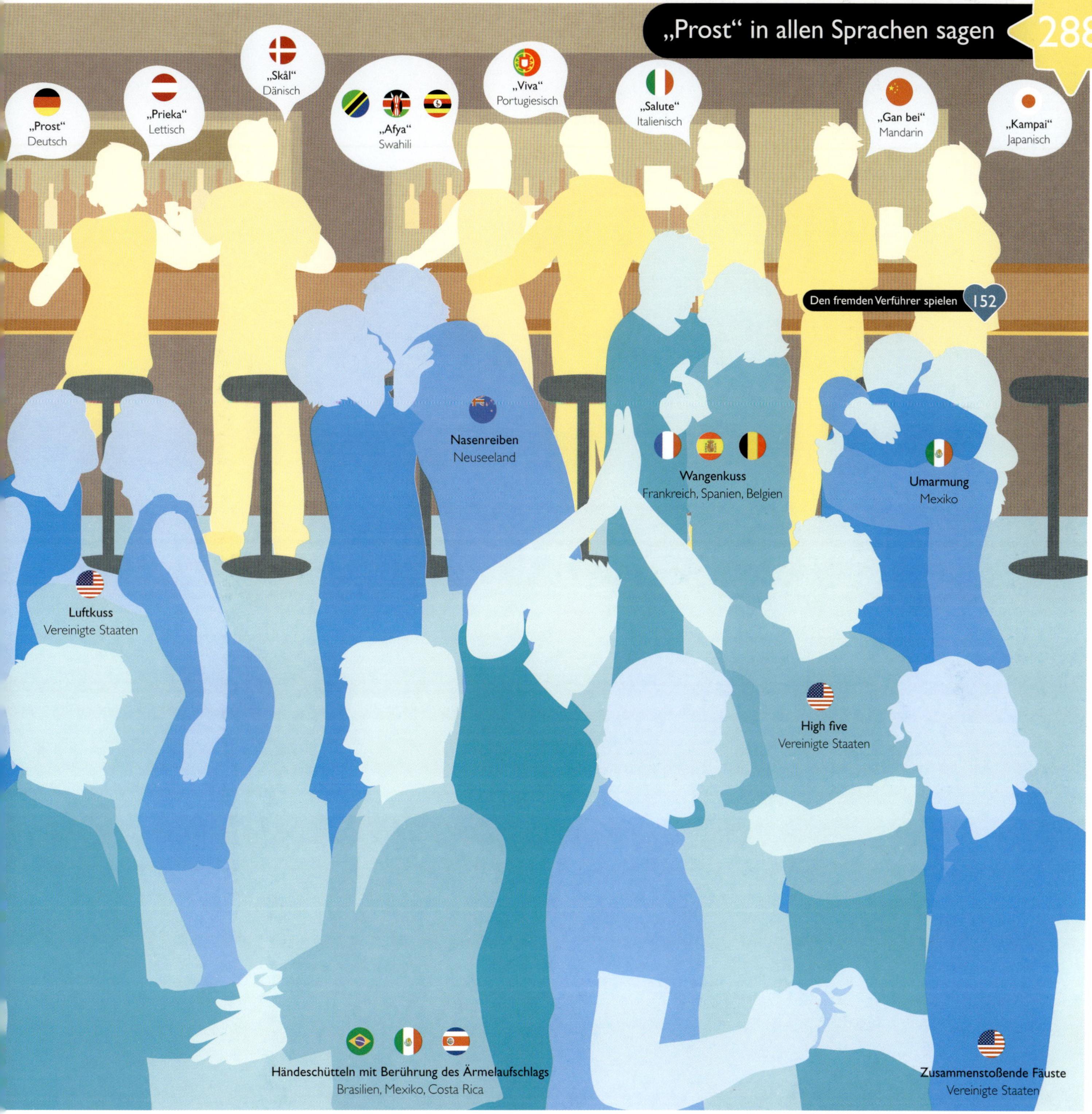
„Prost“
Deutsch
„Prieka“
Lettisch
„Skål“
Dänisch
„Afya“
Swahili
„Viva“
Portugiesisch
„Salute“
Italienisch
„Gan bei“
Mandarin
„Kampai“
Japanisch
Den fremden Verführer spielen 152
Nasenreiben
Neuseeland
Wangenkuss
Frankreich, Spanien, Belgien
Umarmung
Mexiko
Luftkuss
Vereinigte Staaten
High five
Vereinigte Staaten
Händeschütteln mit Berührung des Ärmelaufschlags
Brasilien, Mexiko, Costa Rica
Zusammenstoßende Fäuste
Vereinigte Staaten

289 Mit Brot und Salz begrüßen

Diese slawische Zeremonie heißt Gäste mit Symbolen der Gastfreundschaft und Freundschaft willkommen.

Diese Tradition ist so wichtig, dass sie sogar von Kosmonauten im Weltall praktiziert wird.

1 Der Gast bietet Brot und Salz auf einem feierlichen Tuch an.

2 Der Besucher bricht ein kleines Stück Brot ab ...

3 ... und tunkt es in den Salzbehälter.

4 Der Besucher isst und wird willkommen geheißen.

290 Eine Baci-Zeremonie feiern

Diese laotische Zeremonie vereint den Geist und die Gemeinschaft.

5 Bändchen erst nach drei Tagen aufknoten oder warten, bis es von selbst abgeht.

1 Der Führer ruft umherwandernde Geister zum Körper des Gastes.

2 Der Besucher erhält eine symbolische Frucht aus der Mitte.

3 Der Führer knotet ein weißes Bändchen um das Handgelenk des Besuchers.

4 Jeder Zeuge bindet ein Bändchen um das Handgelenk des Besuchers.

291 Eine Sevusevu-Zeremonie feiern

Kava wird getrunken, nachdem das tahitianische Oberhaupt einem Fremden Zutritt zu seiner Insel gewährt.

1 Der Besucher übergibt die Kava-Wurzel und bittet um Erlaubnis, die Insel besuchen zu dürfen.

2 Das Oberhaupt trinkt zuerst, dann wichtige Zeugen.

3 Der Besucher ruft den üblichen Dankesspruch und klatscht einmal.

4 Der Besucher nimmt den Trunk mit beiden Händen an.

5 Der Besucher gibt den Trunk zurück, klatscht dreimal und dankt.

292 Sich einem Powhiri stellen

Nach einer traditionellen Maori-Zeremonie dürfen sich Gäste dem Holzhaus nähern.

1 Ein Krieger fordert den Besucher mit einem bedrohlichen Speertanz heraus.

2 Ein Krieger wirft dem Besucher einen Zweig zu.

3 Der Besucher hebt ihn auf, um seine friedliche Absicht zu bekunden.

4 Die einheimischen Frauen stimmen einen Gesang an.

5 Der Besucher darf nun den Rasen vor dem Holzhaus überqueren.

293 Chicha wie Einheimische trinken

Chicha ist ein Bier aus der Andenregion, das oft bei Feierlichkeiten und Zusammenkünften getrunken wird.

Schale mit Chicha annehmen.

Ein wenig davon auf den Boden gießen.

Rest trinken.

Umdrehen, schütteln.

Schale weitergeben.

294 Attaya zubereiten

Attaya ist ein senegalesische Teezubereitungsart, mit der Besucher willkommen geheißen werden und auf die Freundschaft getrunken wird.

Wasser auf einem Stövchen kochen.

Ins kochende Wasser geben.

Ziehen lassen.

Ins Glas gießen.

In neues Glas gießen, sodass sich Schaum bildet.

Hin und zurück gießen, sodass sich Schaum bildet.

Auf Stövchen aufwärmen.

Komposttee brauen 223

Auf einem Tablett servieren.

295 Skijöring praktizieren

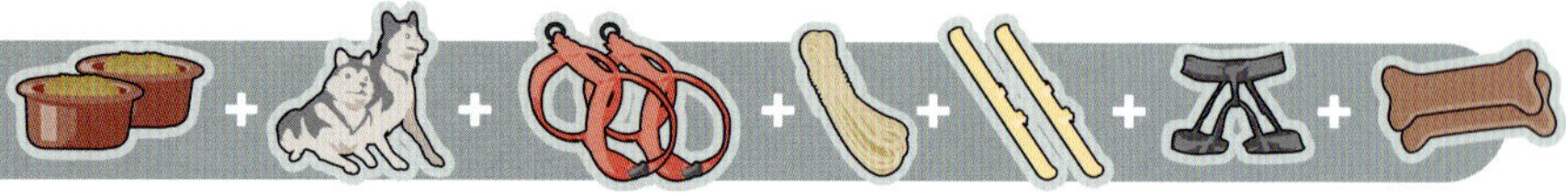

Hunde vor der Fahrt füttern.

Hundegeschirr anlegen.

Eigenes Geschirr und Ski anlegen.

Nach vorn lehnen und anfeuern.

Hunde kommandieren.

238 Ein Festmahl für Bello zubereiten

Hunde am Ende der Fahrt belohnen.

296 Kajakfahren ausprobieren

In seichtem Wasser einsteigen.

Auf ein Flaute warten; hinauspaddeln.

Wellen erobern.

Umdrehen; mit den Wellen paddeln.

Paddel als Ruder einsetzen.

Ein Segelboot steuern 297

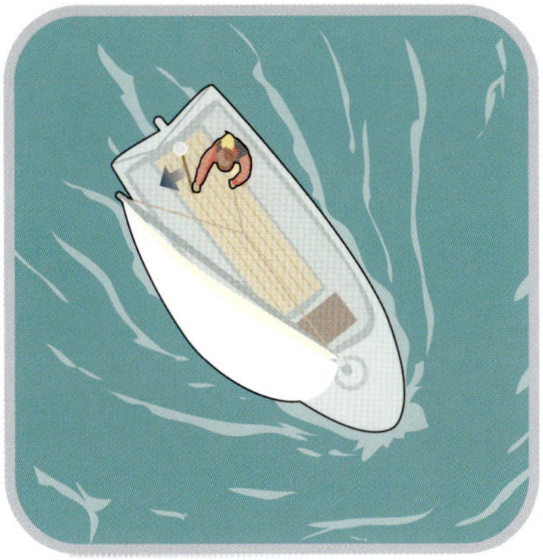

Pinne Richtung Segel bewegen.

Sich hinhocken.

Großschot fieren.

Auf die andere Seite wechseln.

Großschot anholen.

Fahrt genießen.

Kette beim Fahren montieren 298

Abgesprungene Fahrrad-
kette bemerken.

Weitertreten.

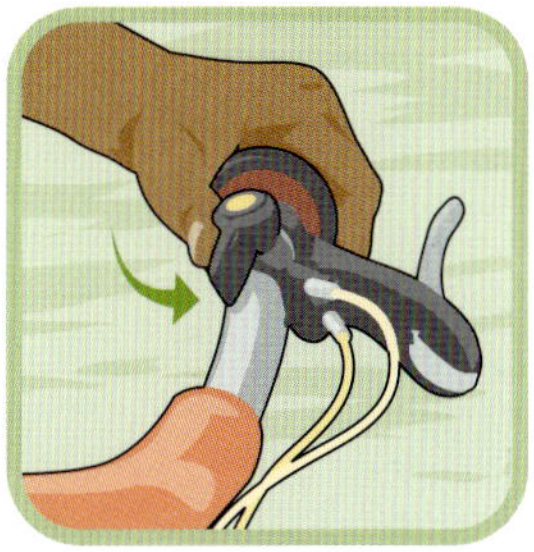

Langsam auf höheren
Gang schalten.

Die Kette rastet ein.

Weiterradeln.

299 Ein Zelt am Strand aufstellen

300 Ein Lager im Schnee aufschlagen

301 Im Regenwald übernachten

302 In der Wüste zelten

303 Im Güterwaggon reisen

„Trainhopping" überlässt man am besten Landstreichern und Obdachlosen. Falls Sie es dennoch versuchen wollen, vergewissern Sie sich, dass Sie den richtigen Wagen für eine gefahrlose Reise aussuchen. Springen Sie nie auf einen rollenden Waggon. Halten Sie Ausschau nach Hinweisen von anderen Reisenden!

Am Wachpersonal vorbeischleichen.

Arbeiter nach abfahrenden Zügen fragen.

Auf rollende Wagen achten.

Wagentür öffnen.

Tür blockieren; Gratisfahrt genießen.

Abspringen, wenn der Zug langsamer wird.

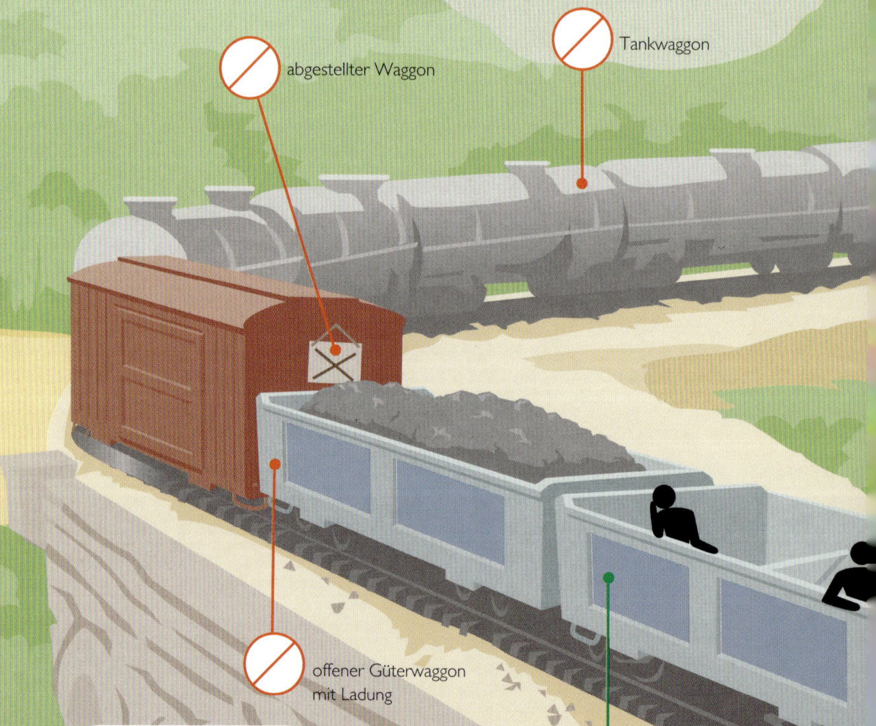

Mann mit Waffe | Besitzer zu Hause | Besitzer fort | Arbeit verfügbar | Landstreicher hier

Einen Rucksack packen 304

Auf Ihrer Abenteuerreise werden Sie einen guten Rucksack brauchen, der nur das Allerwichtigste enthält. Beginnen Sie mit dieser Grundausstattung und stimmen Sie den Rest auf das Reiseziel ab.

Einem Hurrikan trotzen 255

Brot | Frau | nette Frau | Gentleman | Arzt

Halt | unsichere Gegend | Fernhalten | Gefährliche Umgebung | Gefahr | ruhig verhalten

feiern

305 Chinesisches Neujahr vorbereiten

Am Jahresende reist der Küchengott in den Himmel, um über das Betragen jeder Familie Bericht zu erstatten. Beginnen Sie die Neujahrsfeiern, indem Sie ihn verehren (und bestechen).

Süße oder klebrige Speisen am Altar darbringen.

Sein Abbild verbrennen.

Ist der Küchengott besänftigt, bereiten Sie Ihr Zuhause (und sich selbst) auf die Feierlichkeiten vor.

Haare vor Neujahr schneiden lassen.

Glückssymbol verkehrt aufhängen.

Scharfe Gegenstände wegräumen.

Heim sauber fegen.

Endlich ist es soweit. Rote Päckchen, Knallkörper und besondere Speisen sind das Um und Auf der großen Nacht.

Knallkörper vertreiben böse Geister.

Zu Hause mit der Familie bei einem Festmahl feiern.

Geld wird in roten Hüllen an Kinder und unverheiratete Freunde verteilt.

Freunde mit dieser Glückwunsch-Geste begrüßen.

Den Löwen mit einem roten Kuvert für eine Extraportion Glück füttern.

Eine Mönchsfigur begleitet den Löwen.

Chinesisches Neujahr feiern 306

Während der chinesischen Neujahrsfeierlichkeiten gehen die Menschen und Gaukler auf die Straßen und wünschen einander ein gutes Jahr. Begleitet werden sie von Glückslöwentänzern, Getrommel und Tonnen von Knallkörpern.

Chinesische Löwentänzer füttern 307

Salatblatt und ein rotes Kuvert mit Geld über der Tür aufhängen.

Der Löwe kommt vorbei und „frisst“ es.

Der Löwe behält das Kuvert und spuckt den Salat aus.

Ein Stück Salat als Glücksbringer fürs Neujahr auheben.

Eine laute Kapelle vertreibt böse Geister.

Während der vierzehntägigen Feierlichkeiten kein Knallkörperpapier wegfegen.

308 Eine Daruma-Puppe basteln

Gesicht aus Bastel-Kugel schnitzen

Sockel aus Papier anfertigen.

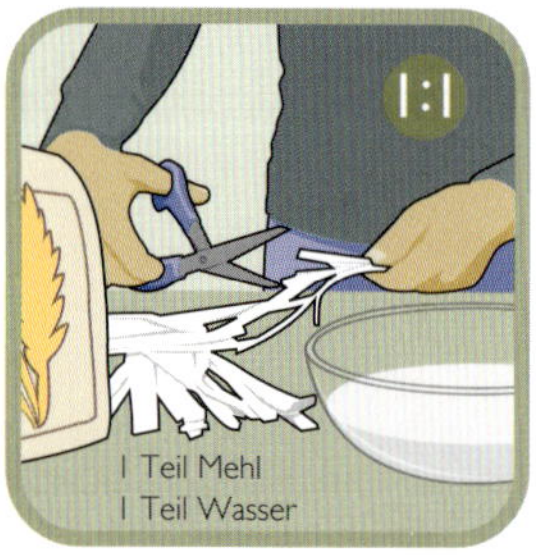

Vermischen; Papier zerschneiden; eintauchen.

Streifen aufbringen; trocknen.

Gesicht weiß, Körper rot anmalen.

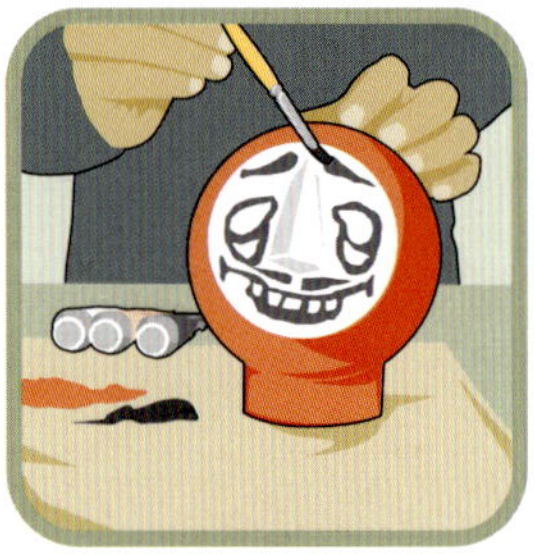
Gesichtszüge aufmalen.

Körper verzieren.

Die linke Pupille aufmalen; ein Ziel stecken.

Puppe hoch oben aufstellen.

Ziel erfüllen; rechte Pupille aufmalen.

rot
Glück

weiß
Liebe und Harmonie

violett
Gesundheit und langes Leben

gelb
Schutz und Sicherheit

*

Selbstgemachte Daruma-Puppen sind eine jahrhundertealte japanische Tradition, die Glück bei der Erfüllung eines Wunsches oder Ziels bringen sollen. Nach Fertigstellung der Puppe malt der Hersteller sie mit einer Farbe an, die den Lebensbereich darstellt, in dem er Glück braucht. Dann wird eine Pupille aufgemalt, wenn das Ziel erreicht ist, folgt die andere.

309 Neujahr in der Mongolei feiern

Ein Festmahl mit der Familie feiern.

Die Sonne begrüßen.

Die zeremoniellen ersten Schritte machen.

Die zeremonielle Begrüßung vollführen.

Mit der Großfamilie feiern.

Neujahr bei den Swazi feiern 310

Schaum vom Meer sammeln.

Einen heiligen Akazienhain errichten.

Der König isst als Erster einen Kürbis.

Dann essen die anderen Kürbis.

Ein paar Opfer darbringen.

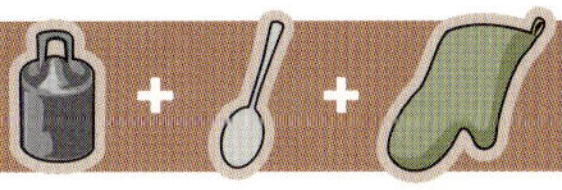

Bleigießen 311

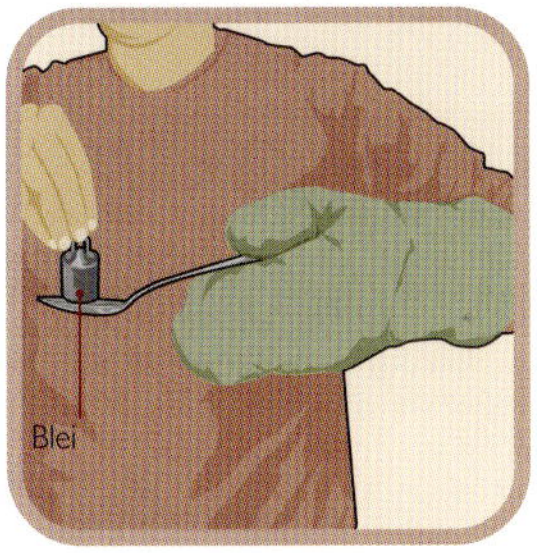

Blei auf Löffel legen.

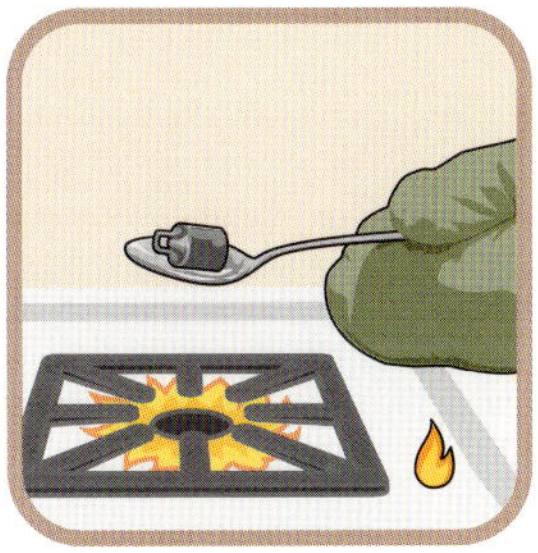

Über der Flamme erhitzen.

Blei in kaltes Wasser gießen.

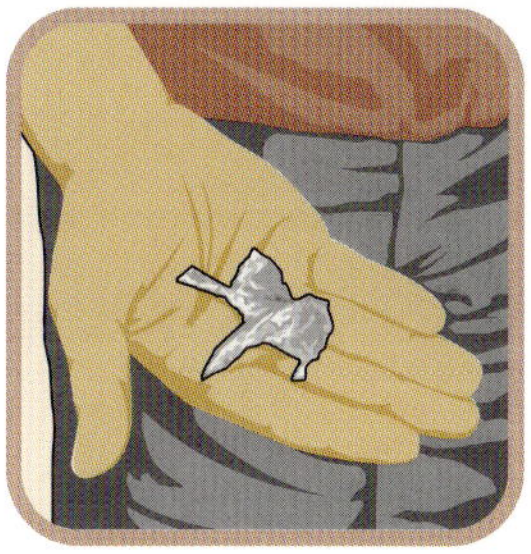

Herausnehmen; Form betrachten.

Form deuten.

Neujahr wie die Spanier feiern 312

Alte Kleidung aussortieren.

Einen Hosensaum kürzen 122

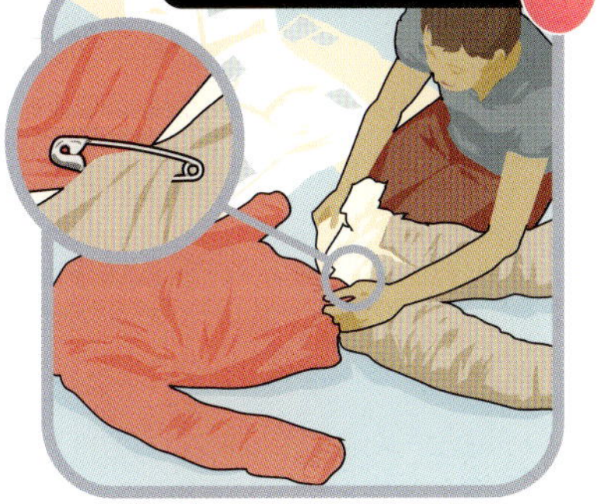

Ausstopfen und Puppe nähen.

Bei Mitternacht auf die Straße tragen.

Anzünden – das Ich vom alten Jahr verbrennt.

313 Hamantaschen backen

Verrühren.

Mehl einrühren.

Teig zu einer Rolle drehen; einwickeln.

Über Nacht einfrieren.

Auftauen.

In Scheiben schneiden.

Marmelade in die Mitte geben.

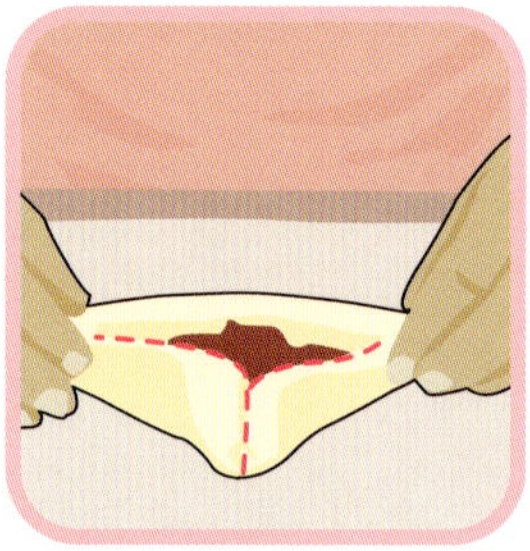
Dreiecke falten; Ecken zusammendrücken.

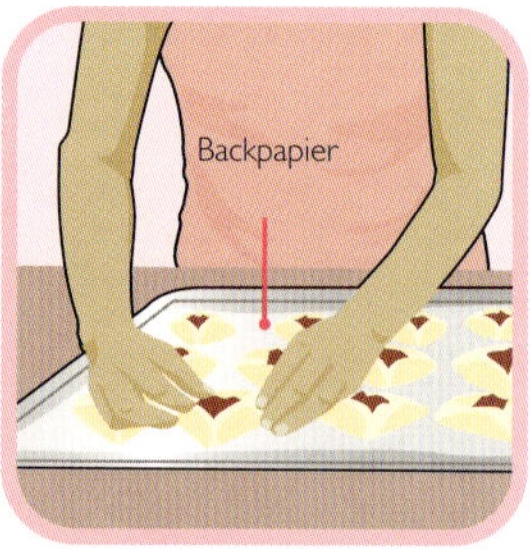

Auf Backpapier legen.

Goldgelb backen.

* Purim ist ein jüdisches Fest, das mit Kostümen, Spielen, Lärm und besonderen Leckereien gefeiert wird. Hamantaschen symbolisieren den Bösewicht Haman.

314 Einen Purimkorb zusammenstellen

Mit fertigen Speisen füllen.

Immer nur eine Speise hineingeben.

Einpacken und eine Karte dazugeben.

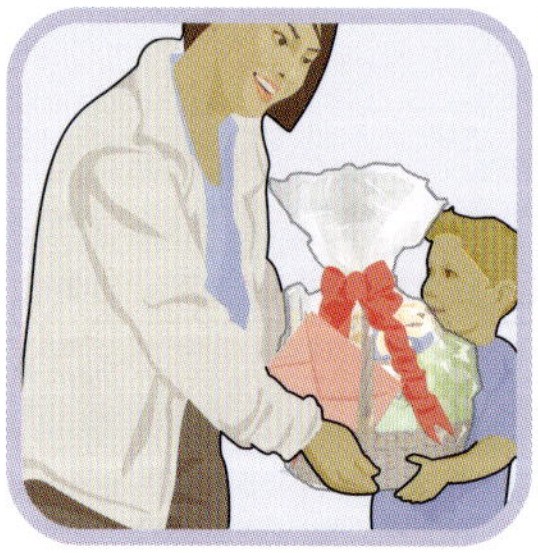
Einem jungen Boten geben.

Vor Sonnenuntergang liefern lassen.

Ein Lebkuchenhaus dekorieren 315

Versüßen Sie sich das Weihnachtsfest mit einem traditionellen Lebkuchenhaus. Zum Befestigen der Dekoration genügend „Klebstoff"-Masse verwenden. Ein Augen- und Gaumenschmaus zugleich.

86 Mosaik-Trittsteine herstellen

„Klebstoff" für Lebkuchen 316

Eier trennen; Eiweiß aufbewahren.

Mit Eiweiß vermischen.

Steif schlagen.

Wasser zugeben, wenn die Masse hart wird.

317 Einen Luciakranz machen

Einen Styropor-Ring wählen.

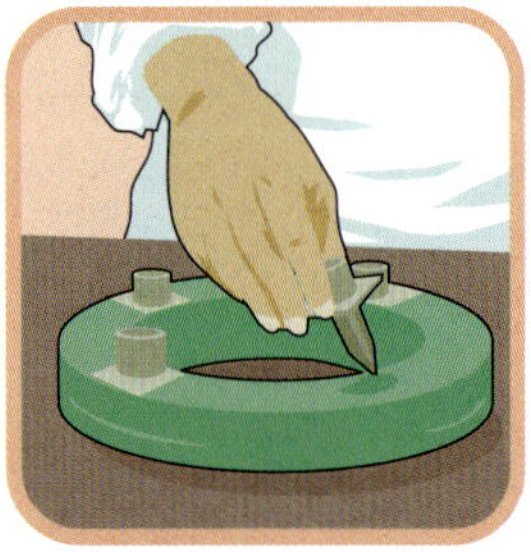

Kerzenhalter befestigen.

Grünzeug und Bänder befestigen.

Kerzen anbringen; anzünden.

Eine Luciaprozession anführen.

Bedecken Sie vor dem Aufsetzen Ihren Kopf mit einem feuchten Tuch. Das schützt vor Kerzenflammen und Wachstropfen.

318 Leuchten im Santa-Fe-Style basteln

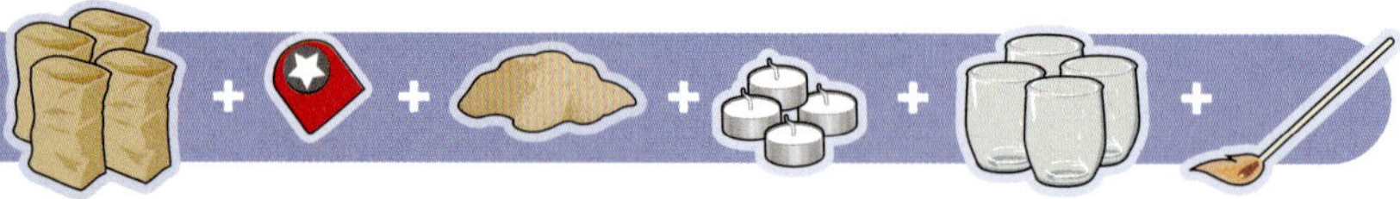

Oberes Viertel nach unten falten.

Formen einstanzen.

Boden mit Sand bedecken.

Teelicht in ein kleines Glas stellen.

Glas im Sand einbetten.

Draußen im Freien aufstellen.

Mit langem Streichholz anzünden.

Festlich erleuchten.

Himmelslaterne steigen lassen 319

1. Brennstoffzelle an Laterne befestigen.
2. Laterne auffalten.
3. Umherschwingen, sodass sie sich mit Luft füllt.
4. Brennstoffzelle anzünden.
5. Steigen lassen, sich etwas wünschen.

Krathong-Laterne zu Wasser lassen 320

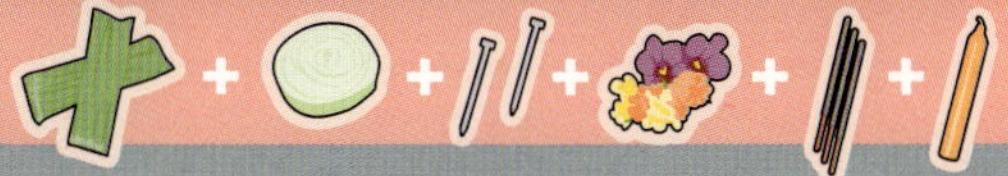

1. Bananenblätter falten.
2. Blätter an einer Bananenbaumscheibe befestigen.

3. Mit Blumen schmücken.
4. Räucherstäbchen und Kerze hineinstecken.

5. Die fertige Laterne an den Kopf halten; sich etwas wünschen.

6. Kerze und Räucherstäbchen anzünden und in den Fluss setzen. Das Unglück treibt damit fort!

321 Einen Lei auffädeln

Plumeria-Blüten sammeln.

Stängel entfernen.

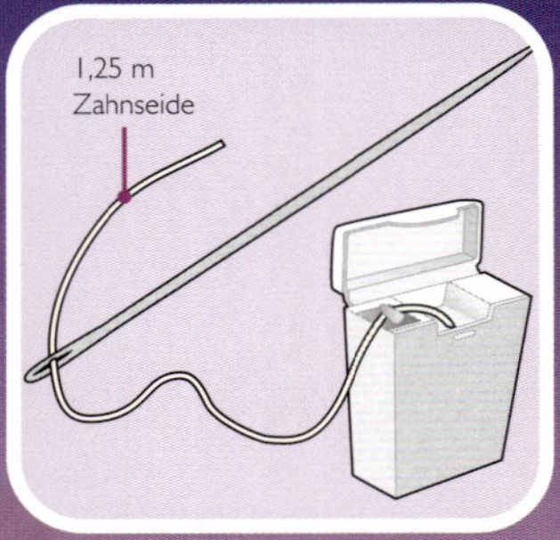

Faden in eine Nadel einfädeln.

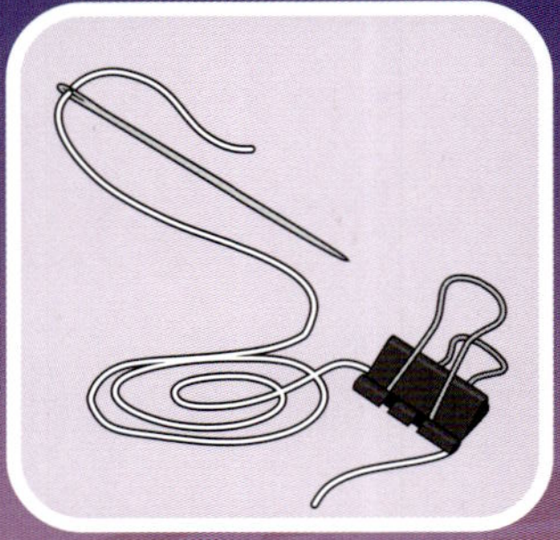

Klemme aufstecken.

Nadel durch die Mitte stechen.

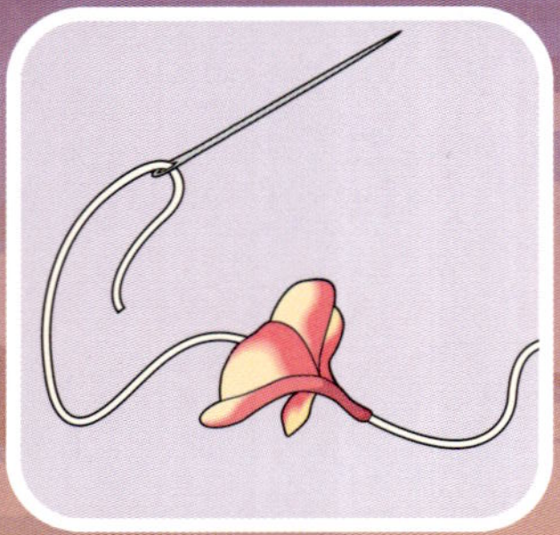

Blüte den Faden hinabziehen.

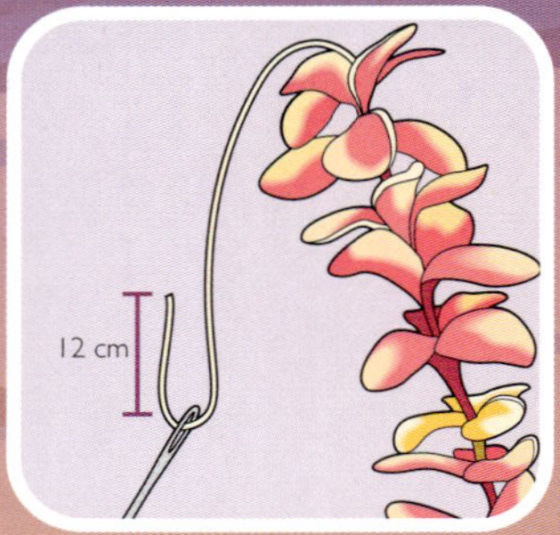

Wiederholen, Ende freilassen.

224 Eine Bougainvillea ranken lassen

Klemme entfernen; Enden verknoten.

322 Hula tanzen

Hula ist mehr als ein Tanz – es handelt sich um eine uralte, wunderschöne Ausdrucksform. Hier ein paar der anmutigen Armbewegungen, mit denen Hula-Tänzer Geschichten erzählen.

323 Mit einem Imu-Erdofen garen

Ein Imu bildet den Mittelpunkt des luau, eines traditionellen hawaiianischen Festes. Der Ofen braucht drei Stunden zum Erwärmen, das Kalua-Schwein wird sechs Stunden gegart.

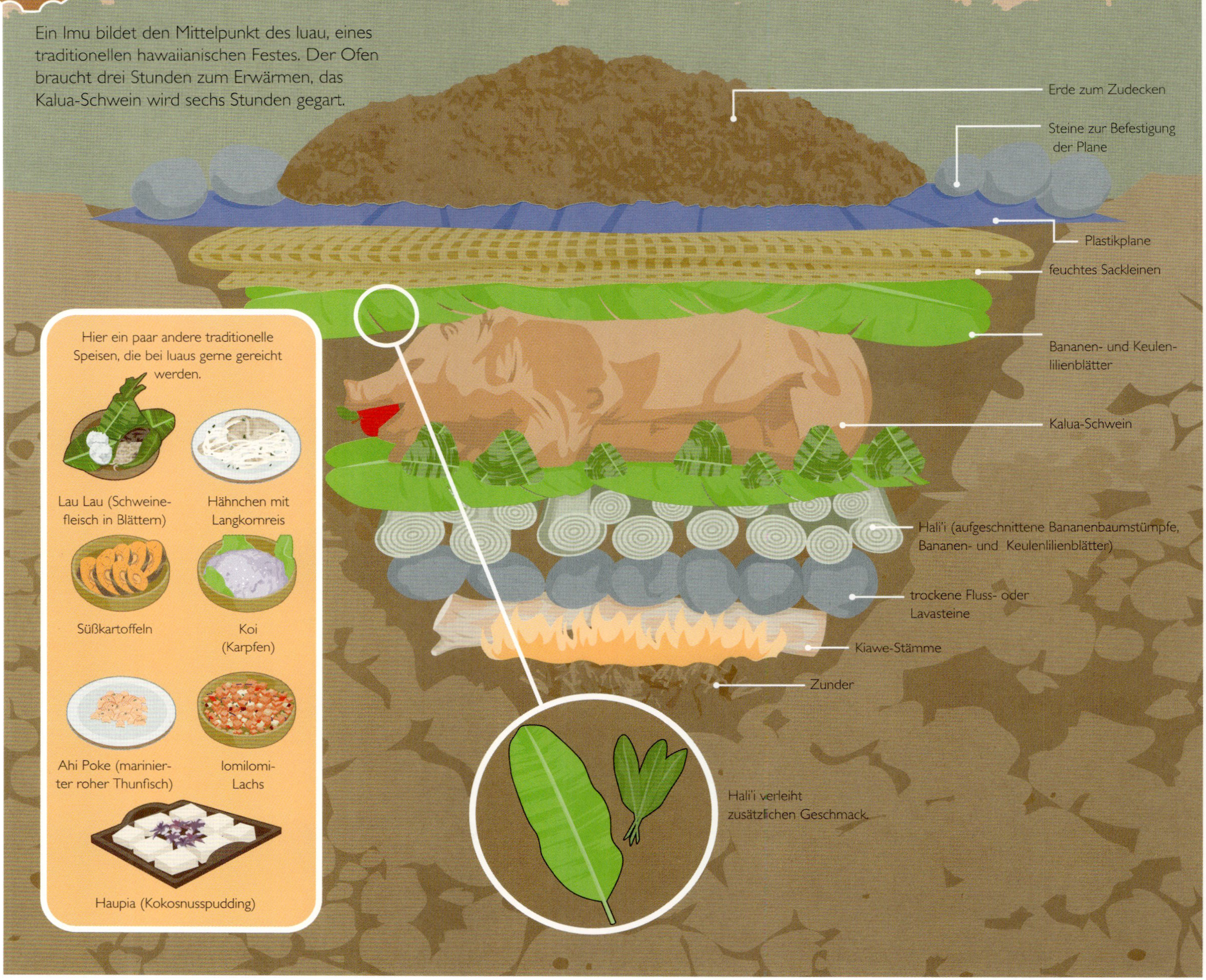

324 Papel Picado ausschneiden

Seidenpapier zweimal in der Mitte zusammenfalten.

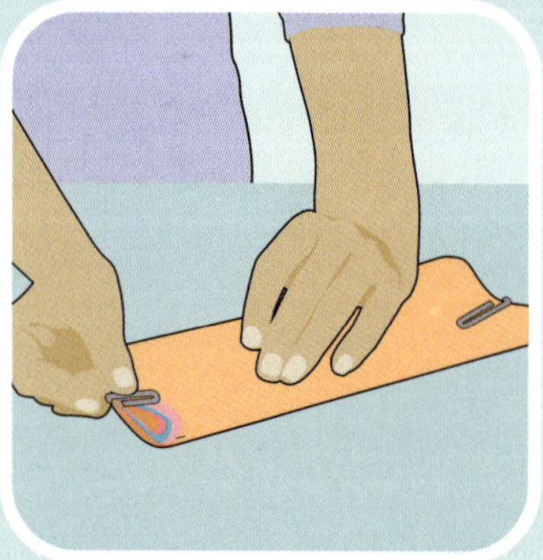
Enden zusammenklemmen.

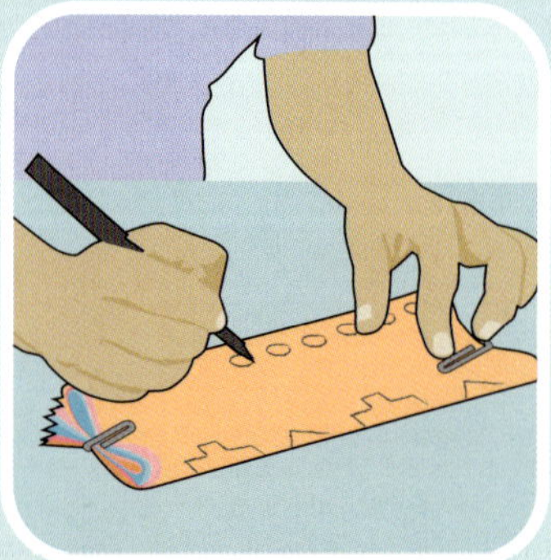
Muster aufzeichnen.

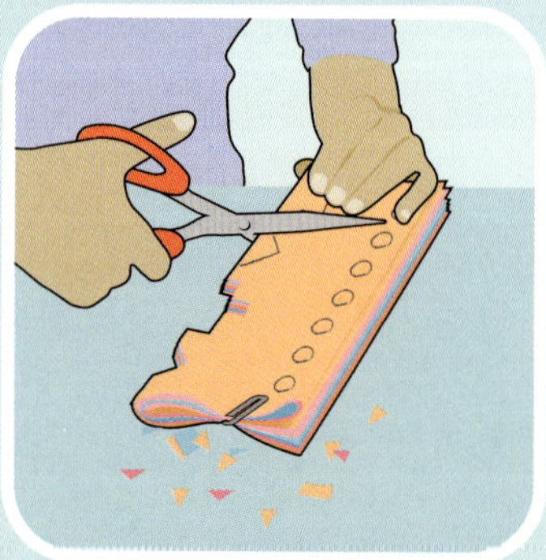
Muster ausschneiden.

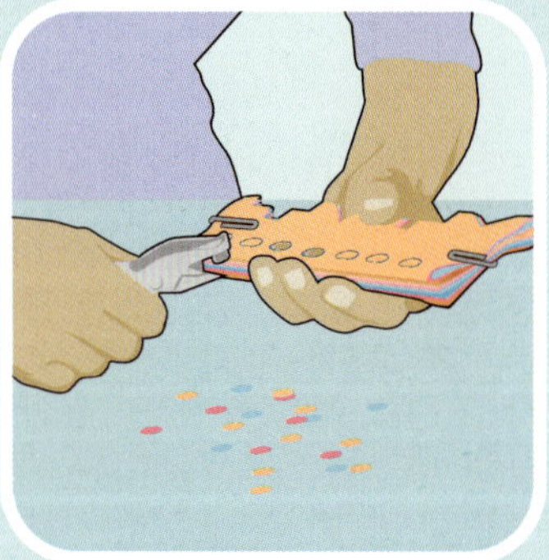
Lochzange verwenden.

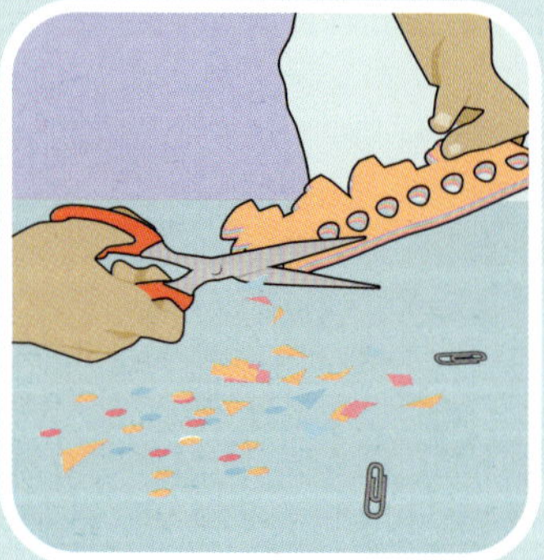
Muster am oberen und unteren Rand ausschneiden.

Auseinanderfalten und trennen.

Schnur oben festkleben; umbiegen.

Eine Kartengirlande basteln 325

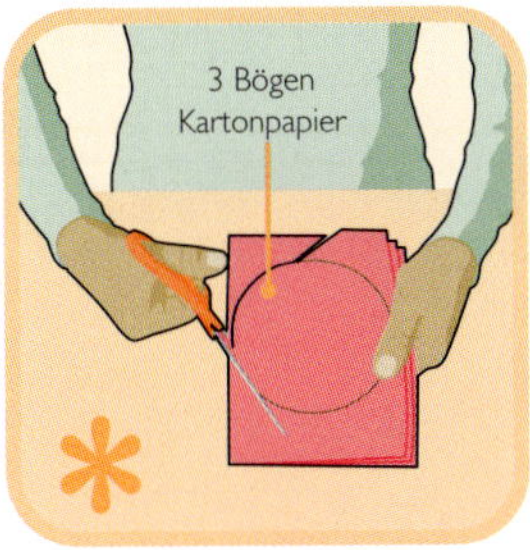

Kreise aus dem Stapel Kartonpapier ausschneiden.

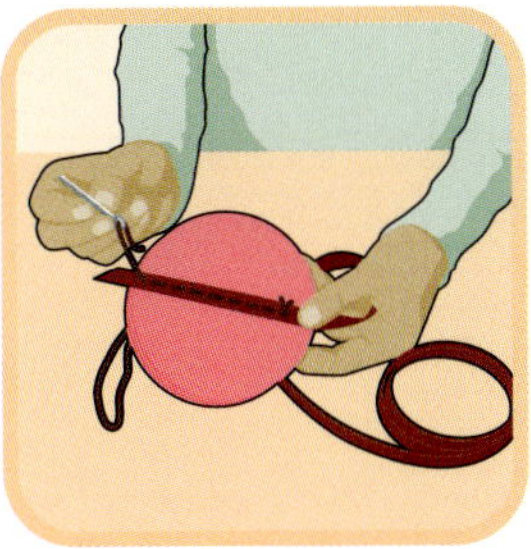

Band an den Stapel heften.

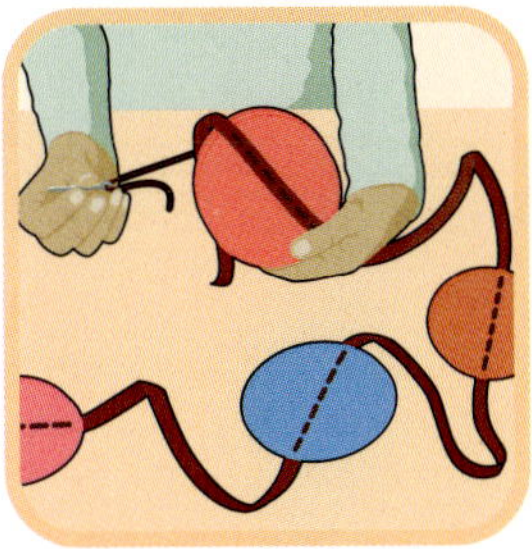

Weitere Stapel hinzufügen.

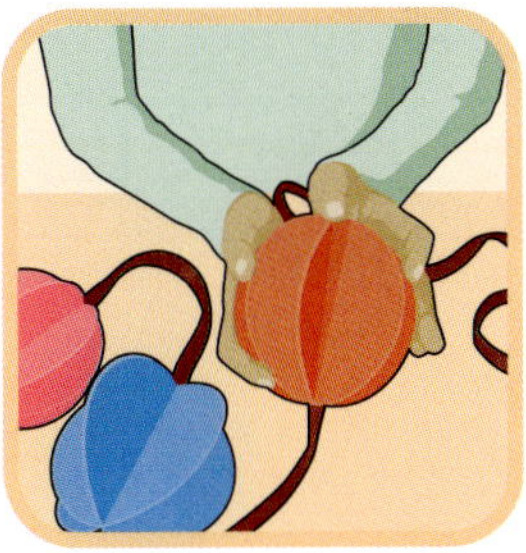

Zu einer Kugel auffalten.

Girlanden aufhängen.

* Statt einfachem Kartonpapier lassen sich Glückwunschkarten für einen festlichen Schmuck wiederverwerten.

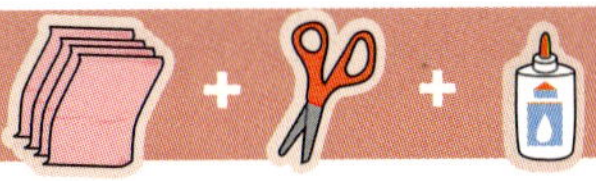

Papiersterne falten 326

Papier in der Mitte falten; Falz entlangschneiden.

In der Mitte falten.

Öffnen.

Jede Ecke zur Mitte falten.

Zwei Ecken zur Mitte falten.

Jede Ecke niederkleben.

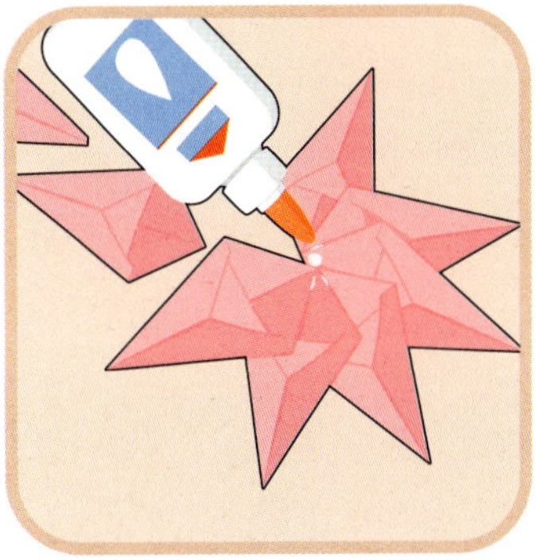

Acht Formen falten; zu einem Stern zusammenkleben.

Aufhängen.

327 Eine Hopi-Namengebung feiern

Das Baby erhält seinen Vornamen und wird in die Natur und die Gemeinschaft eingeführt.

Nachdem das Baby seine ersten neunzehn Tage drinnen verbracht hat, begrüßt es die Sonne und erfährt seinen Namen.

328 Eine orthodoxe Taufe zelebrieren

Bei diesem Ritual wird das Baby in die Kirchengemeinde aufgenommen.

329 Ein chinesisches Fest feiern

In China wird der erste Monat eines Babys mit roten Eiern und Ingwer gefeiert.

330 Einen Yoruba-Segen geben

Das Neugeborene wird gesegnet, indem es einen kleinen Vorgeschmack auf symbolische Speisen erhält.

331 Ein Hindu-Ritual abhalten

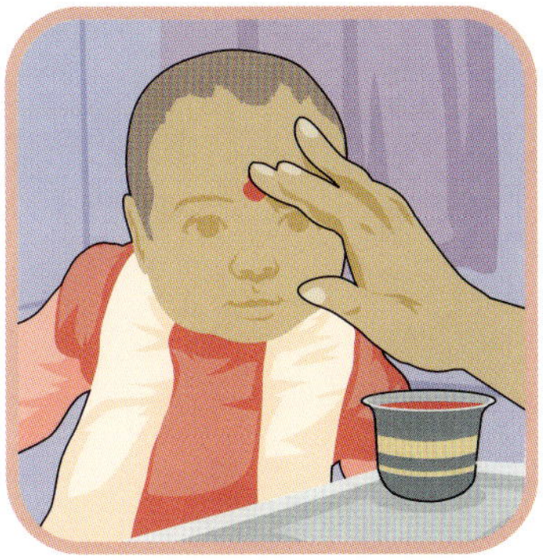
Roten Punkt gegen schlechte Einflüsse aufmalen.

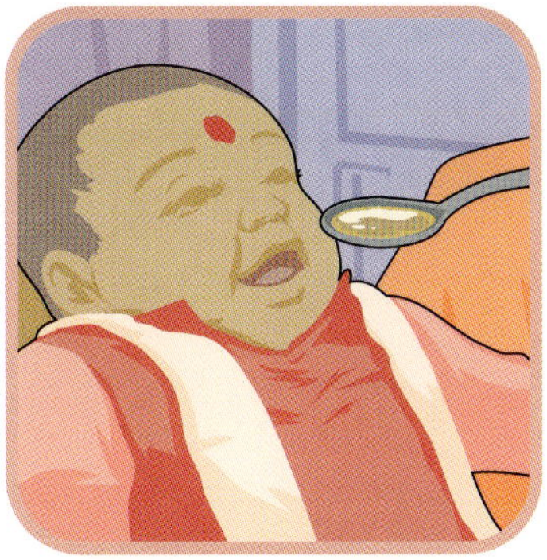
Honig für süße Sprache füttern.

Dem Baby die aufgehende Sonne zeigen.

Zu Ehren von Mutter Erde auf den Boden legen.

Den Namen des Babys bekanntgeben.

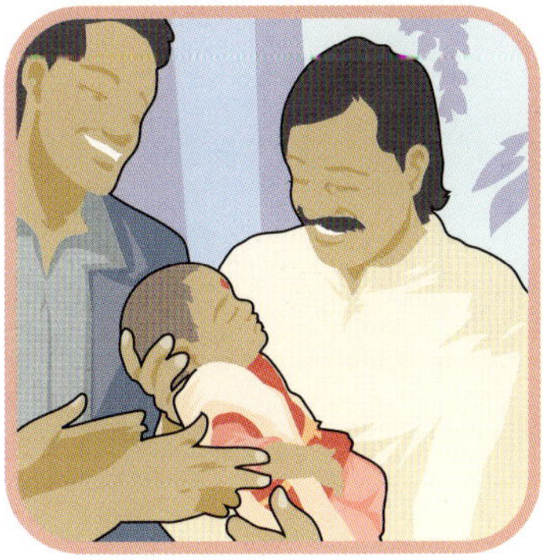
Die Verwandten begrüßen das Baby nacheinander.

Das Baby der Natur präsentieren.

Der Vater sagt dem Baby seinen Namen.

332 Namenswahl auf ägyptische Art

Baby weiß einwicklen.

Jeden potenziellen Namen mit einer Kerze versehen.

Kerzen anzünden; warten.

Die Kerze, die zuletzt brennt, verrät den Namen.

333 Den Winter in Ungarn vertreiben

Mit dem Busójárás-Fest wird in Mohács, Ungarn, der Winter vertrieben und die Fastenzeit eingeläutet.

Busó-Kostüm anziehen.

Mit Maisschalen geschmückten Wagen fahren.

170 Sich in Ungarn trauen lassen

Zuschauer necken.

Ein Feuer errichten.

Sarg verbrennen, um dem Winter ein Ende zu setzen.

334 Einen Fluss zu St. Patrick färben

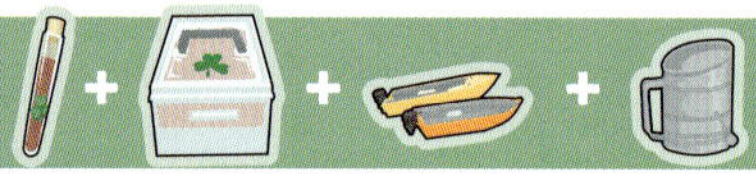

Die genaue Formel für die Färbung des Chicago wird seit 1961 streng geheim gehalten.

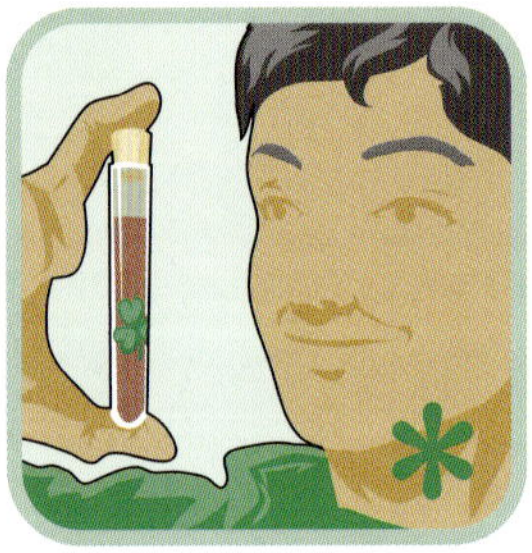

Geheimes Färbemittel besorgen.

Färbemittel auf Boot laden.

Mit Mehlsieb verstreuen.

Boote zum Durchmischen der Farbe umherfahren.

Erin go bragh!

335 Den Morris-Tanz vollführen

Seit Jahrhunderten wird in Dörfern Großbritanniens der Frühling mit diesem feierlichen Tanz begrüßt.

Tücher seitlich halten; linkes Bein heben.

Knie hochziehen; um 90 Grad drehen.

Weiter drehen, Bein senken.

Hochspringen; Tücher über dem Kopf schwingen.

Der Maibaum ist seit Jahrhunderten Bestandteil der Sommerfeierlichkeiten in vielen Teilen Europas. Der farbenfrohe Tanz um ihn herum findet am ersten Mai und in manchen Gebieten am Mittsommertag statt.

Eine gerade Anzahl an Bändern vorbereiten. Sie sollten eineinhalbmal so lang wie der Maibaum sein.

Tänzer in Gruppen einteilen.

Position einnehmen, Bänder halten.

In entgegengesetzten Richtungen hüpfen.

Unter dem Band eines Tänzers hindurchschlüpfen.

Über das Band des nächsten Tänzers legen.

Am Ende Bänder verknoten oder beschweren.

genießen

337 Nahrung nach Saison wählen

Obst und Gemüse schmecken dann am besten, wenn sie gerade Saison haben. Der Farbstreifen hinter jeder Sorte in dieser Grafik zeigt an, wie lange die jeweilige Saison dauert.

217 Tomaten ziehen

Ein Kräutersträußchen machen 338

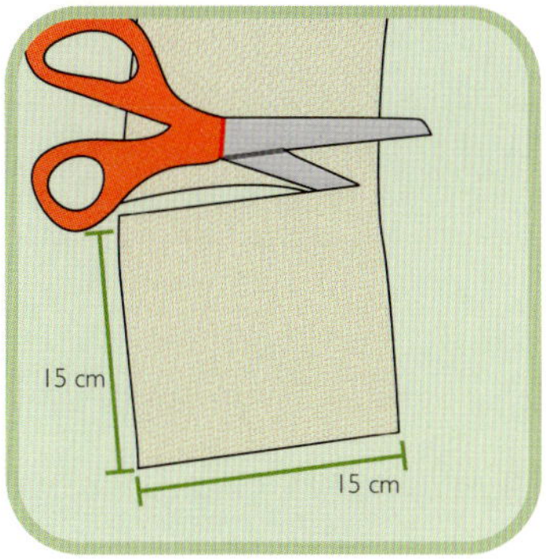

Seihtuch zurechtschneiden.

Kräuter hinzufügen.

Zusammenbinden.

Mit der Suppe mitkochen.

Knoblauch mit heißem Öl schälen 339

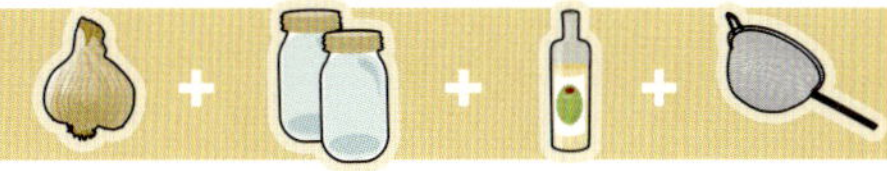

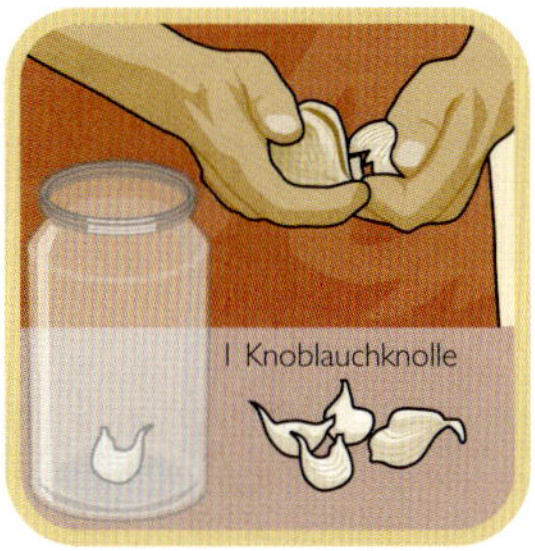

Zehen zerteilen; in Konservenglas geben.

Olivenöl erhitzen.

Heißes Öl über die Zehen gießen.

Abkühlen lassen; Haut abziehen.

Abseihen; Öl aufbewahren.

Kräuterbutter zubereiten 340

Knoblauch und Kräuter hacken.

Kräuter mit Butter vermischen.

Auf Backpapier streichen.

Zu einer Rolle drehen; kühlen.

Scheiben zu Fleisch oder Brot servieren.

341 Schnitttechniken beherrschen

Finger krümmen
Zum Würfeln die Klinge an den gekrümmten Fingern der freien Hand entlanggleiten lassen.

gewürfelt

Hacken und ziehen
Zum Stifteln mit der Spitze hinabschneiden und dann zurückziehen.

gestiftelt

Wiegen
Zum Zerhacken das Messer vor- und rückwärtswiegen.

gehackt

Horizontal
Zum sicheren Schneiden die freie Hand oben auflegen.

in Scheiben geschnitten

342 Eine Zwiebel würfeln

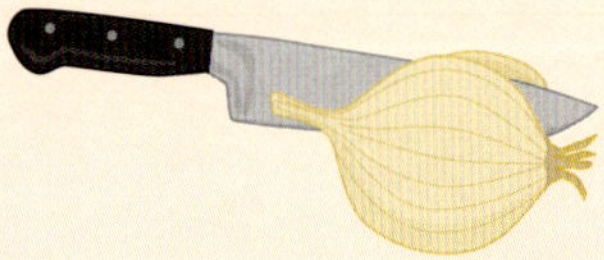

1 Zwiebel von der Spitze zur Wurzel halbieren.

2 Schälen.

3 Spitze entfernen.

4 Parallel zur Wurzel schneiden.

5 Horizontal schneiden.

6 Gerade nach unten schneiden.

343 Kräuter schneiden

Fugu zubereiten 344

Lizenz zur Zubereitung von Fugu erlangen.

Kugelfisch auf sauberes Schneidbrett legen.

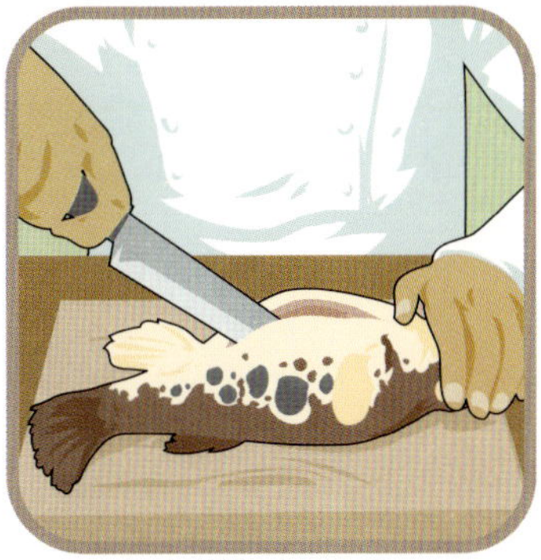

In der Mitte einschneiden.

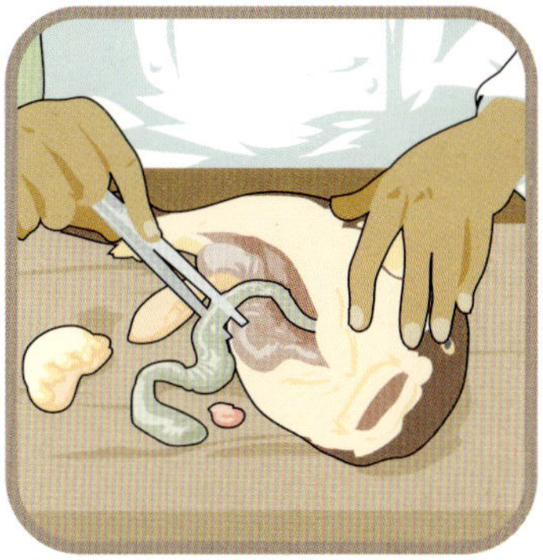

Innereien vorsichtig entfernen.

Haut entfernen.

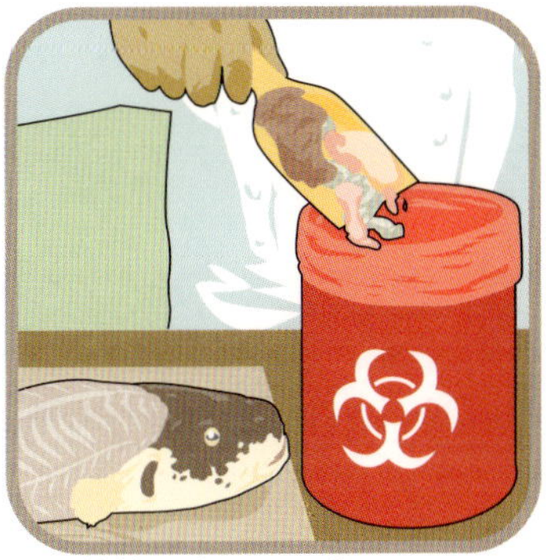

Abfälle ordnungsgemäß entsorgen.

In dünne Scheiben schneiden.

Mutigen Gourmets servieren.

* Nicht zum Lachen: Kugelfische sind extrem giftig und dürfen in vielen Ländern nicht verkauft werden. Selbst zertifizierte Köche müssen eine spezielle Ausbildung absolvieren und eine Lizenz besitzen, um ein Fugurestaurant eröffnen zu dürfen.

Eine Sashimi-Rose herstellen 345

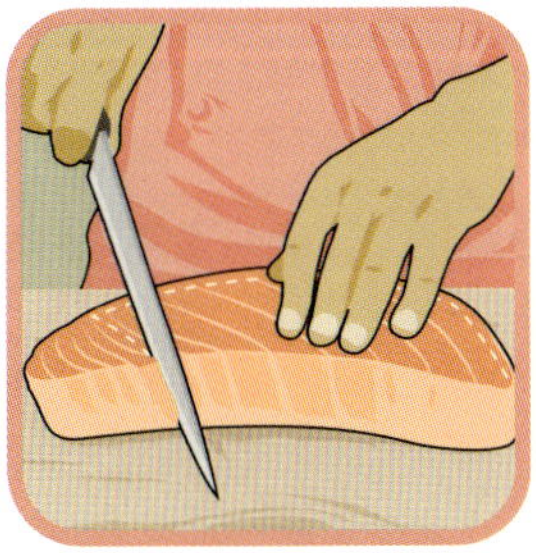

Thunfischrückenstück zerteilen.

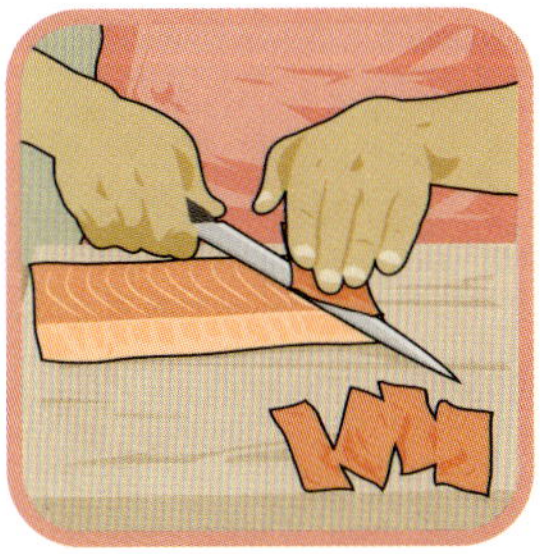

In dünne Scheiben schneiden.

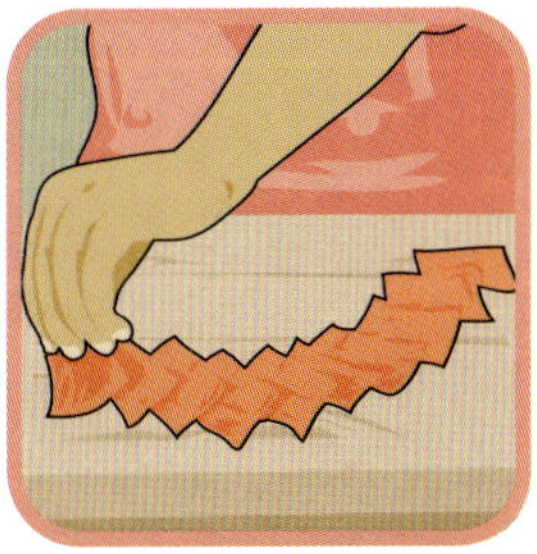

Scheiben auffächern.

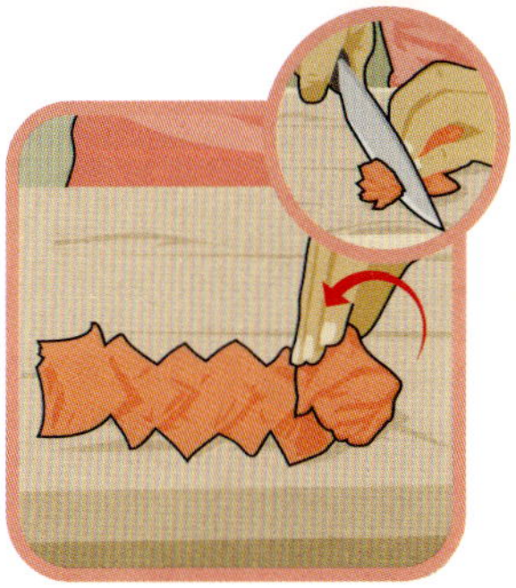

Zu einem Kegel rollen; Ende abschneiden.

Supersexy Sushi servieren 158

Servieren.

346 Gemüse einlegen

Paprika putzen und Gemüse schneiden.

In ein sauberes Konservenglas geben.

Bei niedriger Hitze vermengen.

Würzen. Zucker auflösen.

Vom Herd nehmen; abkühlen lassen.

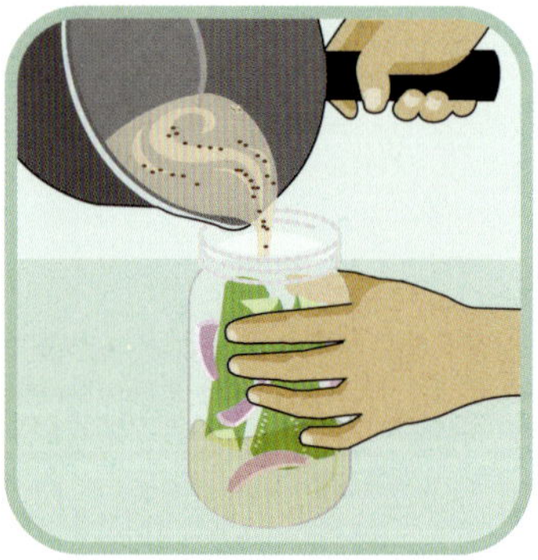

Gemüse mit der Marinade bedecken.

Verschließen, Glas schütteln.

Marinade im Kühlschrank aufbewahren.

Nicht nur Gurken lassen sich einlegen. Probieren Sie dieses Rezept auch mit anderen Gemüsesorten oder auch hartgekochten Eiern.

347 Hundertjährige Eier zubereiten

Zu gleichen Teilen vermischen.

Topf zur Hälfte mit Erde füllen.

Rohe Eier ummanteln; in Topf geben.

Mit Erde bedecken; aufbewahren.

329 Ein chinesisches Fest feiern

Schälen und servieren.

Erdbeeren einkochen 348

Mit warmer Seifenlauge auswaschen.

Deckel in heißem Wasser abkochen.

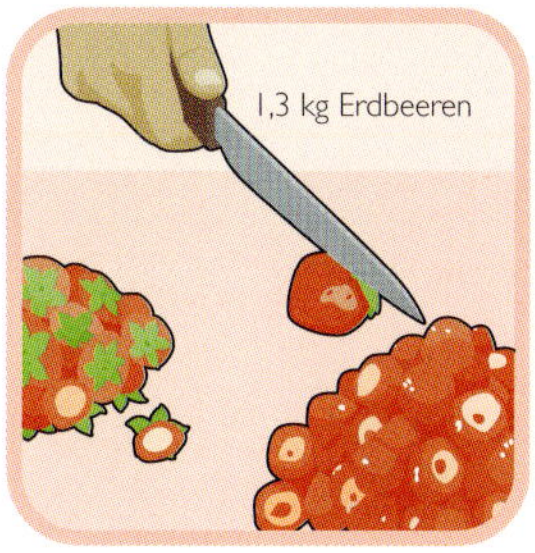

Beeren putzen.

Mit einer Gabel zerdrücken.

In einem großen Topf vermischen.

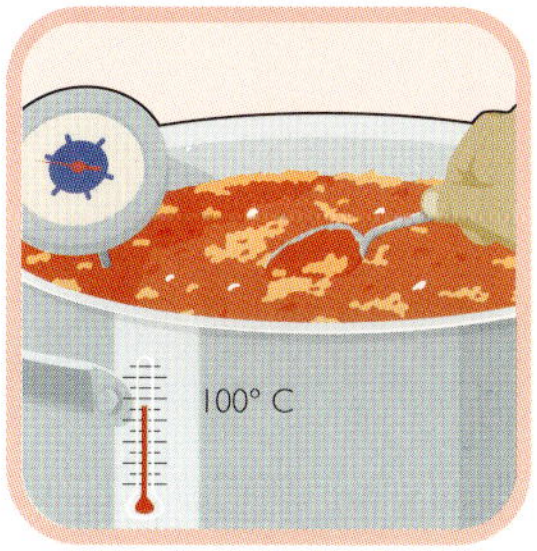

Kochen, Schaum abschöpfen.

Leicht stocken lassen.

Gläser fast ganz füllen.

Verschließen – Rand dabei nicht berühren.

In kochendes Wasser tauchen.

Himbeere

Jalapeño

Mandarine

Feige

Joghurt zu Hause zubereiten 349

Milch erwärmen.

Abkühlen lassen; Joghurt dazugeben.

In sauberes Konservenglas füllen.

Im Ofen backen.

Vor dem Servieren abkühlen lassen.

350 Saftige Rippchen grillen

Rippchen kalt abspülen; trocknen lassen.

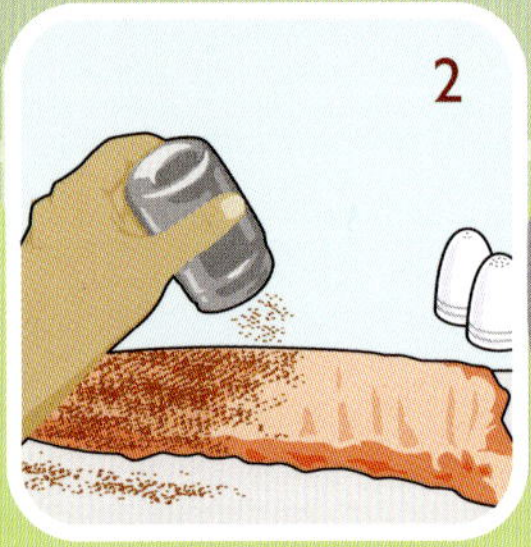

Kräftig würzen.

Pfanne auf den Rost stellen; zudecken.

Im Ofen grillen.

Grillen und bepinseln, bis das Fleisch knusprig ist.

Aufschneiden und servieren.

351 Gemüse in der Folie grillen

Gehacktes Gemüse auf eine Folie geben. Einschlagen; würzen.

Päckchen zusammenfalten.

Päckchen auf heiße Kohlen legen.

352 Lachs auf Zedernholz grillen

1. Zedernholzbrett in Wasser tauchen und beschweren.
2. Brett mit Olivenöl bepinseln.
3. Lachs aufs Brett legen; würzen.
4. Im geschlossenen Grill grillen.
5. Nach und nach mit Zitrone beträufeln.

353 Gegrilltes Obst genießen

Spieße tränken; Obst schneiden.

Auf doppelte Spieße stecken.

Rum und braunen Zucker hinzufügen.

Grillen, bis das Obst süß und klebrig ist.

354 Brot in einem Tonofen backen

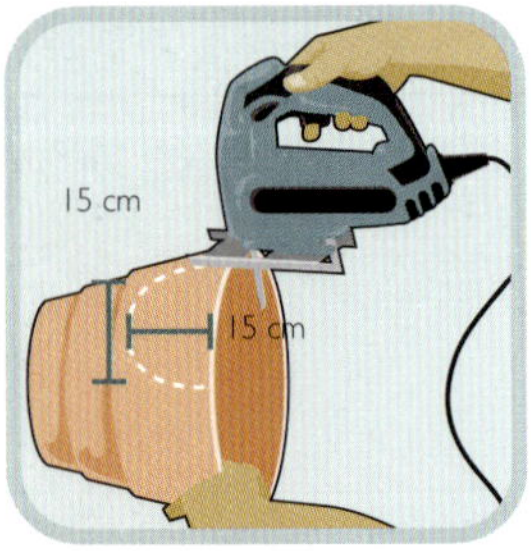

Topf mit einer Laubsäge aufschneiden.

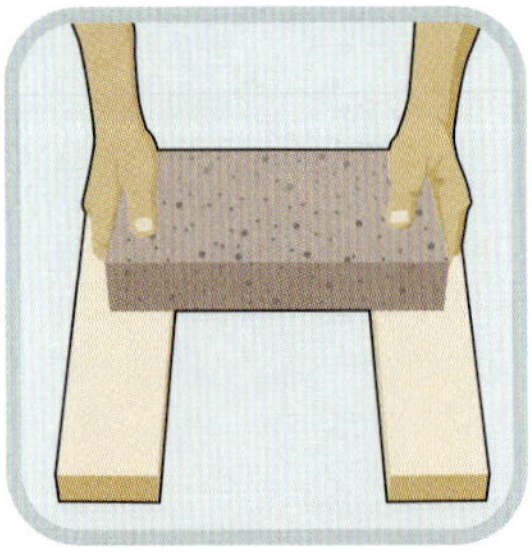

Pflasterklotz auf Bretter legen.

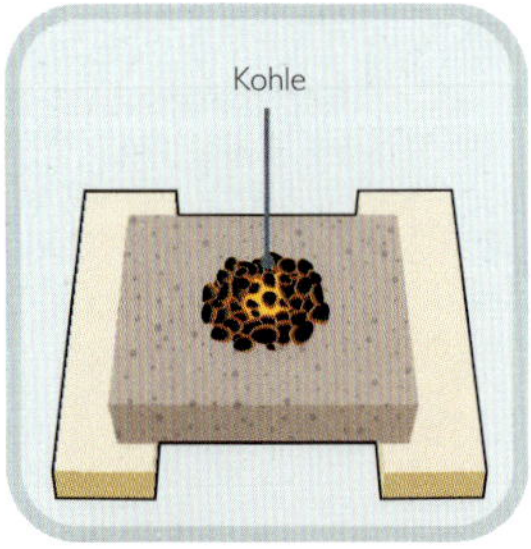

Abbrennen lassen.

Topf aufstellen; Thermometer einstecken.

Abstandsstücke aus Keramik aufstellen.

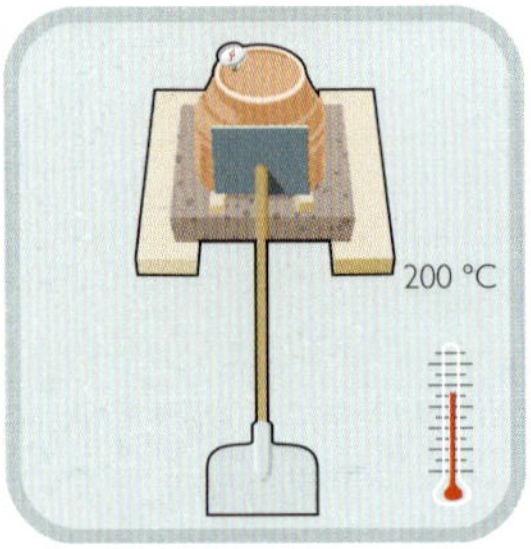

Mit Fliese abdecken; vorheizen.

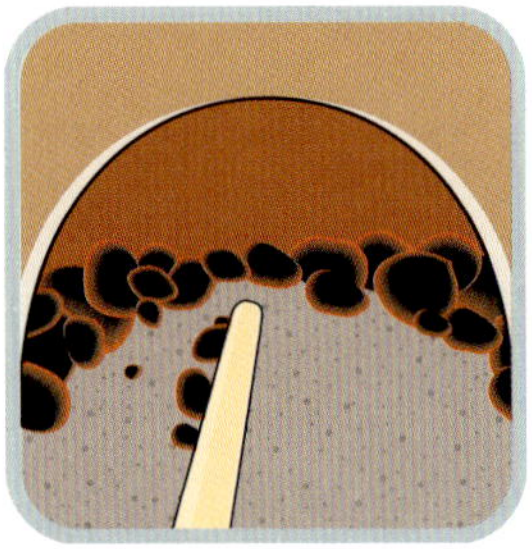

Kohlen beiseite schieben.

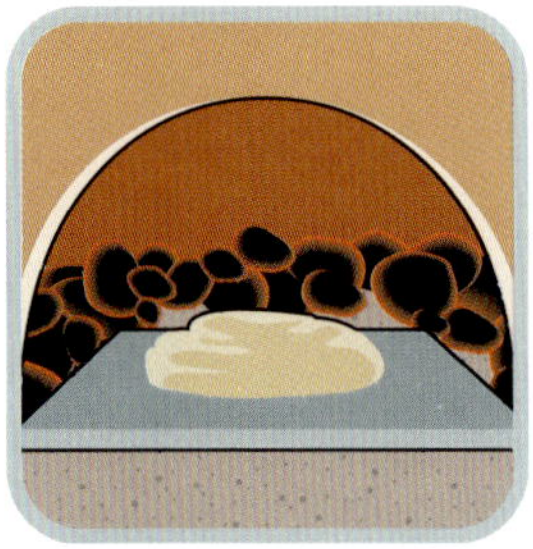

Fliese und Teig hineinschieben.

Tür schließen; backen.

289 Mit Brot und Salz begrüßen

Brot herausnehmen.

Backen Sie ihr ganz spezielles Tonofen-Brot, indem Sie den Teig mit folgenden Zutaten verfeinern.

Oliven, Mandeln und Mohn

Zwiebeln und Tomaten

Parmesan und Sesamkörner

Haferflocken und Honig

355 Kokusnussreis in Bambus kochen

Blätter zusammenrollen; hineinstecken.

In Wasser einweichen.

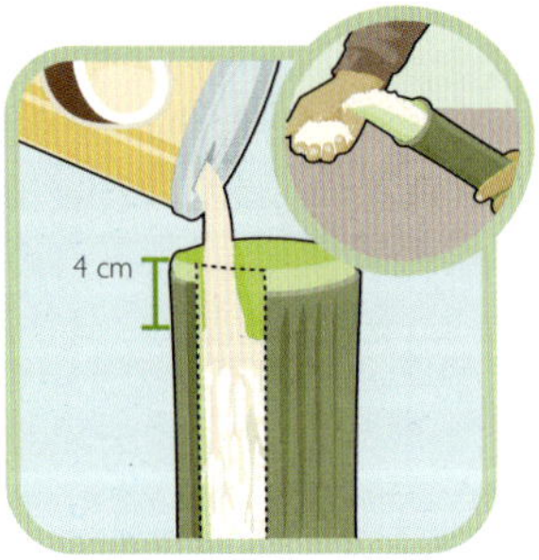

Reis und Kokosnussmilch einfüllen.

Kochen, gelegentlich umdrehen.

Bambus spalten; Blätter aufschneiden.

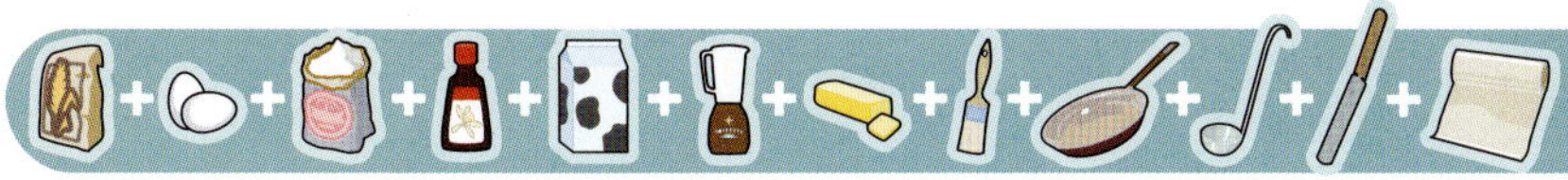

Crêpes zubereiten 356

Im Mixer verrühren.

Hinzugeben; glattrühren.

Teig in den Kühlschrank geben.

Mit geschmolzener Butter bepinseln.

Pfanne schief halten; hineingießen.

Pfanne schnell schwenken und bedecken.

Teig herausbacken.

Crêpe wenden; andere Seite backen.

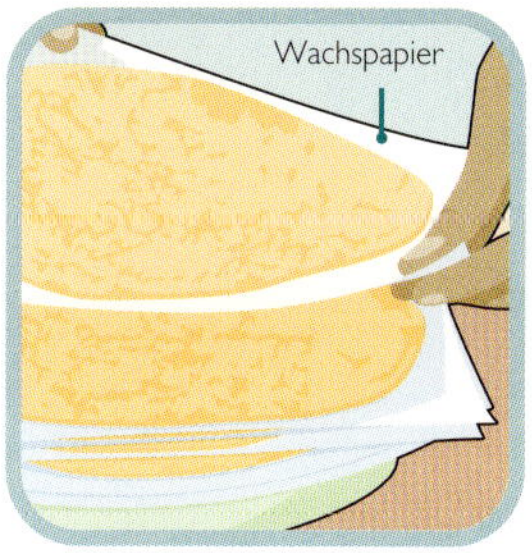

Crêpe auf den Stapel geben.

Füllen und servieren.

Das Um und Auf bei einer Crêpe ist ihre Füllung – mit folgenden Zutaten haben Sie die Wahl zwischen süßen und pikanten Varianten.

Honig und Zitrone

Schokolade und Bananen

Cheddar, Brathähnchen und Eier

Spargel, Pilze und Greyerzer

Doughnuts frittieren 357

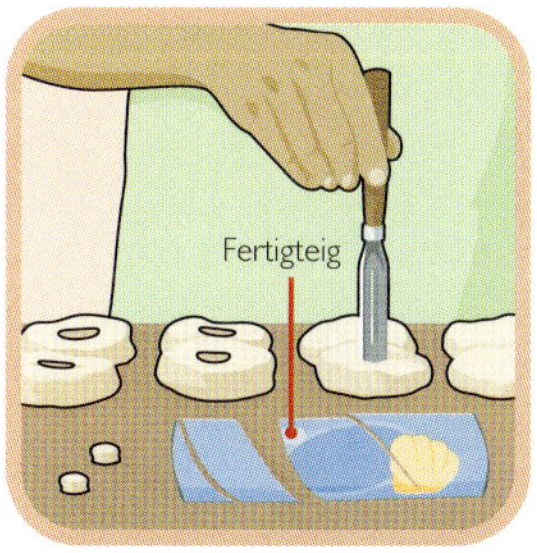

Löcher mit einem Apfelausstecher ausstechen.

Öl erhitzen

Doughnut in Öl tauchen.

Wenden.

In Zimtzucker wälzen; servieren.

358 Eine perfekte Glasur zaubern

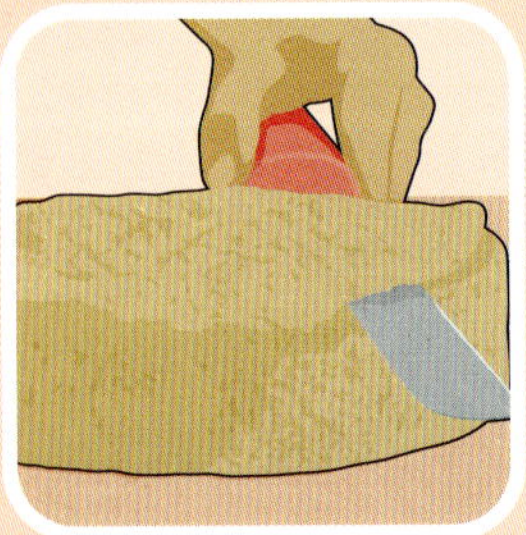

Abgekühlte Torte gerade schneiden.

Auf einen Tortenständer mit Kartonunterlage geben.

Eine dünne Schicht Glasur auftragen.

Glasur im Kühlschrank abkühlen lassen.

Mehr Glasur darübergeben; verteilen.

Servieren Sie ihre perfekt glasierte Torte, wie sie ist, oder lassen Sie Ihrer Kreativität mit einem Spritzbeutel und diversen Tüllen freien Lauf.

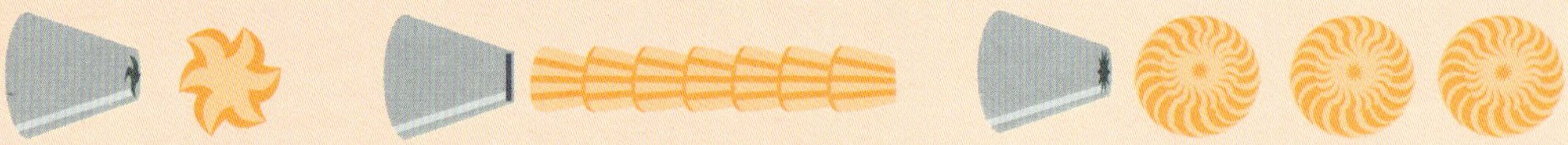

359 Schokolade-Minzblätter erzeugen

1 Schokolade im Wasserbad schmelzen.

2 Minzblätter mit Schokolade bestreichen; abkühlen.

3 Blatt abziehen – die Schokoladenform bleibt.

4

360 Ein Schokoladengitter zeichnen

1 Schokolade im Wasserbad schmelzen.

2 In eine Garnierspritze geben; Muster auf Wachspapier zeichnen.

3 Im Tiefkühlfach härten lassen.

4

Vom Rand zur Mitte glattstreichen.

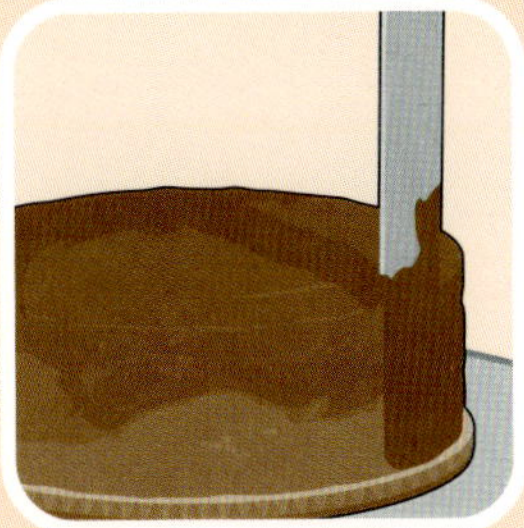

Seiten mit Glasur bedecken.

Mit dem Messerrand glattstreichen.

Messer unter heißes Wasser halten.

Rand an die Torte halten; drehen.

Mit Fondantformen verzieren 361

1 Fondantglasur ausrollen.

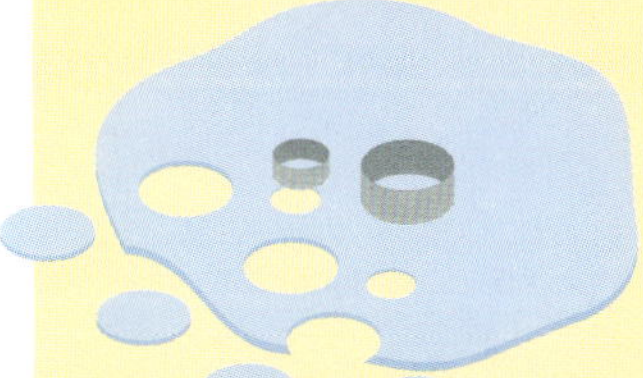

2 Formen ausstechen.

3

Mit Schablonen dekorieren 362

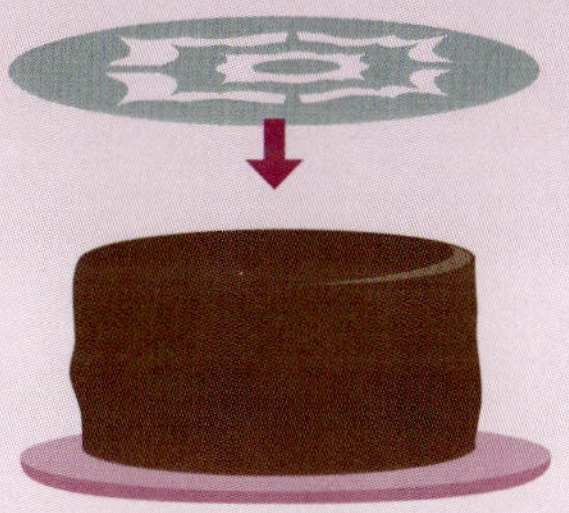

1 Schablone auf die abgekühlte Torte legen.

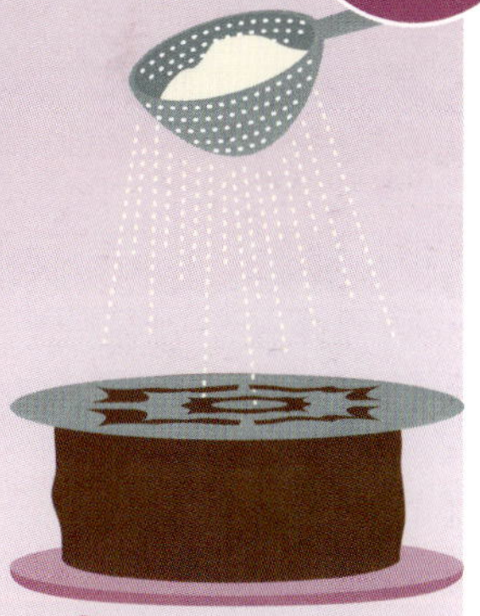

2 Puderzucker darübersieben.

3

150 g
verschiedene Früchte
Waschen, schälen und schneiden.
120 ml Milch
2 EL Nussmus
Hinzufügen.
120 ml Wasser
15 min
Wasser hinzugeben, zudecken und köcheln lassen.
Umrühren.
Mit Zucker und Zitrone abschmecken.

363 Obstschlecker einfrieren

364 Einen Smoothie mixen

365 Fruchtleder herstellen

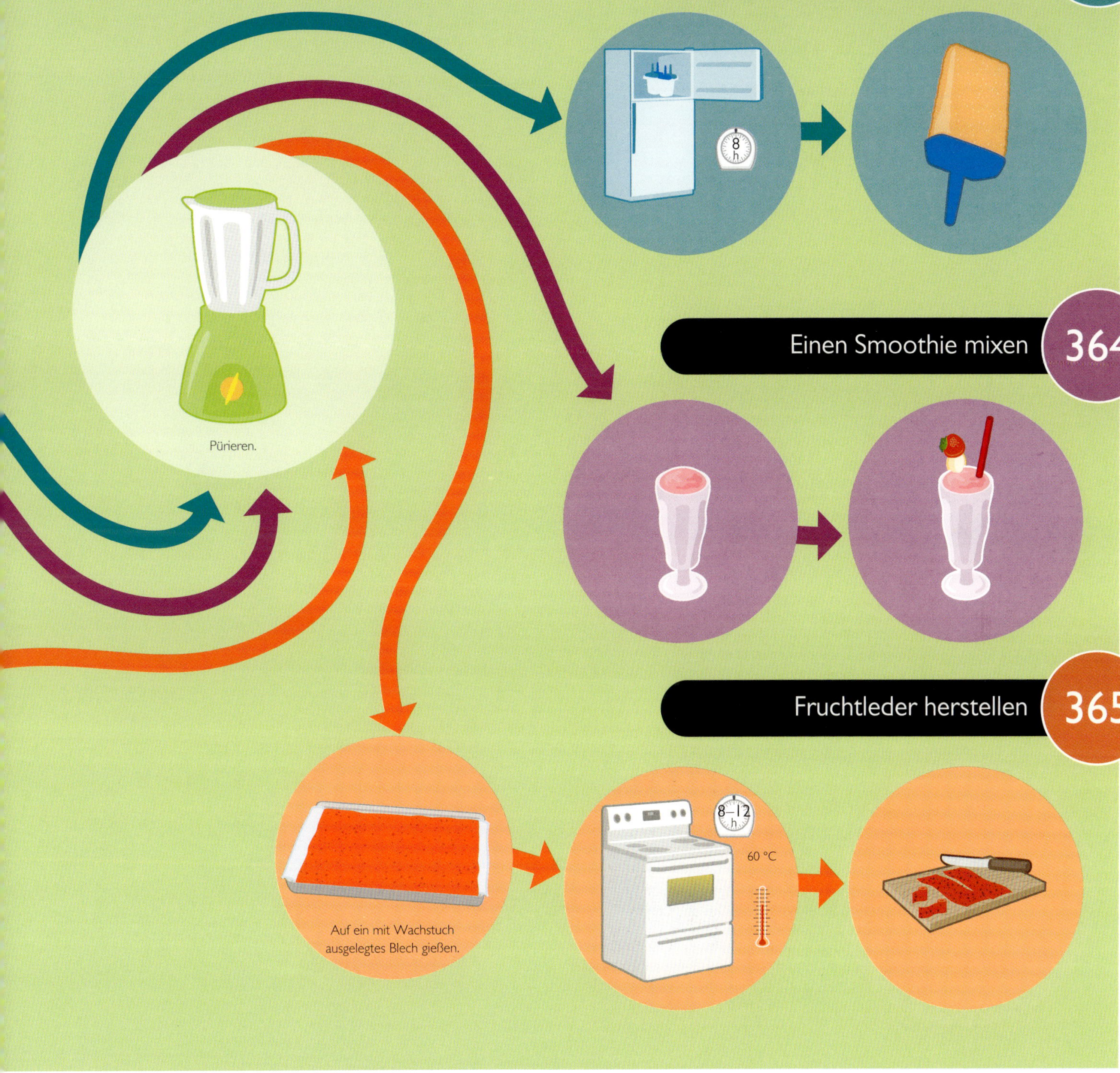

366 Löwenzahnwein herstellen

Löwenzahnblüten sammeln.

Über die Blüten gießen.

Mit einem Tuch zudecken; ziehen lassen.

Aufkochen.

Orangenschalen hinzugeben.

In einen Krug seihen.

Zucker einrühren.

Hefe und Orangensaft einrühren.

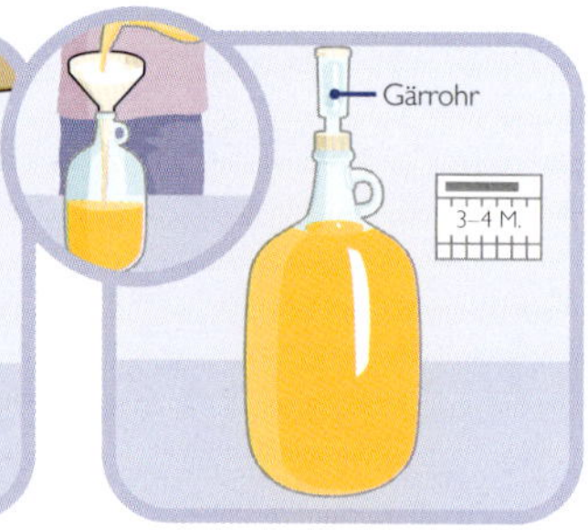

In einen Krug füllen; gären lassen.

In Flaschen abfüllen;
reifen lassen.

* Achten Sie unbedingt darauf, die gesamte weiße Haut zu entfernen – sonst schmeckt der Wein nicht!

367 Einen Kräutertee brauen

1 3 EL Kräuter für 250 ml kochendes Wasser verwenden.

2 Kräuter in ein Glas geben; kochendes Wasser zufügen.

3 Deckel schließen; ziehen lassen.

4 Abseihen und servieren.

Beruhigend

Kamillenblüte

Helmkraut

Salbei

Zitronenmelisse

Verdauungsfördernd

Zitronenstrauch

Ringelblume

Minze

Erdbeerblatt

Eiscreme-Soda zubereiten

368

Bei leichter Hitze vermischen.

Zucker auflösen.

Abseihen und abkühlen lassen.

Mit Zitronensaft abschmecken.

Zu einem Drittel mit Sirup füllen.

Mineralwasser darübergießen; umrühren.

Eiscreme dazugeben.

Garnieren und servieren

Abführend

Thymian

Holunder

Schafgarbe

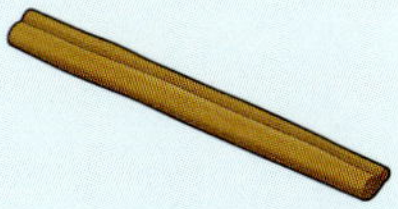

Zimtstange

PMS lindernd

Herzgespann

Echtes Johanniskraut

Himbeerblatt

Löwenzahnblatt

Kreislauffördernd

Rosmarin

Brennnessel

Lindenblüte

Weißdorn

369 Ingwerschnaps ansetzen

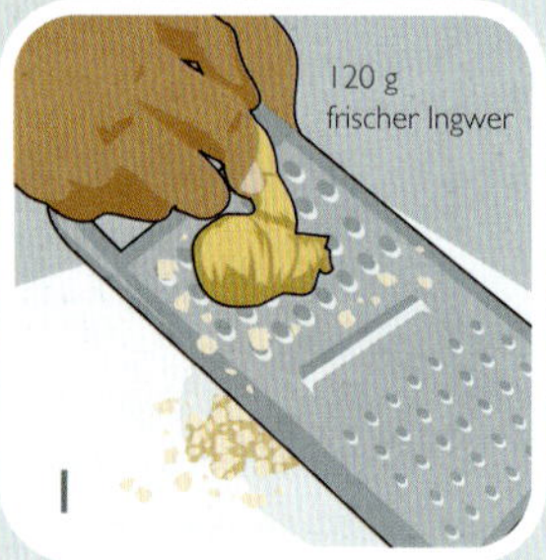

Frischen Ingwer reiben.

In ein Einmachglas geben.

Mit Wodka übergießen; Glas verschließen.

An einem kühlen, dunklen Ort lagern.

Einmal täglich schütteln.

Durch ein Sieb gießen.

Einen Gingertini mixen.

Mit frischem Ingwer garnieren.

370 Mit einer Feuer-Orange garnieren

Streichholz an die Orangenschale halten.

Zitrusöl herauspressen.

Schale rund um den Glasrand reiben.

In den Drink geben.

6 Drei Gläser gleichzeitig füllen

Raffinierte Cocktails mixen 371

Einen Blue Blazer entzünden 372

Zitronenzesten und Zucker dazugeben.

Kochendes Wasser in einen Krug gießen.

Schnell den Scotch hinzufügen.

Mit einem langen Streichholz anzünden.

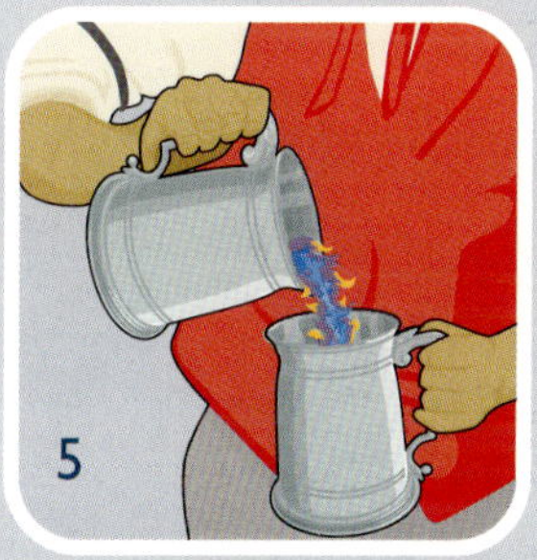

In den zweiten Krug füllen.

Aus größerer Höhe zurückgießen.

Mit gleichgültigem Gesichtsausdruck wiederholen.

Becher füllen. Vor dem Trinken löschen!

373 Äthiopischen Kaffee brauen

Bohnen unter Rühren anrösten.

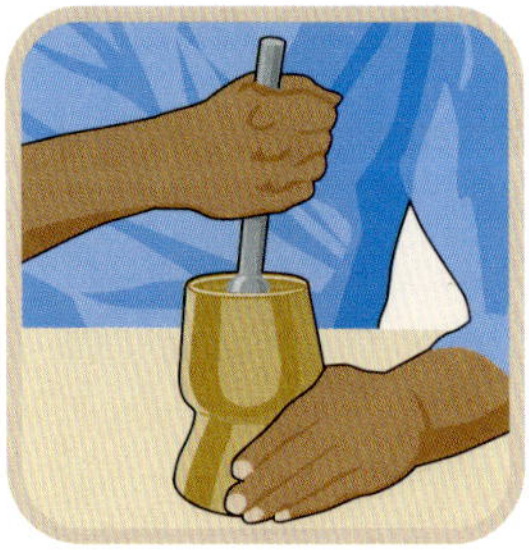

Bohnen händisch mahlen.

In einen Krug mit heißem Wasser geben.

Mehrmals filtern.

In kleinen Bechern servieren.

374 Vietnamesischen Kaffee servieren

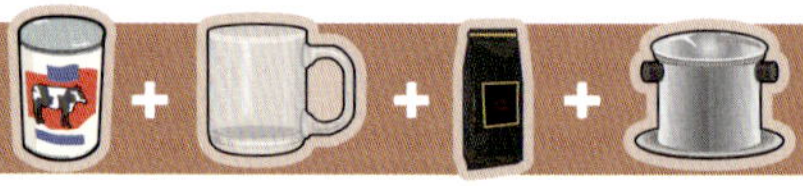

Glasboden bedecken.

Kaffee in den Filter geben.

Filter auf das Glas stellen.

Heißes Wasser eingießen.

Vor dem Trinken umrühren.

375 Griechischen Café frappé mixen

In einen Shaker geben.

Fest schütteln, sodass sich Schaum bildet.

In ein Glas mit kaltem Wasser und Eiswürfeln gießen.

Mit einem Strohhalm trinken.

376 New Orleans Iced Coffee machen

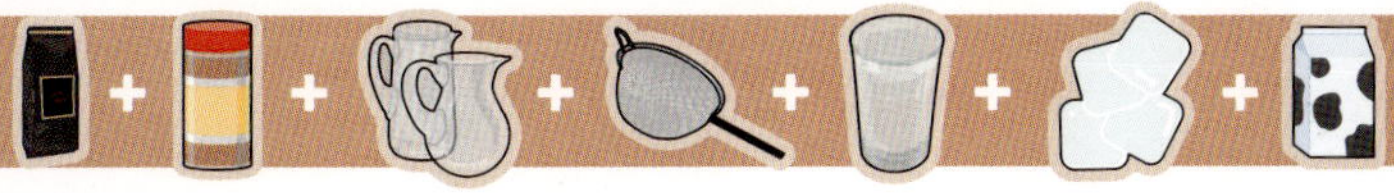

Vermischen.

Über Nacht ziehen lassen.

Abseihen.

Über das Eis gießen.

Milch hinzufügen.

377 Türkischen Kaffee brauen

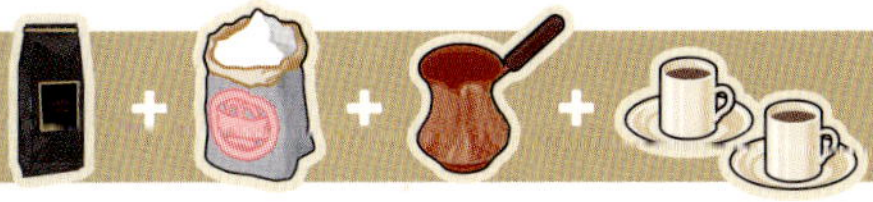

In ein Kupferkännchen geben.

Kochen lassen.

Wenn Schaum aufsteigt, vom Herd nehmen.

Wieder aufschäumen lassen; wegnehmen; wiederholen.

Eingießen; vor dem Trinken setzen lassen.

378 Irish Coffee genießen

Glasbecher mit kochendem Wasser anwärmen.

Whiskey und Zucker hinzufügen.

Fast bis zum Rand mit Kaffee füllen.

Vorsichtig mit Sahne garnieren.

bewegen

379 Wie eine Cholita kämpfen

Mit einem Highkick überraschen.

Zu den Seilen laufen.

Hinaufklettern; Umdrehen.

Abspringen.

Mit dem Ellbogen voran auf den Gegner fallen lassen.

380 Einen Powerslam ausführen

Die Menge anfeuern.

Mit Tritt auf den Solarplexus benommen machen.

Gegner am Arm nehmen.

Gegner in die Seile werfen.

Gegner fassen, wenn er zurückprallt.

Schwung ausnutzen, um ihn hochzustemmen.

Drehen; niederschleudern.

Jubel genießen.

Capoeira beherrschen 381

Auf beide Hände schwingen.

Beine spreizen.

Beine im Uhrzeigersinn drehen.

Rechtes Bein absetzen.

Linkes Bein absetzen;stehen.

Bei Capoeira handelt es sich um einen afro-brasilianischen Kampftanz, der von einer Musikkapelle mit traditioneller Musik begleitet wird.

Einen Highkick ausführen 382

Geduckte Haltung.

Auf den linken Fuß steigen.

Rechtes Bein nach vorn schwingen.

Mit dem linken Fuß wegspringen.

Mit dem linken Fuß treten, während der rechte nach unten sinkt.

Auf dem rechten Fuß landen.

Den linken Fuß aufsetzen.

Gleichgewicht gewinnen.

383 Eine Parade beim Fechten ausführen

Florett beim Ausfallschritt des Gegners heben.

Gewicht nach hinten verlagern.

Florett des Gegners nach unten drücken.

Ausfallschritt machen und Treffer erzielen.

In Ausgangsposition zurückkehren.

384 Das Schwert aus der Hand schlagen

Angriff des Gegners abwarten.

Schwung stoppen.

Schwert hochdrücken, drehen.

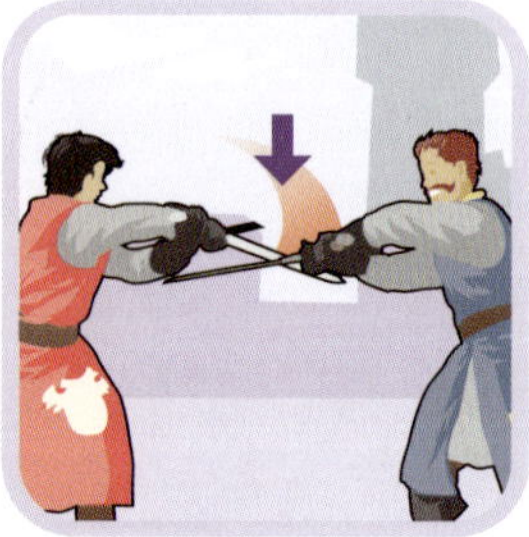
Nach unten und wegdrücken.

Schwert aus der Hand des Gegners drücken.

385 Im Ritterturnier kämpfen

Lanze aufrecht in der rechten Hand halten.

Schnell reiten, Lanze senken.

Den Rumpf des Gegners anvisieren.

Beim Aufeinandertreffen zurücklehnen.

386 Auf ein Pony aufspringen

Zügel und Mähne nehmen.

Mit dem Bein schwingen;
an der Schulter fassen.

Linkes Bein über den
Rücken schwingen.

Aufsitzen.

Gerade Haltung einnehmen.

387 Springreiten

Nach vorn lehnen;
Mähne nehmen.

Ganz ruhig sitzen,
Zügel locker.

Arme nach vorn strecken.

Beine nach vorn schwingen;
aufrichten.

Zügel spannen.

388 Von einem Pferd absteigen

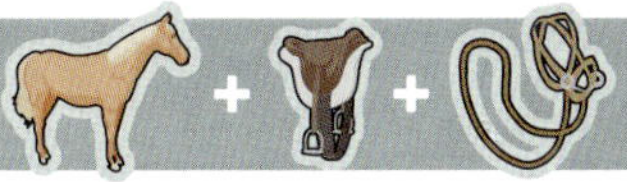

Füße aus den Steigbügeln nehmen.

Mit den Zügeln in der rechten Hand
linkes Bein hinüberschwingen.

Beim Landen in die Knie gehen.

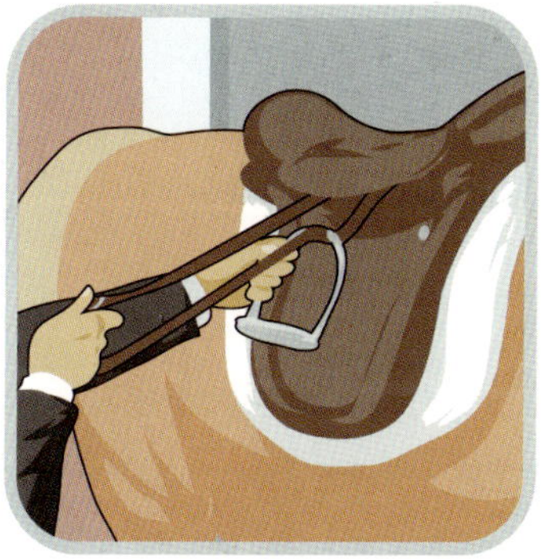

Steigbügel hochziehen.

389 Hufeisen werfen

390 Boccia spielen

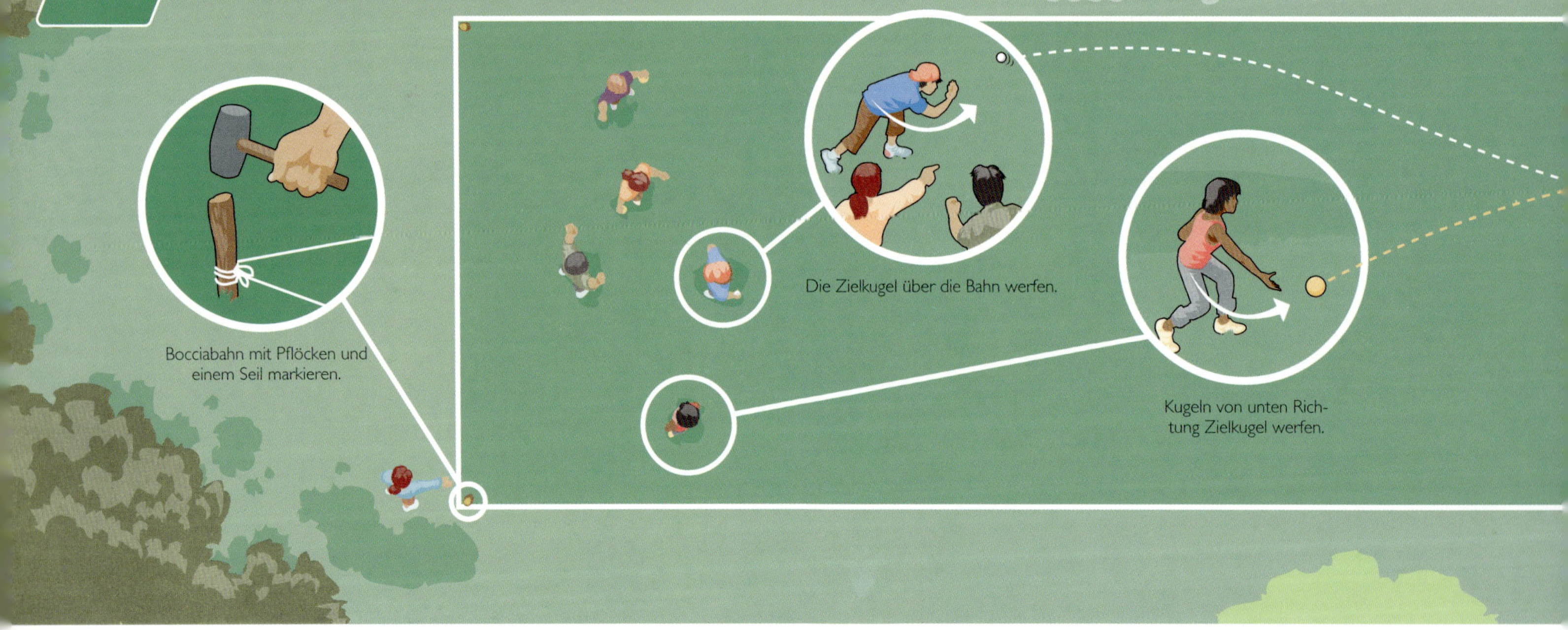

Für jedes Hufeisen, das den Pflock umkreist, gibt es drei Punkte.
15cm
Für jedes Hufeisen, das innerhalb des Kreises liegt oder den Pflock berührt, gibt es einen Punkt.
Seiten wechseln und weiterspielen, bis ein Spieler einundzwanzig Punkte erreicht hat.

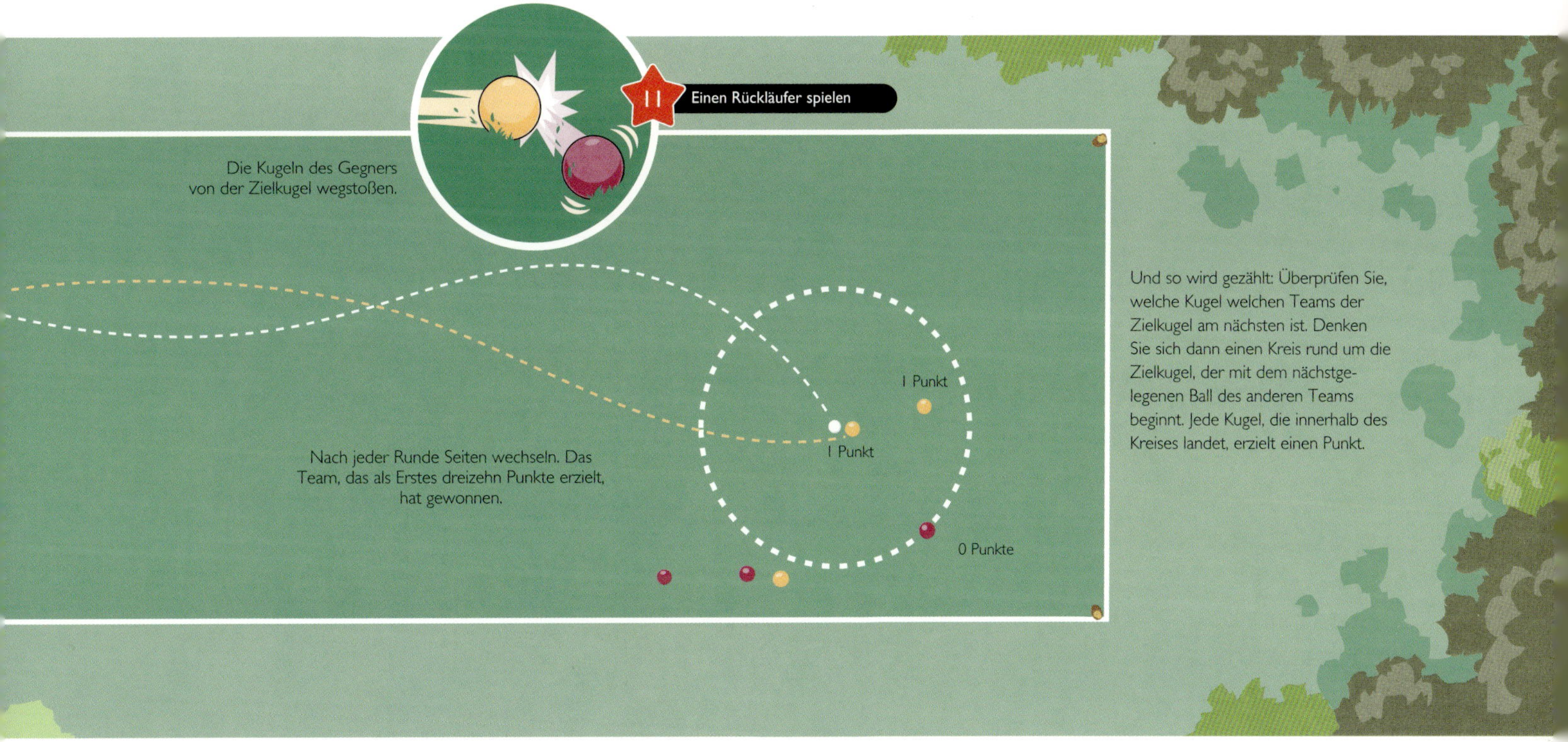
11
Einen Rückläufer spielen
Die Kugeln des Gegners von der Zielkugel wegstoßen.
1 Punkt
1 Punkt
0 Punkte
Nach jeder Runde Seiten wechseln. Das Team, das als Erstes dreizehn Punkte erzielt, hat gewonnen.
Und so wird gezählt: Überprüfen Sie, welche Kugel welchen Teams der Zielkugel am nächsten ist. Denken Sie sich dann einen Kreis rund um die Zielkugel, der mit dem nächstgelegenen Ball des anderen Teams beginnt. Jede Kugel, die innerhalb des Kreises landet, erzielt einen Punkt.

391 Auf einer Reckstange turnen

Auf die Stange hängen; Zehen hochziehen.

Beine über die Stange bringen.

Körper herabhängen lassen.

Körper hin- und herschwingen.

Mit maximalem Schwung . . .

. . . Knie strecken.

Beine anziehen.

Mit gebeugten Knien landen.

392 Sich auf der Reckstange drehen

Herabhängen; Schwung holen.

Bein hoch und unter die Stange durch drehen.

Beine herabbaumeln lassen.

Loslassen; mit gebeugten Knien landen.

Einen Boardslide hinlegen 393

Anlauf nehmen.

Auf das Geländer springen.

Mit den Armen Gleichgewicht halten.

Nach vorn drehen.

Beim Landen Knie beugen.

Einen Trackstand vollführen 394

Füße parallel halten.

Vorderrad leicht drehen.

Mit den Füßen Gleichgewicht halten.

Hände loslassen; aufrichten.

Hände wieder auf den Lenker legen.

Rückwärts skaten 395

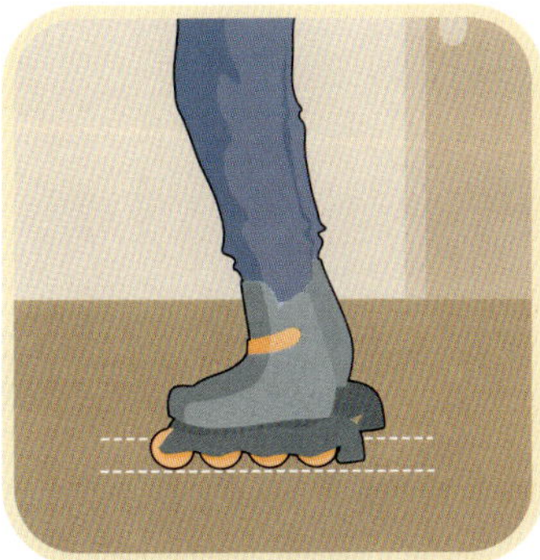

Füße parallel hinstellen.

Einen Fuß seitlich nach außen drehen.

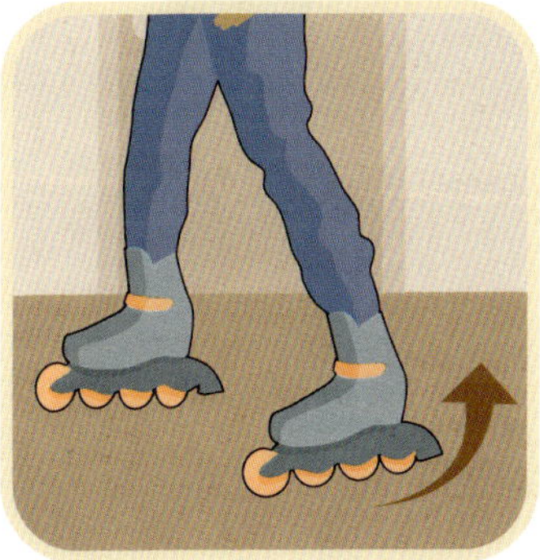

Bein wieder in parallele Position stellen.

Wiederholen.

396 Einen Outswinger bowlen

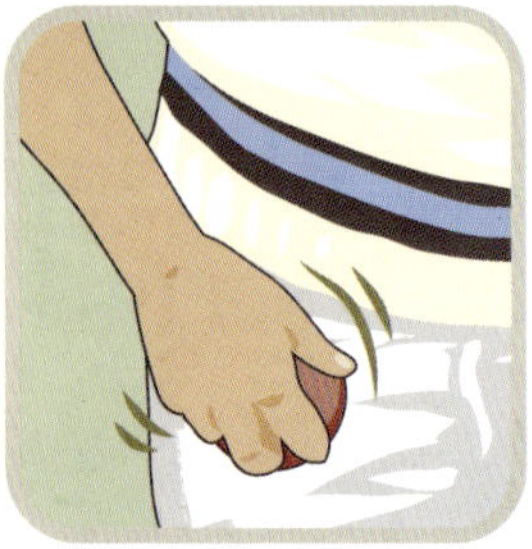

Ball an der Hose abreiben.

So halten, dass die Naht vertikal liegt.

Auf den Schlagmann zulaufen.

Ball bowlen.

Der Ball beschreibt in letzter Sekunde eine Drehung.

397 Einen Curveball werfen

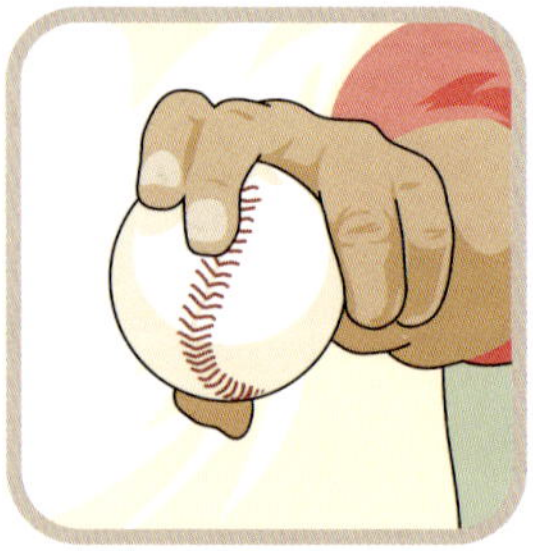

So nehmen, dass die Naht vertikal ist.

Hinter dem Rücken verbergen.

Rechten Fuß nach hinten setzen.

High Leg Kick.

Pitchbewegung ausführen.

398 Beim Volleyball aufschlagen

An der Grundlinie positionieren; Aufschlag vorbereiten.

Ball senken und Arm nach hinten ziehen.

Ball hochwerfen; dem Ball nachschauen.

An einem hohen Punkt treffen; durchziehen.

Einen Alley Oop hinlegen 399

Laufen; anzeigen.

Der Ball wird über den Korb geworfen.

In Richtung Ball springen.

In der Luft fangen.

Dunken.

Einen Schlagschuss ausführen 400

Puck zwischen den Füßen platzieren.

Mit dem Schläger bis über die Schulter ausholen.

Kelle kurz vor dem Puck auf dem Eis aufschlagen.

Puck anstoßen; Handgelenk drehen.

Durchziehen.

Beim American Football punkten 401

Schultern ausrichten.

Ball hinter das Ohr heben.

Beim Werfen den Ball von den Fingern rollen.

Durchziehen, Handgelenk nach unten biegen.

402 Den Lacrosse-Schläger verteidigen

Schläger vertikal wiegen.

In Abwehrstellung gehen.

Im Zickzack laufen, um Gegner zu verwirren.

Schläger gegen Gegner verteidigen.

403 Mit einem Übersteiger verwirren

148 Beim Kinderfußball punkten

In Richtung des Verteidigers dribbeln.

Zum Stoß ansetzen.

Fuß um den Ball führen.

Ball leicht mit der Ferse stoppen.

Richtung wechseln.

404 Beim Wasserball punkten

Tor anvisieren, Ball dribbeln.

Ball nehmen.

Ball auf Ohrenhöhe heben.

Schießen.

Tor!

Sich zu einem Gedränge aufstellen

Im Rugby Union ist ein Gedränge eine Standardsituation, bei der sich die Stürmer mit ihren Teammitgliedern dahinter binden und einander gegenüber aufstellen. Nachdem der Ball in den Freiraum zwischen den Teams eingeworfen wird, versucht jedes Team, in Ballbesitz zu gelangen, indem es ihn mit den Füßen nach hinten schiebt.

1 = Prop
2 = Hooker
3 = Prop
4 = zweite Reihe
5 = zweite Reihe
6 = Flanker
7 = Flanker
8 = „Nummer 8"

Der Hooker steht zwischen zwei Props und ist gerade dabei, sich zu binden.

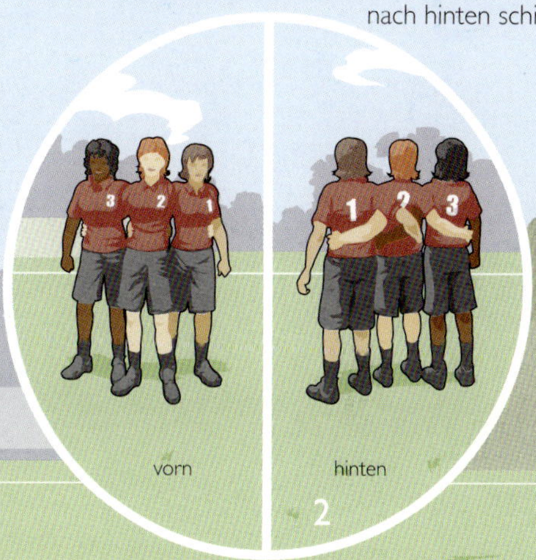

Die Spieler binden sich.

Die zweite Reihe bildet sich.

Die Spieler klemmen sich von hinten ein.

Sie stecken ihre Köpfe zwischen die Hüften der Spieler in der ersten Reihe.

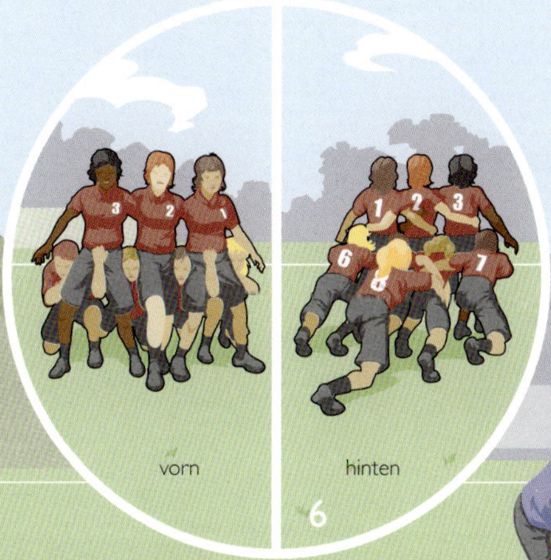

Zwei äußere Flanker umgeben die mittlere Reihe, die „Nummer 8" positioniert sich am Schluss.

406 Stabhochspringen

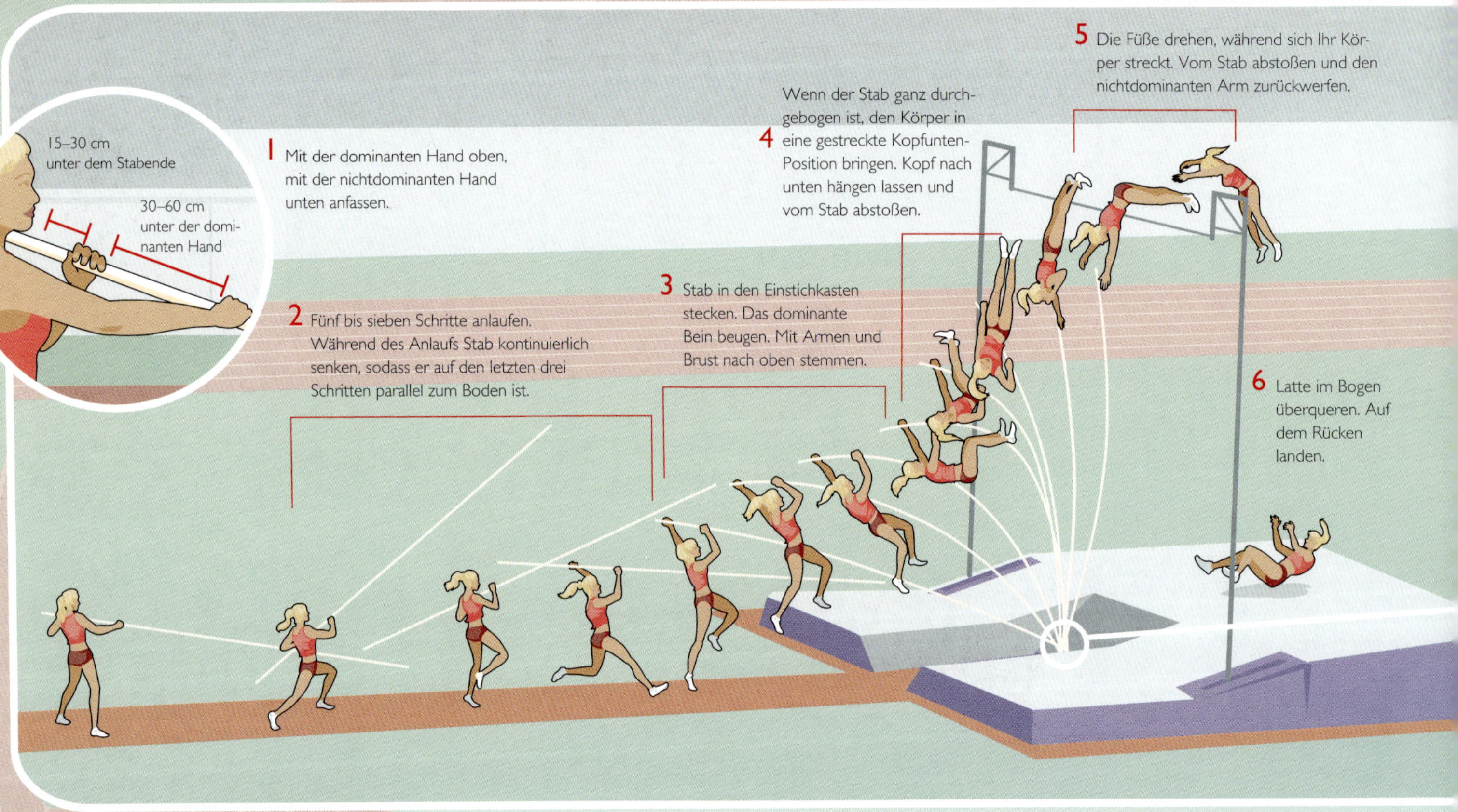

407 Kugelstoßen

Grundstellung einnehmen.

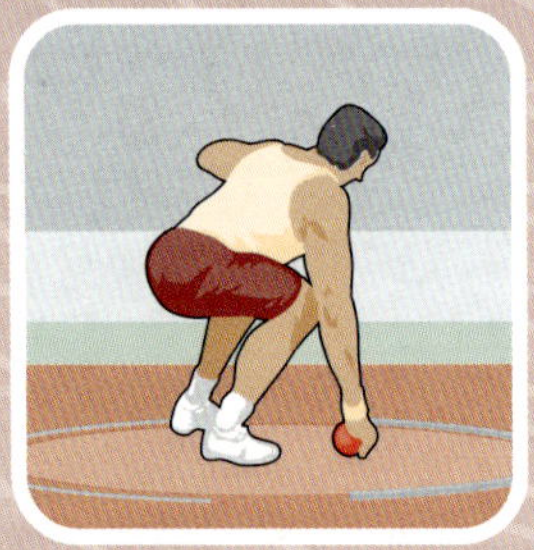
Niederbeugen und Kugel aufheben.

Aufrichten; Kugel über den Kopf heben.

Kugel an den Hals drücken.

In der Mitte stehendes Bein beugen.

Bei den Olympiateilnehmern schaut das alles ganz einfach aus! Bedenken Sie, dass das Erlernen dieser Disziplin ein langer Prozess ist, bei dem der Schwierigkeitsgrad langsam gesteigert wird. Hier sehen Sie die grundlegenden Bewegungsabläufe.

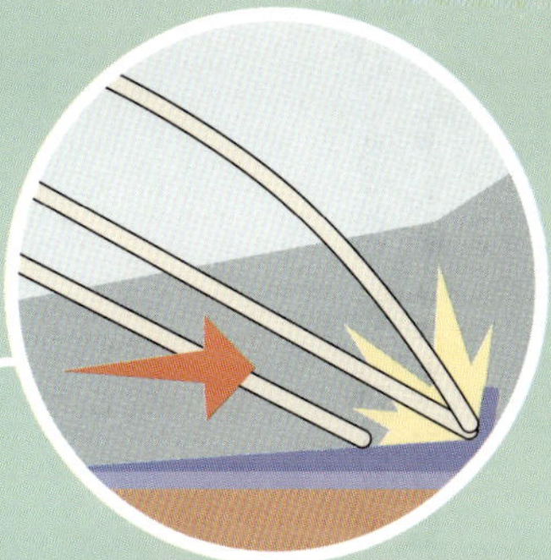

Mit dem Stab auf die Mitte des Kastens abzielen. Der Stab biegt sich von ganz allein.

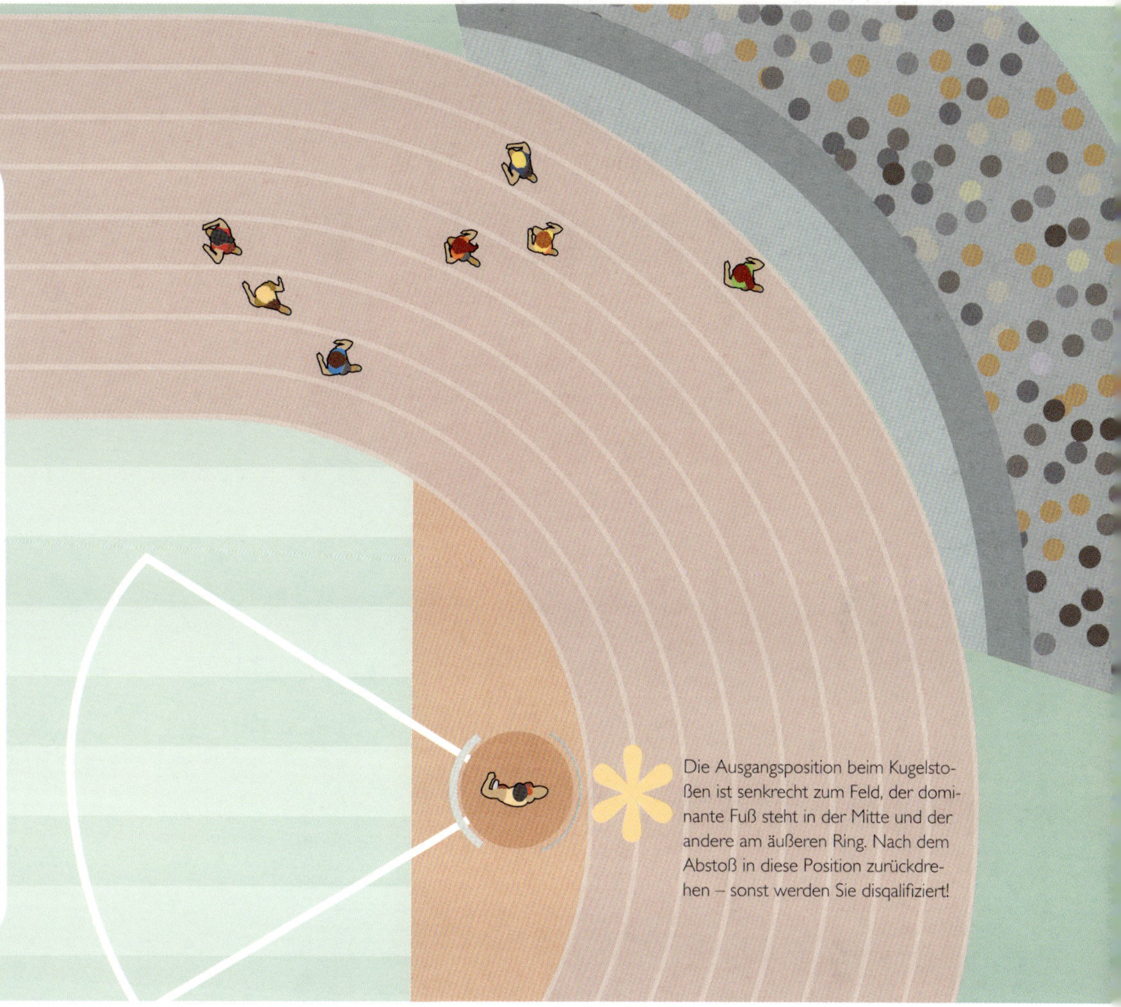

Die Ausgangsposition beim Kugelstoßen ist senkrecht zum Feld, der dominante Fuß steht in der Mitte und der andere am äußeren Ring. Nach dem Abstoß in diese Position zurückdrehen – sonst werden Sie disqalifiziert!

In der Mitte stehendes Bein drehen; Hüften öffnen.

Die Schultern folgen den Hüften.

Wegstoßen, Augen blicken nach oben.

Loslassen; Handgelenk nach unten klappen.

Zurück in die Ausgangsposition drehen.

408 Die Arme trainieren

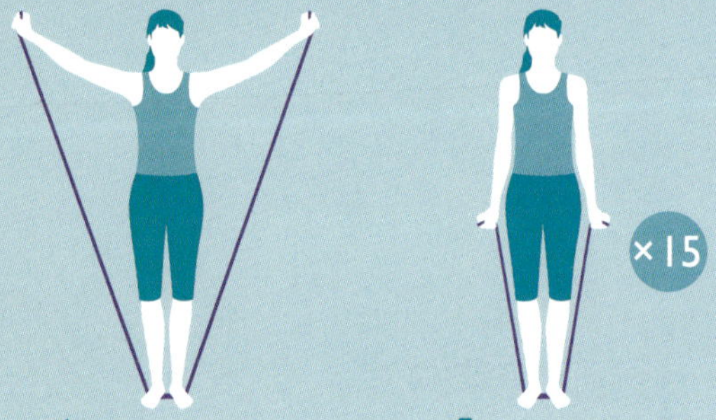

1 Auf das Gymnastikband steigen. 2 Unterarme heben. 3 Senken; wiederholen. 4 Arme seitlich heben. 5 Senken und wiederholen.

409 Die Beine trainieren

1 Band um den Fuß spannen. 2 Rücken gerade halten. 3 Muskeln anspannen; Fuß anheben. 4 Bein hochheben und ausstrecken. 5 Boden mit dem Knie berühren; wiederholen.

410 Die Bauchmuskeln kräftigen

1 Hinlegen und Knie anwinkeln. 2 Muskeln anspannen; Hals und Schultern heben. 3 Arme wippen. Beim langsamen Ausatmen zehnmal wippen, beim langsamen Einatmen zehnmal wippen. 100 Wippbewegungen wiederholen. 4 Versuchen Sie zur Abwechslung diese Beinpositionen für ein extra Muskeltraining.

Überall trainieren 411

Wer braucht schon eine teure Mitgliedschaft im Fintnessclub? Mit etwas Kreativität findet sich überall der ideale Platz zum Trainieren!

412 Ballettpositionen einnehmen

413 Eine Pirouette drehen

1 In der fünften Position beginnen.

2 Zur zweiten zeigen; Arme zur Seite heben.

3 Zur vierten Position zeigen; Arm vor der Brust anwinkeln.

4 Knie beugen; Gleichgewicht halten.

5 Einen Punkt fixieren; das ist der „Punkt“.

6 Rechten Fuß ans linke Knie heben, linken Fuß heben und Arme schließen.

7 Kopf nach rechts drehen; der Körper folgt.

8 Kopf herumdrehen und den „Punkt“ finden.

9 In der vierten Position landen, das Vorderbein ist gebeugt. Arme öffnen.

10 Zur fünften Position schließen.

Einen Backflip vollführen 414

In offener Position beginnen.

Beugen; Oberkörper nach links wenden.

Hinter den Knien nehmen.

Aufrichten und Partnerin herumwirbeln.

Sie landet mit gebeugten Knien.

* Dieser Flip geht so schnell, dass die Schwerkraft und die Schwungkraft die meiste Arbeit übernehmen. Um für Halt zu sorgen, stützt der Partner die Partnerin locker in der Mitte, während sie ihre Hände über seiner Schulter verschränkt.

Einen Head Spin hinlegen 415

Zum Kopfstand vorbereiten.

Beine nach oben stoßen.

Beine öffnen.

Hüften zum Schwungholen drehen.

Hüften gerade richten.

Hände beim Drehen hochheben.

Drehung verlangsamen; Hände zurück auf den Boden legen.

Beine im Uhrzeigersinn drehen und wiederholen.

416 In einen Bobschlitten springen

Bob in der Formation anschieben.

Der Pilot sprint als Erster hinein.

Die Anschieber folgen der Reihe nach.

Juhuuuu!

417 Ski nach einem Sturz anschnallen

Ski seitlich zum Hang positionieren.

Schnee vom Schuh entfernen.

Ski anschnallen.

Beim zweiten Ski wiederholen.

258 Eine Lawine überleben

Weiter geht's!

418 Eine Spitzkehre ausführen

Gegen die Hangrichtung hinstellen.

Den Talwärtsski aufstellen.

Ski um 180 Grad drehen.

Anderen Ski herumdrehen.

Ski absetzen.

Rückwärts übersetzen 419

Schwung holen und rückwärts fahren.

Rechten Fuß über den linken setzen.

Linken Fuß nach außen drehen.

Erneut den rechten Fuß überkreuzen.

Mit dem Snowboard landen 420

Knie beugen; Gewicht nach hinten verlagern.

Vorderfuß und Nose anheben.

Board nivellieren, Knie anziehen.

Nose zur Landung ausrichten.

Landung ausfahren.

In Schneeschuhen marschieren 421

Stöcke auf den Berghang abstimmen.

Im Zickzack aufsteigen.

Zum Richtungswechsel Stöcke einstecken.

Hochspringen und drehen.

Weitermarschieren.

422 Aus einem Flugzeug springen

423 Eine Formation bilden

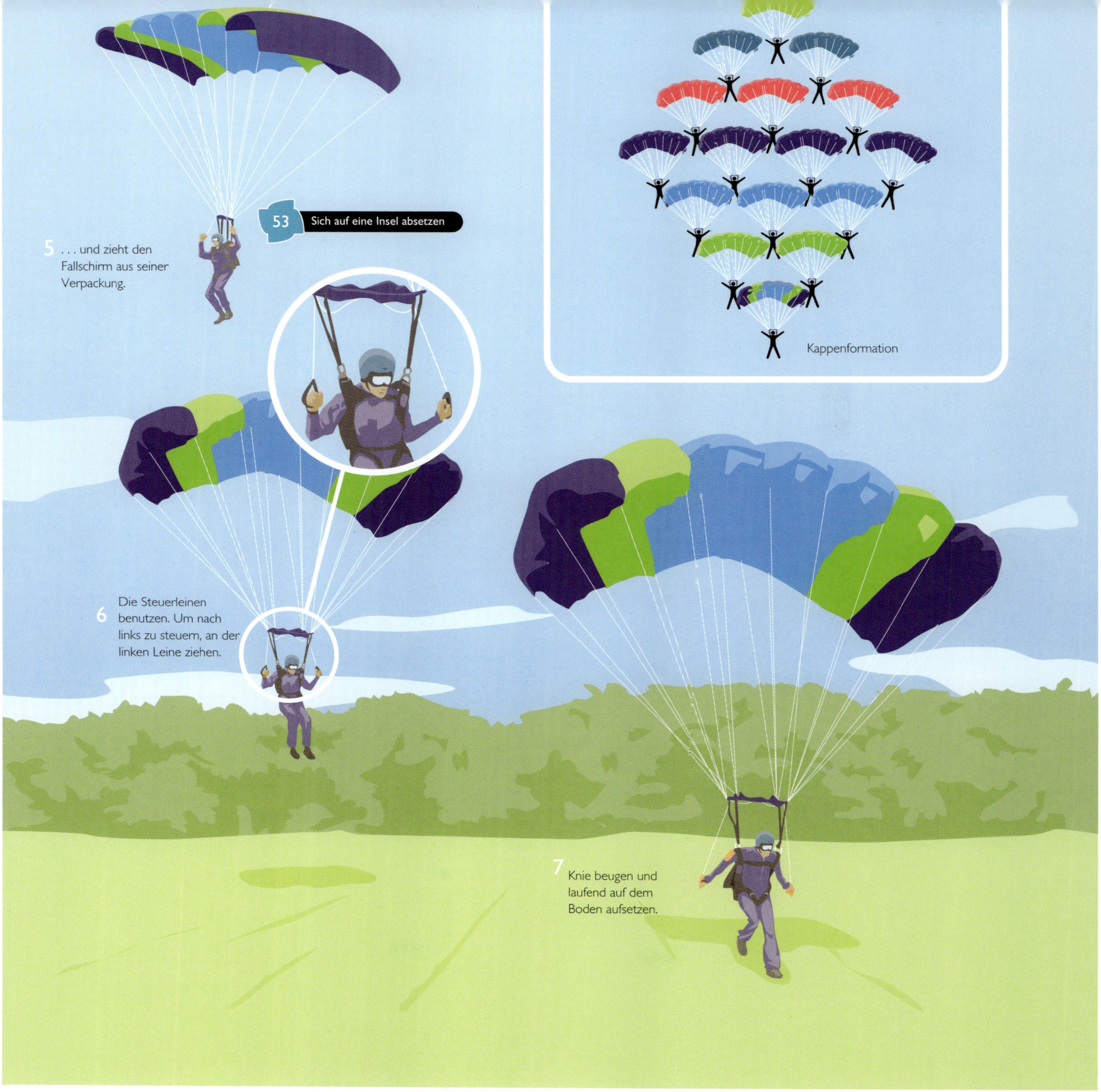

53 Sich auf eine Insel absetzen
5 . . . und zieht den Fallschirm aus seiner Verpackung.
6 Die Steuerleinen benutzen. Um nach links zu steuern, an der linken Leine ziehen.
7 Knie beugen und laufend auf dem Boden aufsetzen.
Kappenformation

Anhang

Werkzeuge

Bambusscheibe
Seifenblasen
Katzenminze
Gurke
Wasserschüssel
Glaskrug
Babytasche
Plastikplane
Ballast
Stabhochsprunglatte
Decken
Kunst
Bambusblätter
Tasse
Naturmagazin
Bargeld
Glasbackform
Flüssigstärke
Khadag (traditioneller Schal)
Handtuch
Glasplatte
Autositz
Tee
Petersilie
Hunde-Transportbox
CD-Hülle
Kamm
Franzbranntwein
Seidenpapier
Lacrosse-Helm
Erde
Perlen
Bambus
Schwamm
toter Fisch
Dill
Wasserabsorber
Joghurt
Keksteig
Mineralwasser
Hockeymaske
Kühlbox
Spielzeugroboter
Lineal
Aloe vera
Backhandschuh
grüne Paprika
Stickgarn
Wasserflasche
Kunstharz
Tischtuch
Kreide
Decke
Teekanne
Strohhalm
Samenpackung
Kunstgeschichte-bücher
Thymian
Fransen
Longdrink-Glas
Lötlampe
Jeans
Farbpinsel
Pfeil
Fallschirmanzug
Akazienzweig
Blumen
Feuerzeug
Lieblingskräuter
Haargel
Sprühflasche
Cutter
Snowboard
Pflanzenmagarine
Haarklammer
Perlen
Rosmarin
Preiselbeere
Bougainvillea-Setzlinge
Schaumstoffring
Bargläser
4 Liter Wasser
Taschenrechner
Vaseline
Glasätzpaste
Gummihandschuh
Stoff
Keramikfliesen
Bonbons
Moos
Sicherung
Aufbewahrungsglas
Zahnpasta
Puderzucker
Hängelampe
Steine
Temperafarbe
Fliesen
Beschläge
Kerzenbehälter
Kompost
Tapete
Propantank
Puder
dünner Malpinsel
Touristenverkleidung
Farbstift
bunter Kies
Kohlepapier

Liebestrank
Druckbleistift
Schraubenzieher
Krallenschere
Perücke
Hundeleckerli
Unterwäsche
Umschlag
Stühle
Kajak
Perlen
Fallschirm
Drachenschnur
Klebeband
Lanze
Trench Coat
Instantkaffee
Filz
Radierer
Demerara-Zucker
Schützer
Feder
Boccia-Kugeln
Sodaflasche
Schere
Regenschirm
elektrische Gitarre
schwere Bücher
Malpinsel
Metalllack
Rippen
Malpinsel
Färbepinsel
Kondom
Magazin
Tasche
Ross
faules Obst
Lacrosse-Ball
Rock
Pom-Pom
Garnele
Rettungsweste
Gartenschere
Blumen
Eimer
Fahrrad
Hundegeschirr
Jacke
Marmelade
Stoff
Papier
rosa Kerze
Lagerfeuer
Kerze
unechte Blumen
Schnellverbinder
Schneeschuhe
Container für bio-gefährliche Substanzen
Keramikkrüge (jabeenas)
Beeren
alte Kleidung
Sprühflasche
Lachs
Goldblatt
Meißel
rote Zwiebel
Drachen
T-Shirt-Quadrate
Raketenrucksack
Spielkarten
Drahtschneider
Barhocker
Konfetti
Kugel
Fallschirmspringerhelm
Pomade
Kissen
Weinstein
Luftballons
Nadeln
Kricketball
Kajalstift
Hufeisen
Schweine
Thunfischsteak
Druckertinte
Zange
Schleife
Zichorie
Auto
Eigentum
Plastron
Stanzgerät
Reißverschluss
Färbemittel
Basketball
Polyurethan
Drahtzange
Pailletten
Kreditkarte und Bargeld
Papierstreifen
Heliumtanks
Sarg
Kabel
Lockenwickler
Waschlappen
Klappstuhl
Lack
Dachzement
Band
Gemälde
Erdbeeren
Hose
Eimer
Plumeria
Salami
Mineralpuder
Wanderbündel
Ibuprofen
Fugenmasse

Mühle
Gemüse
Schnitzwerkzeug
Couch
Spachtel
Baumstämme
Kohlestift
Scotch
alter Rahmen
Kies
Pflock
Markierungs-hütchen
Maßband
Ton
Pony
Pökelgewürze
Zedernplanke
Holzhammer
Teddybär
Holzblock
Lorbeerblätter
Spachtel
Orangensaft
Streichholz
Ibrik
Malpinsel
Färbemittel
Karton
Kartonröhren
Pinsel
Kartonscheibe
Zusammengebundene Pflöcke
Papiertüte
Kürbisse
Whiskey
mechanischer Bulle
Küchenstuhl
Pfeifenputzerdraht
Baumstamm
Katzenspielzeug
Gitter
Mörtel
Pilze
Kommode
Orange
Haarbleichmittel
Grillsauce
Sattel
Football
Luftgewehr
Klopapierrolle
Haarklammern
Sandsäcke
Korken
Zimt
Hut
Tontopf
grobes Salz
Vanilleextrakt
Kaffeefilter
Hammer
Tisch
Bilderrahmen
Brennzelle
Maserwerkzeug
Chicha-Schale
Obst
Holzblock
Bücherregal
Glasur
Pfanne
Karton
Stab
Bretter
alter Stein
Glasfaserstab
Holzblöcke
Bahnrad
Blumentopf
Decke
Lidschattenpinsel
Stange
Rum
Zaumzeug
Nudelholz
Pflasterstein
Hängekorb
Isolierung
Boote
Pferd
Comics
Stoff
Essstäbchen
Koffer
Streichholz
Schmirgelpapier
Fliesenkreuze
Tonwerkzeug
Korkplatte
Muschel
Teaköl
Korb
Schutzausrüstung
Pinsel
Klettergerüst
Pinsel
Perlenwebrahmen
Korb
Kratzbaum
Holz
Lagerfeuer
Keramikfliese
Baseballhandschuh
Cocktail
Kugelfisch
Pfähle
Pinsel
Reis
Räucherstäbchen
Bilderrahmen
Kakaobutter

Scharnier
Pflanzenöl
Grillpinsel
Wasserball
Buttermilch
Purim-Geschenke
Gummikordel
Busójárás-Maske
Museumskarte
Gummiband
Plastikkappe
Holzlöffel
Mehl
Teig
Kanu
Zitrone
Morris-Tanz-Schellen
Klebefolie
Rinderknochen
Stoffstreifen
Tischtennisbälle
Papierhandtücher
Sperrholz
Eiscreme
Seihtuch
Sticker
Butter
Halterung
leere Geschenkbox
Farbwalze
kleine Schalen
Notizbuch
PVC-Rohr
Honig
Kokosnussmilch
Holzstäbchen
Bananenschale
Zitronensaft
doppelseitiges Klebeband
Bierglas
Sand
hautberuhigender Balsam
Trichter
Wattebausch
Mörser und Stößel
Schwamm
Isolierung
Reißnagel
Flüssigsilikon
Schaumpolster
altertümliches Schreibzubehör
Einlage
Farbe
Schild
Talkumpuder
Knoblauch
Bienenwachs
Kokosnussöl
Löwenzahn
Klebestift
Reisedokumente
Baseball
Backpapier
Schrottwagen
Bierdose
Lacrosse-Schläger
Spieß
Backpinsel
Olivenöl
Fugenversiegler
Zitronenschale
Helm
Stickrahmen
Nähmaschine
Mentos®
Velcro™
Würfelzucker
Ofenplatte
Hefe
Holzkleber
Bohrmaschine
Mit Maisschalen geschmückter Wagen
Ski
Bretter
gebrauter Tee
Knoblauch
Stoffmalstift
Eislaufschuhe
Hockey-Schläger
Torte
Wäscheklammern
Teppichmesser
Verschütteten-suchgerät
Bobschlitten
Abstandsstücke aus Holz
Wachspapier
Fugu-Lizenz
Salz und Pfeffer
Papier
Sand
Creme-Make-up
Ingwerwurzel
Bleistift
Perlen
Maßband
mongolisches Brot (ul boov)
Wachs
Keramikknöpfe
elektrischer Mixer
Haarwachs
Brauner Zucker
Seil
Anker
Blechschere
Samen
Kettensäge
Linoleumplatte
Verband
Timer
Volleyball
Sprühflasche

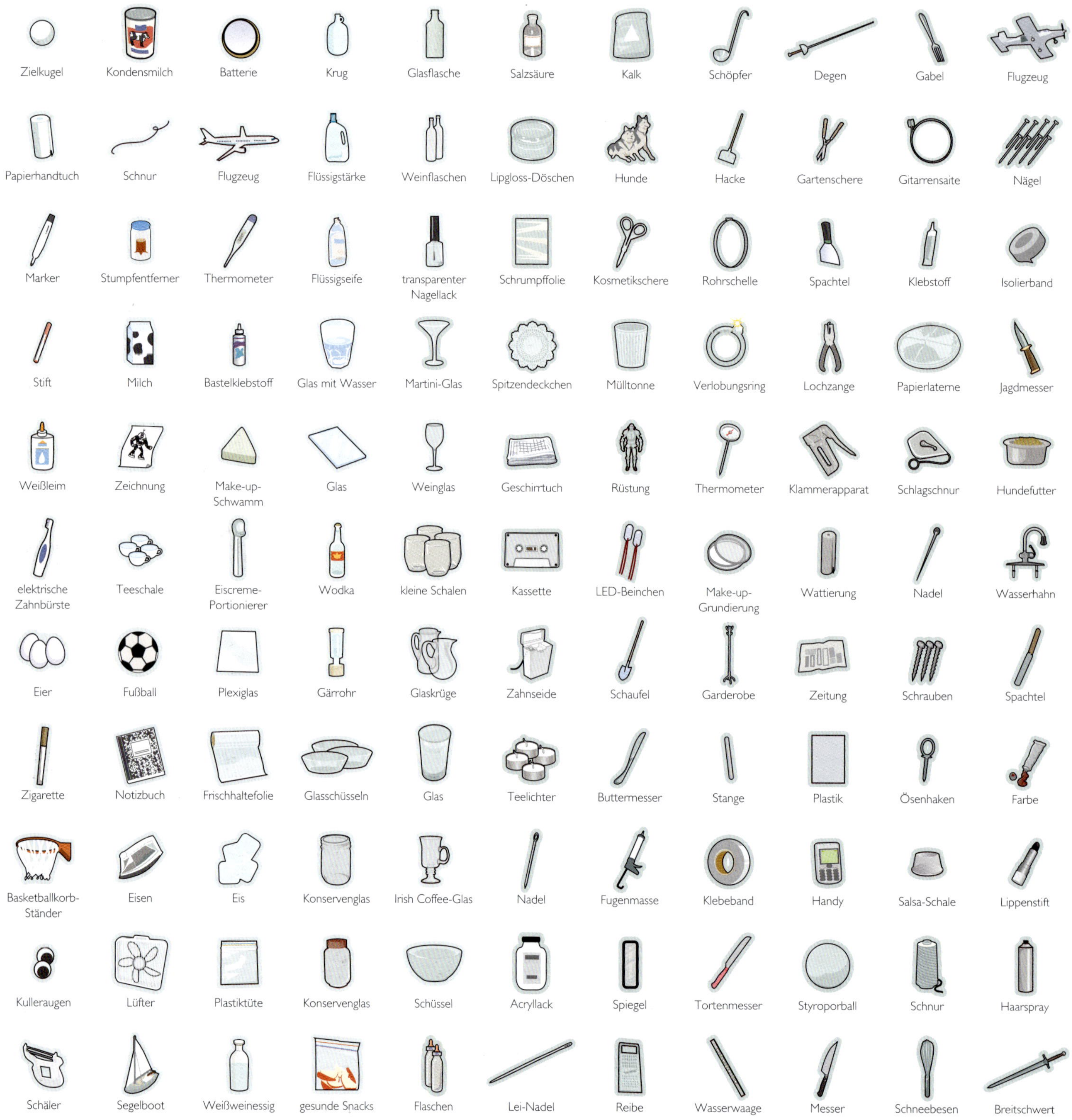
Zielkugel
Kondensmilch
Batterie
Krug
Glasflasche
Salzsäure
Kalk
Schöpfer
Degen
Gabel
Flugzeug
Papierhandtuch
Schnur
Flugzeug
Flüssigstärke
Weinflaschen
Lipgloss-Döschen
Hunde
Hacke
Gartenschere
Gitarrensaite
Nägel
Marker
Stumpfentferner
Thermometer
Flüssigseife
transparenter Nagellack
Schrumpffolie
Kosmetikschere
Rohrschelle
Spachtel
Klebstoff
Isolierband
Stift
Milch
Bastelklebstoff
Glas mit Wasser
Martini-Glas
Spitzendeckchen
Mülltonne
Verlobungsring
Lochzange
Papierlaterne
Jagdmesser
Weißleim
Zeichnung
Make-up-Schwamm
Glas
Weinglas
Geschirrtuch
Rüstung
Thermometer
Klammerapparat
Schlagschnur
Hundefutter
elektrische Zahnbürste
Teeschale
Eiscreme-Portionierer
Wodka
kleine Schalen
Kassette
LED-Beinchen
Make-up-Grundierung
Wattierung
Nadel
Wasserhahn
Eier
Fußball
Plexiglas
Gärrohr
Glaskrüge
Zahnseide
Schaufel
Garderobe
Zeitung
Schrauben
Spachtel
Zigarette
Notizbuch
Frischhaltefolie
Glasschüsseln
Glas
Teelichter
Buttermesser
Stange
Plastik
Ösenhaken
Farbe
Basketballkorb-Ständer
Eisen
Eis
Konservenglas
Irish Coffee-Glas
Nadel
Fugenmasse
Klebeband
Handy
Salsa-Schale
Lippenstift
Kulleraugen
Lüfter
Plastiktüte
Konservenglas
Schüssel
Acryllack
Spiegel
Tortenmesser
Styroporball
Schnur
Haarspray
Schäler
Segelboot
Weißweinessig
gesunde Snacks
Flaschen
Lei-Nadel
Reibe
Wasserwaage
Messer
Schneebesen
Breitschwert

Apfelentkerner
Cocktailshaker
Tortenplatte
Quilling-Stift
Trittleiter
Münze
Cowboy-Hut
Mobiltelefon
Blei
Backform
Mixer
Büroklammer
wasserfester Lack
Becher
Würze
Antiquitäten
Tee
Haarschneideschere
Kaffeemühle
Rettungsweste
Kaffee
adäquates Werkzeug
Spitzzange
Schraubenschlüssel
Mehlsieb
Kelle
Zange
Sieb
Säge
Eishockey-Schlittschuhe
Geschirr
Fliegeroverall
Lakritz
Schminkpinsel
Flachmann
Klammern
Dachnägel
Skischuhe
Teichpumpe
vietnamesischer Kaffeefilter (phin)
Schneeschaufel
Schlüssel
Schutzhelm
Drucker
Föhn
Kelle
Laubgebläse
Haarspangen
Rollerblades
Schaumstoffisolierung
Nagelzwicker
Cafetière
Zug
Dartscheibe
Pfefferkörner
Skistöcke
Fliesenfugbrett
Zucker
Mülleimer
Schaumstoff-Pinsel
Nahtauftrenner
Shaker
Magnet
Kämme
Pipettenfüller
Vielzweckklemme
Gewebe
Trittstein
Sicherheitsnadeln
Kopiergerät
faltbare Schaufel
Schraubenzieher
Feile
Gitarrengurtpins
Klebepistole
alte T-Shirts
Kinderwagen-tasche
Ventilator
Schablone
Blattgold-Kleber
Löffel
Skorpion
Schlauch
Zange
Bohrer mit Lochsäge
Drahtbürste
Panzerband
Kohle
Farbwanne
Spitzendeckchen
Fugenkitt
Pinzette
Zinnoberrot
USB-Stick
Doppelbrenner
Kohlebrenner
Faden
Bohrer
Tinte
Transistorradio
Sieb
Mörtel
Puzzle
Handy-Motor
Lawinensonde
Hockeypuck
Aufzug
Pfanne mit Gestell
Teppichmesser
Verkleidung
Rouge
wetterfeste schwarze Farbe
Transistorradio
Zielstangen für Hufeisenwerfen
Stein
Aluminiumfolie
Steine
Skateboard
Kajalstift
Lingerie
Geldtasche

Register

233

102

285

87

380

404

231

308

149

218

g

h

367

386

103

139

157

60

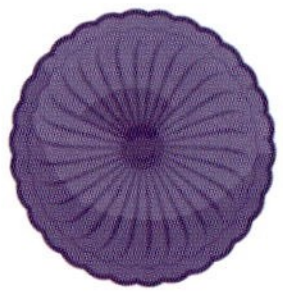
196

252

9

306

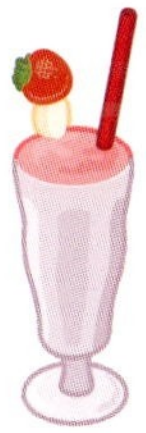
364

239

128

315

171

302

228

356

189

68

p

q

r

51

81

49

19

235

53

273

320

411

71

t

u

v

109

72

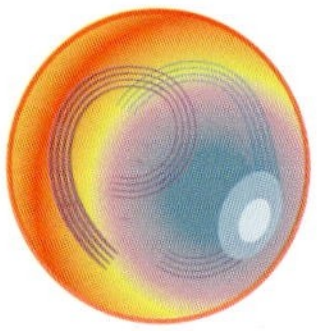
74

28

149

333

360

47

136

196

Das Team

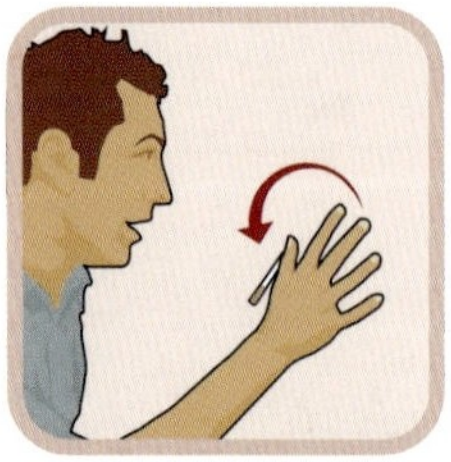
Derek Fagerstrom
Autor

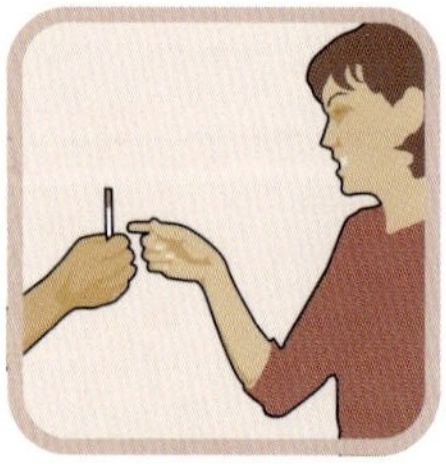
Lauren Smith
Autorin

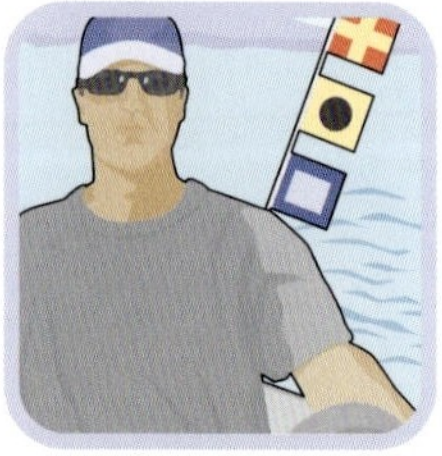
Terry Newell
Geschäftsführer

Amy Kaneko
Vizepräsidentin; Verkauf

Mark Perrigo
Finanzdirektor

Chris Hemesath
Produktionsleiter

Roger Shaw
Vizepräsident und Verleger

Mariah Bear
Leiterin Lektorat

Lucie Parker
Lektorin

Frances Reade
Lektor

Emelie Griffin
Redaktionsassistentin

Charles Mathews
Koordinator Produktionen

Kelly Booth
Artdirektorin

Marisa Kwek
Artdirektorin

Stephanie Tang
Grafikerin

Delbarr Moradi
Grafikerin

Michelle Duggan
Produktionsmanagerin

Teri Bell
Farbenmanagerin

Die Ratschläge in diesem Buch wurden von Autoren und Verlag sorgfältig erwogen und geprüft, dennoch kann eine Garantie nicht übernommen werden. Eine Haftung der Autoren bzw. des Verlags und seiner Beauftragten für Personen-, Sach- oder Vermögensschäden ist ausgeschlossen.

Moewig ist ein Imprint der Edel Germany GmbH

1. Auflage 2010

Originaltitel: More Show Me How:
Everything We Couldn't Fit in the First Book Instructions for Life From the Everyday to the Exotic
Autoren: Derek Fagerstrom, Lauren Smith & The Show Me How Team

Produktion der deutschsprachigen Ausgabe:
Print Company Verlagsges.m.b.H., Wien
Übersetzung für Print Company: Barbara Knesl

ISBN 978-3-86803-435-6

Printed in Singapore by Tien Wah

SHOW ME NOW™

Conor Buckley
Illustrationskoordinator

Hayden Foell
Illustrationsspezialist

Raymond Larrett
Illustrationsspezialist

Jamie Spinello
Illustrationsspezialist

Ross Sublett
Illustrationsspezialist

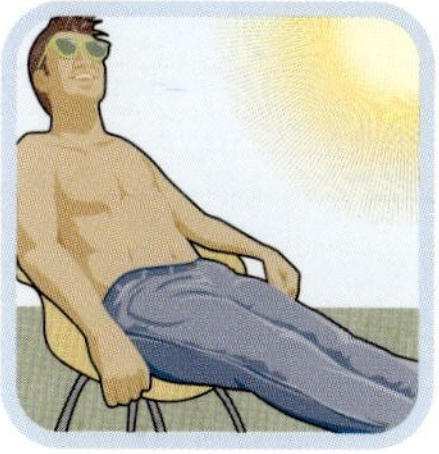
Steve Baletsa
Zeichner

Juan Calle
Zeichner

Sarah Duncan
Zeichnerin

Britt Hanson
Zeichnerin

Katrina Johnson
Zeichnerin

Vic Kulihin
Zeichner

Christine Meighan
Zeichnerin

Paula Rogers
Zeichnerin

Bryon Thompson
Zeichner

Lauren Towner
Zeichnerin

Gabhor Utomo
Zeichner

Tina Cash Walsh
Zeichnerin

Mary Zins
Zeichnerin

BILDNACHWEIS Das Artwork in diesem Buch war Teamarbeit. Wir danken unseren Illustratoren.

Cover vorne: **Vic Kulihin:** Schiff in der Flasche **Bryon Thompson:** Sari, Pirouette **Gabhor Utomo:** Fallschirmspringer **Hayden Foell:** Blue Blazer **Juan Calle:** Bogenschießerin

Hg=Hintergrund, Ar=Außenrahmen, R=Rahmen, ex=Extra Artwork

Steve Baletsa: 36–38, 88–90, 99–100, 106, 112, 133, 153, 187, 250–251, 256–257, 275–276, 308, 311, 371, 393, 416–418 **Kelly Booth:** 337 **Juan Calle:** 5–6, 12, 15–18, 22, 24–26, 40–42, 46, 53–54, 75, 154–156, 230–232, 248, 253–254, 258–270, 277–279, 286–288, 289–292 R, 295–298, 299–302 R, 306–307, 309–310, 312, 317, 327–336, 344–345, 369, 379–392, 396–401, 405–407, 414–415 **Tina Cash-Walsh:** 8, 39, 59, 111, 113, 219–221, 341–343, 419–421 **Sarah Duncan:** 35, 43, 84, 124 **Hayden Foell:** 72–74, 85–86, 157, 173–174, 178–179, 184, 213–214, 217–218, 238, 252, 285, 338–340, 370, 372–378, 394 **Jessica Henry:** 13, 97 **Pilar Erika Johnson:** 7 **Joshua Kemble:** 71 **Vic Kulihin:** 20, 23, 70, 77, 175–177, 215–216 **Raymond Larrett:** 34, 66–69, 78–79, 87, 114–117 bottom, 190–191, 235, 237, 246–247, 273, 318, 324, 354 R, 355 **Christine Meighan:** 44, 57–58, 60, 98, 105, 127, 129, 192–193, 195–197, 315–316, 323, 325–326, 347–348, 354 ex, 356–358, 366, 368, 395 **Hank Osuna:** 346 **Paula Rogers:** 96, 107, 240–242, 313–314 **Jamie Spinello:** 106 R, 81–83, 106, 108, 110, 126, 128, 151–152, 162, 183, 186, 188–189, 194, 224, 293–294, 349, 402–404 **Britt Staebler:** 20 Hg, 33, 53–54 Hg, 101–102, 114–117 top, 141–144, 149–150, 158–161, 165–172, 180–182, 198–205, 244–245, 271–272, 289–292 Hg, 299–302, 359–362 **Ross Sublett:** 284 **Bryon Thompson:** 19, 109, 118–121, 134, 163–164, 185, 212, 222–223, 226–229, 236, 243, 249, 305, 322, 363–365, 408–410, 412–413 **Lauren Towner:** 103–104 **Gabhor Utomo:** 2–4, 14, 21, 27–32, 45, 47–49, 50–52 Hg, 55–56, 61–65, 88–90 Hg, 91–94, 136–140, 145–148, 206–211, 239, 255, 274, 280–283, 303, 304 Hg, 319–320, 350–353, 411, 422–423 **Mary Zins:** 9–11, 50–51 R, 76, 80, 122–123, 125, 130–132, 135, 225, 321, 367

Unser Dank gilt

Recherche, Überprüfung und Datenüberprüfung wurden von einer Heerschar an Experten und begeisterten Fachleuten durchgeführt. Wir möchten vor allem folgenden Personen danken: Donita Boles für die Expertise in Kochkunst, Elizabeth Dougherty für den Input zu Kindererziehung, Renée Myers für diverse kulturelle Angelegenheiten, Lou Bustamante für die Beratung, Joseph Pred für medizinische Beratung und Marc Caswell sowie Joseph Judd für ihr Know-how rund ums Radfahren. Viele andere Experten gaben Ratschläge, von Swing-Tanz zu persönlicher Sicherheit, und trugen zur Verbesserung dieses Buches bei.

Die Mehrheit des Show Me Teams ist auf den vorherigen Seiten abgebildet. Andere Personen, die zu dieser Produktion beigetragen haben, sind Meghan Hildebrand, Katie Moore und Julie Vuong. Unser Storyboarding-Dream-Team bestand aus Jonathan Shariat, Sheila Masson, Brandi Valenza, Sarah Lynn Duncan, Chris Hall, Sam Belletto und Kevin Yuen. Marisa Solís hat ihr Korrektoratswissen beigetragen, Michael Alexander Eros unterstützte uns bei der Produktion, Gail Nelson-Bonebrake übernahm das Lektorat und Marianna Monaco hat sich um das Register gekümmert. Ihnen allen vielen Dank. Und ein besonders herzliches Dankeschön an die unzähligen Blogger, die das erste Buch entdeckt, geliebt und gelobt haben. Diese internationale Erfolgsgeschichte wäre ohne sie und ihre enthusiastische Unterstützung nicht möglich gewesen.

Wie geht das

Denken Sie, Sie können eines der Dinge in diesem Buch besser, schneller oder klüger machen? Wenn ja, möchten wir es gerne wissen! Schicken Sie uns eine E-Mail an info@showmenow.com, und Ihre Ideen werden möglicherweise Teil der nächsten Ausgabe sein. Schicken Sie uns Fotos und/oder ein Video, und vielleicht werden Sie sogar abgebildet.

Team

Gibt es etwas, das in diesem Buch hätte sein sollen? Etwas, das Sie oder Ihre Freunde können und zeigen möchten? Unser Team sucht neue Mitglieder, die Ihr Wissen mit der Welt teilen möchten. Senden Sie uns Ihre besten Ideen* , und Sie werden, falls wir sie verwenden, offizielles Mitglied dieser spannenden Gruppe von Experten und Begeisterten. Die neuesten Teammitglieder sind Pat Phillips, Felicite Briggs, Mandy Maung, Jamie Ditaranto, Harold E. Grupe Jr, Suzanne Kennedy, Dorothea Michel, Boris Palchik, Alicia Sanders und Alina Ungureanu.

* und vielleicht auch Ihre zweitbesten.